DICIONÁRIO
DA HISTÓRIA SOCIAL DO
SAMBA

NEI LOPES e LUIZ ANTONIO SIMAS

13ª edição revista

Rio de Janeiro
2025

Projeto Gráfico de Miolo e Diagramação: Marisco Design [Mari Taboada & Gabriel David]

CIP-BRASIL. CATALOGAÇÃO NA FONTE
SINDICATO NACIONAL DOS EDITORES DE LIVROS, RJ

L854d
13. ed.

Lopes, Nei, 1942-
Dicionário da história social do samba / Nei Lopes, Luiz Antonio Simas. – 13. ed. – Rio de Janeiro: Civilização Brasileira, 2025.
336 p.; 23 cm.

Inclui bibliografia e índice
ISBN 978-85-200-1258-1

1. Samba – História – Dicionários. 2. Carnaval – História – Dicionários. II. Simas, Luiz Antonio. II. Título.

15-19054 CDD: 394.250981
CDU: 394.25(81)

Texto revisado segundo o novo Acordo Ortográfico da Língua Portuguesa.

Direitos desta edição adquiridos pela
EDITORA CIVILIZAÇÃO BRASILEIRA
Um selo da
EDITORA JOSÉ OLYMPIO LTDA.
Rua Argentina, 171 – Rio de Janeiro, RJ – 20921-380 – Tel.: (21) 2585-2000

Seja um leitor preferencial Record.
Cadastre-se no site www.record.com.br e receba informações sobre nossos lançamentos e nossas promoções.

Atendimento e venda direta ao leitor:
sac@record.com.br

Impresso no Brasil
2025

Com a licença de Elegbara, o "dono do corpo" e do Samba; e com as bênçãos dos Ancestrais, nossos e do Samba também.

Em memória de Vagalume, Jota Efegê e Francisco Duarte.

Agradecimentos à estimadíssima professora Rachel Valença, pela competente revisão inicial e pelo inestimável aconselhamento.

Eu achava que o samba estava distante da minha ideia de beleza na música. [...] Eu era muito influenciado pelos clichês que existem fora do Brasil sobre o samba. Então um dia [...] percebi que o samba não tem o respeito que merece no exterior, e meu filme deveria corrigir isso. Samba não é só carnaval, caipirinha, mulheres na praia.

GEORGES GACHOT

APRESENTAÇÃO

Embora constitua o principal fenômeno cultural brasileiro surgido no século XX, embora seja a forma de arte tida e sentida como definidora da identidade nacional, é ainda relativamente escassa a bibliografia sobre o samba urbano carioca.

Tal carência é tão mais assustadora quando nos damos conta de que o Samba deveria ser matéria regular nas nossas escolas, assunto recorrente em nossa academia – por corresponder ao que o país produziu e produz de melhor, e de mais original, entre suas criações literomusicais.

Assim, nada poderia ser mais oportuno que a publicação deste *Dicionário da história social do samba*, que vem não apenas enriquecer nossas bibliotecas, mas também abrir caminhos fundamentais para a expansão desse conhecimento.

É obra que vem assinada por dois grandes bambas: Nei Lopes e Luiz Antonio Simas. Dois eruditos que dispensam apresentação, pelo que têm escrito, pelo seu devotamento intelectual à história do Rio de Janeiro e à cultura brasileira.

São homens de livros, que leem, que pesquisam, que polemizam e contrariam as tendências conservadoras do pensamento dominante. Ao mesmo tempo, bebem em fontes puras de saber ancestral. E também podem ostentar o diploma dessa grande universidade que é a rua. Integram, por princípio ético, por necessidade ontológica, um partido muito alto – o dos que combatem com inteligência e conhecimento o espírito subalterno de certo segmento da sociedade brasileira que nega valor a toda expressão estética de matriz popular.

Fruto dessa grande parceria, o dicionário que o leitor tem em mãos condensa uma impressionante variedade de temas, de recortes, de abordagens, de associações, sempre analisados por um viés inovador.

Os verbetes tratam dos diversos gêneros de samba (por exemplo: de breque, chulado, sincopado); de períodos históricos (como Anos Dourados ou República Velha); de conceitos abstratos (como *consciência negra* ou *malandragem*); da estrutura das escolas de samba (ala, bateria, comissão de frente etc.); de morros e regiões do Rio de Janeiro; dos instrumentos musicais; de estilos ou modos de dançar; de teatros e casas de espetáculos; da culinária típica; de festas populares – enfim, de tudo que tenha alguma relação com o fascinante mundo do samba, sempre de uma perspectiva crítica, que ultrapassa a mera informação.

O *Dicionário da história social do samba*, assim, já nasce clássico, já nasce como fonte de consulta obrigatória, indispensável, para pesquisadores de diversas áreas. E como livro de cabeceira, para aqueles que – como Nei Lopes e Luiz Antonio Simas – têm samba na veia.

Alberto Mussa

INTRODUÇÃO

Antes de seu objeto ser visto e definido como gênero de música popular "cultivada conscientemente", segundo as palavras de J. R. Tinhorão (1991: 122), a designação "samba" se aplicava a qualquer estribilho batucado de feição africana. De origens diversas, esses refrões ou coros vinham da Bahia, das fazendas do Sudeste, do agreste nordestino etc. E eram difundidos principalmente a partir de comunidades como a da "Pequena África" carioca. Até que, em 1916, o violonista e compositor Ernesto dos Santos, o Donga, declarou na Biblioteca Nacional a autoria da obra literomusical "Pelo telefone", tipificando-a como "samba carnavalesco", para ser lançada no carnaval do ano seguinte.

Mesmo assim, nessa primeira década do século XX e até a seguinte, em termos formais, o repertório do nascente gênero pouco se distinguia daquele do lundu e do maxixe, popularizados, como gêneros de canção e dança, pelo teatro, antes de tudo. Mas, por força de sua relação com a música carnavalesca de cortejo, como antes foi a marcha, o samba foi, nas décadas seguintes, assumindo características mais definidas. Assim, aos poucos ganhou em cadência rítmica, melodia, harmonia e letra, bem como em diversidade estilística. E isso certamente pela atração que exerceu sobre compositores profissionais dos ambientes do rádio e da indústria fonográfica, recém-constituídos.

Esse samba tão marginal quanto atraente e sedutor era o samba urbano carioca, recém-nascido no bairro do Estácio. Percebida, na década de 1930, em todo o seu potencial motivacional e aglutinador, essa música acabou por ser utilizada como a trilha sonora preferencial das ações do governo – mais ou menos da mesma forma que, por volta da década de 2000, o hip-hop e o funk transnacionais passaram a sonorizar as ações pró-cidadania nas comunidades excluídas e carentes dos guetos e periferias. Observemos, entretanto, que, à época do aparecimento desse samba e da instituição escola de samba, surgida logo após, a elite brasileira e as instâncias de poder por ela legitimadas ainda viviam o sonho alegadamente eugênico do branqueamento físico da população nacional. Assim, as manifestações menos ou mais africanizadas, pela origem, eram, quando muito, toleradas ou estudadas como "folclore".

Era um tempo em que a ideia que popularmente se tinha de "cultura" estava atrelada às formas eruditas de manifestações artísticas, literárias ou técnicas. E o samba, evidentemente, estava fora desse espectro.

O livro *A cidade das mulheres*, da antropóloga norte-americana Ruth Landes, em sua 1ª edição em português (1967: 8-9) narra uma situação exemplar. Conta a autora que em 1939, no Rio de Janeiro, foi recebida por um "notável ministro de governo, de reputação internacional", que, ao saber do objeto de sua vinda ao país, lhe teria feito a seguinte recomendação: "E já que vai estudar os negros, devo dizer-lhe que o nosso atraso político, que tornou esta ditadura necessária, se explica perfeitamente pelo nosso sangue negro. Infelizmente. Por isso, estamos tentando expurgar esse sangue, construindo uma nação para todos, *limpando* a raça brasileira." Segundo o etnólogo Edison Carneiro, em nota ao pé da página 8, esse ministro seria Oswaldo Aranha, então ministro das Relações Exteriores do Estado Novo.

Por outro lado, a força do samba como legítima e quase única expressão das massas na então capital federal transcendia o racismo. E, assim, servia aos interesses políticos dominantes, ao mesmo tempo que oferecia um possível canal de aceitação social aos seus marginalizados criadores.

Parafraseando o texto introdutório, apócrifo, de uma das edições do romance *Oscarina*, do sempre lembrado Marques Rebelo, não tememos dizer que o samba urbano carioca nasceu como expressão dos anseios de uma classe. A qual, na cidade recém-industrializada, tomava consciência dos direitos adquiridos com a Revolução de 1930 e ansiava por exercê-los plenamente; inclusive por meio do samba.

Mas o exercício do direito ao samba jamais foi tranquilo. Em seu caminho sempre estiveram, e ainda persistem, a tensão, o questionamento, a subestimação. Gerado em cenário histórico e social semelhante ao do jazz, o samba é definido, quando muito, como "um gênero de música e dança de salão, típico do Rio de Janeiro", enquanto seu parente do Norte não é mais apenas um tipo de música popular e, sim, "um modo universal de expressão musical", como consignado na *Grande enciclopédia Delta Larousse* já em 1970. Segundo Darcy Ribeiro (1985), cuja opinião esposamos, na década de 1980, o domínio das corporações multinacionais sobre os órgãos formadores da opinião pública e seu controle sobre as redes de comunicação de massa teriam gerado uma progressiva descaracterização de nossa cultura e a alienação crescente da consciência nacional. Como consequência, o desprezo ao país e ao povo converteria brasileiros influentes em agentes do que Ribeiro denominou "recolonização do país".

No momento deste texto – como, ainda no final do século XX, alertou o escritor Eduardo Galeano – a tecnologia põe a música, como outras formas de expressão, ao alcance de todos; mas os donos dela já começam a impor a "ditadura da música única" (cf. Galeano, 2013: 286).

Todavia, tanto no plano artístico quanto no social, o samba surpreende por seu poder de resistência à permanente pressão derrogatória de que é objeto. E a evidência dessa força está em sua renovação constante e sua aptidão de assimilar valores de outras origens, tomando-os para si, incorporando-os como acréscimo de força e jamais com perda de identidade. Esta é, então, a história social do samba que tentamos contar neste dicionário.

Nei Lopes e Luiz Antonio Simas

ABRE-ALAS. Elemento identificador, em forma de tabuleta, cartaz, quadro emoldurado ou carro alegórico, que, durante o desfile carnavalesco, vem à frente da agremiação. As primeiras escolas de samba, geralmente, traziam inscritas saudações "ao povo e à imprensa" e o "pedido de passagem", em um quadro singelo. Mais tarde, o abre-alas passou a ser apresentado efetivamente em alegoria, trazendo normalmente o símbolo da escola, como a águia da Portela, o surdo da Mangueira, as coroas do Império Serrano e da Imperatriz Leopoldinense e a estrela da Mocidade Independente de Padre Miguel. Atualmente muitas comissões de frente têm se apresentado com alegorias alusivas ao enredo, o que de certa forma tira do abre-alas a sua função primordial.

ACESSO, Grupo de. No universo das escolas de samba cariocas e assemelhadas, expressão que designa cada um dos agrupamentos de agremiações aspirantes a ascenderem ao Grupo Especial. O acesso é gradativo, a partir das primeiras colocações nos respectivos desfiles. *Ver* LESGA; LIERJ.

AESCRJ; AESEG; AESERJ. *Ver* ENTIDADES DE REPRESENTAÇÃO DAS ESCOLAS DE SAMBA.

ÁFRICA. O tráfico atlântico de escravos trouxe da África para o Brasil, entre os séculos XVI e XIX, cerca de 5 milhões de indivíduos, provenientes de diversas regiões africanas, com prevalência para os bantos do Centro-Oeste, embarcados principalmente em Cabinda, Luanda e Benguela. Segundo dados atualizados, os africanos dessa procedência representaram cerca de metade dos escravos trazidos para o Brasil e as Américas (Vansina, 2009: 7). Foi deles que se originou o objeto deste dicionário, conforme procuramos mostrar no verbete *samba*. Aqui buscaremos expor de que maneiras essas origens foram percebidas e propaladas nos repertórios dos diversos estilos, modalidades e vertentes nascidos a partir do estabelecimento do samba de roda baiano na cidade do Rio de Janeiro. **Cânticos tradicionais** – O universo dos sambistas pioneiros, que compreendia, além da comunidade baiana da Praça Onze e da Pequena África, migrantes oriundos do Vale do Paraíba e adjacências (zona de irradiação cultural banto), legou à nascente música popular brasileira, nas primeiras décadas do século XX, muitas adaptações ou recriações de cânticos tradicionais bantos (congo-angolanos) e também oeste-africanos (jeje-nagôs). Contendo quase sempre resíduos de línguas nativas do continente de origem, mesmo estropiados pelo tempo, esses cânticos constituem importante marco da africanidade no cancioneiro popular nacional. Em 1921, por exemplo, era lançada em disco a chula baiana "Pemberê", de Eduardo Souto e João da Praia; dois anos depois foi a vez de "Macumba jeje" (grafado "gegê" em algumas fontes), um samba de carnaval de Sinhô (1888-1930). A partir daí surgem, dentre outras: "Xô, curinga" (Pixinguinha, Donga e João da Baiana, lançada em 1932 com a rubrica *macumba*), "Yaô" (Pixinguinha e Gastão Viana, 1938), "Uma festa de Nanã" (Pixinguinha e Gastão Viana, 1941), "Macumba de Iansã" e "Macumba de Oxóssi" (Donga e Zé Espinguela, 1940) e "Benguelê" (Pixinguinha e Gastão Viana, 1946). Todas as obras citadas se caracterizam pelo mesmo espírito de africanidade reconstruída. Na década de 1960 surge para o disco Clementina de Jesus (1901-1987), cantora nascida em Valença, RJ, e falecida na cidade do Rio de Janeiro, onde vivia desde menina. Descoberta para a vida artística já sexagenária, Clementina afirmou-se como uma espécie de "elo perdido" (termo usado pela primeira vez pelo pesquisador Ary Vasconcellos) entre a ancestralidade musical africana e o samba urbano. Seu trabalho de maior expressão fez-se pela interpretação de jongos, lundus, sambas da tradição rural e cânticos rituais recriados. Nas décadas de 1930-1950, no período da história da música popular destacado como a "era do rádio", o compositor e cantor J. B. de Carvalho destacou-se como autor e intérprete de diversos pontos de umbanda gravados em disco. Em 1930, Elói Antero Dias, o Mano Elói (1888-1971), gravou para a Odeon um disco com o "Ponto de Iansã" e o "Ponto de Ogum", ambos registrados como macumba, da autoria de Getúlio Marinho Amor. Assim como ele, cantores como a versátil Marlene e o vibrante Jorge Goulart registraram em disco homenagens aos orixás, com fortes referências africanas, algumas vezes em ritmo de samba. **Afrossambas** – Logo depois do surgimento de Clementina de Jesus (1901-1987), outra interseção entre a música popular brasileira e a religiosidade africana ocorre com o estilo afrossamba ("Canto de Ossanha", "Ponto do Caboclo Pedra Preta" etc.), lançado por Baden Powell e Vinicius de Moraes em 1966. O mesmo Vinicius, em parceria com Toquinho, lança um "Canto de Oxum", em 1971, e um "Canto de Oxalufã", em 1972. Daí em diante, a vertente começa a se rarefazer e as incursões do samba ao universo afro restringem-se a poucos registros. Entre eles destacam-se os do autor e cantor Martinho da Vila que, no LP *Canta, canta, minha gente*, de 1974, registrou uma sequência de cantigas rituais da umbanda; os da cantora Clara Nunes; e boa parte dos repertórios dos compositores Candeia, Wilson Moreira e Nei Lopes. **Sambas de enredo** – O carnaval das escolas de samba cariocas – cujos terreiros (e não "quadras", como depois se denominaram) até cerca dos anos de 1970 obedeciam a um regimento tácito semelhante, por exemplo, ao dos barracões do candomblé, no qual o acesso à roda era uma prerrogativa feminina – é até a atualidade ambiente em que a temática africana é recorrente; ainda que os enredos e sambas enfoquem, salvo exceções, a África por uma perspectiva predominantemente folclorizante. Os primeiros exemplares do subgênero samba-enredo eram obras de criação livre e falavam, geralmente, da natureza, do próprio samba e do cotidiano dos sambistas. Com a oficialização dos concursos, na década de 1930, passou a predominar, como eixo temático, a exaltação dirigida aos personagens históricos e efemérides exemplares dos currículos escolares. Os enredos, então, limitavam-se a contar a história do ponto de vista das elites senhoriais dirigentes, abordando os acontecimentos de forma invariavelmente nostálgica e ufanista. Mas uma reversão desse quadro começou a ganhar contornos mais efetivos em 1959. Naquele ano, a escola de samba Acadêmicos do Salgueiro apresentou, com uma homenagem ao pintor francês Debret, o cotidiano dos negros no Brasil à época da Colônia e do Império, o que motivou, na mesma escola, uma sequência de enredos, ao longo da década de 1960, como Quilombo dos Palmares, Chica da Silva, Aleijadinho e Chico Rei, voltados para o continente africano. Desde então, no universo dos enredos apresentados pelas escolas de samba cariocas e fluminenses das várias divisões, as referências mais diretas à África se fazem constantes. A título de exemplo, podemos listar os seguintes: "Navio negreiro" (Vila Isabel, 1948, e Salgueiro, 1957), "Quilombo dos Palmares" (Salgueiro, 1960, Viradouro, 1970, e Unidos de Padre Miguel, 1984), "Chico Rei" (União de Vaz Lobo, 1960, Salgueiro, 1964, e Viradouro, 1967), "Ganga Zumba" (Unidos da Tijuca, 1972), "Valongo" (Salgueiro, 1976, e Unidos de Padre Miguel, 1988), "Galanga, o Chico Rei" (Unidos de Nilópolis, 1982), "Ganga Zumba, raiz da liberdade" (Engenho da Rainha, 1986), "Por que Oxalá usa ekodidé" (Acadêmicos do Cubango, 1984), "Logun, príncipe de Efan" (Arranco do Engenho de Dentro, 1977), "As três mulheres do rei" (Império da Tijuca, 1979), "A visita do Oni de Ifé ao Obá de Oyó" (Unidos do Cabuçu, 1983), "O sonho de Ilê Ifé" (Viradouro, 1984), "Oxumaré, a lenda do arco-íris" (Imperatriz Leopoldinense, 1979), "Dom Obá II, rei dos esfarrapados, príncipe do povo" (Mangueira, 2000), "De Daomé a São Luís, a pureza mina-jeje" (Unidos do Cabuçu, 1981), "Kizomba, festa da raça" (Unidos de Vila Isabel, 1988), "Pleito de vassalagem a Olorum" (Unidos do Viradouro, 1974), "Olubajé, a festa da libertação" (Difícil é o Nome, 1994), "Orum-Ayê" (Boi da Ilha, 2001), "Geledés, o retrato da alma" (Arranco do Engenho de Dentro, 2006), "Áfricas, do berço real à corte brasileira" (Beija-Flor, 2007), "Suprema Jinga" (Império da Tijuca, 2010), "O reencontro entre o céu e a terra no reino do Alafin de Oyó" (Unidos de Padre Miguel, 2013), "Uma epopeia africana" (Acadêmicos do Cubango, 2014), "O Império nas águas doces de Oxum" (Império da Tijuca, 2015), "Axé, Nkenda" (Imperatriz Leopoldinense, 2015), "Um griô conta a História" (Beija-Flor, 2015) etc. **O protagonismo afro-baiano** – Sobre a predominância, nesses enredos, de temas ligados ao universo iorubano, observe-se que isso ocorre pela maior visibilidade que essa matriz étnica, notadamente por causa da Bahia, tem no Brasil. O estado nordestino, graças principalmente à sua capital Salvador, antiga capital colonial brasileira, outrora mencionada como "cidade da Bahia", é internacionalmente conhecido pela riqueza de suas tradições africanas, apropriadas como verdadeiros símbolos nacionais brasileiros. Segundo algumas interpretações, a maior visibilidade desse precioso acervo cultural (em relação, por exemplo, ao dos majoritários bantos) teria ocorrido pela presença histórica, em Salvador e no Recôncavo Baiano, de lideranças iorubanas, principalmente nagôs, chegadas no século XIX imbuídas do propósito de recriar no Brasil estruturas de sua cultura e sua religiosidade, as quais acabaram por influenciar fortemente os outros grupos. Entretanto, veja-se que personagens como Chico Rei, Ganga Zumba, Zumbi e Rainha Jinga, pertencentes ao universo banto, são também bastante frequentes nos enredos que relacionamos. **África distante** – A presença africana na música popular brasileira, pelo menos em referências expressas, vai se tornando, com o passar dos anos, cada vez mais rarefeita. A partir da década de 1990, no ambiente do pagode pop observou-se uma voga inicial de grupos cujos nomes evocavam a ancestralidade africana (Raça Negra, Negritude Júnior etc.). Entretanto, seus repertórios não demonstravam compromisso com a africanidade sugerida em suas denominações ou qualquer relação com o que se identifica como consciência negra. *Ver* DESAFRICANIZAÇÃO.

ÁFRICA OCIDENTAL, samba na. *Ver* RETORNADOS.

AFROSSAMBA. Estilo de composição do gênero samba, surgido no âmbito da bossa nova, a partir da parceria entre o poeta e letrista Vinicius de Moraes e o violonista e compositor Baden Powell. A denominação abrange, de início, um conjunto homogêneo de onze belas canções inspiradas em cantigas rituais, sambas de roda e outras formas tradicionais. As letras versam, em geral, sobre temas afro-brasileiros; e as melodias, segundo a visão de alguns teóricos, encerrariam certo tom lamentoso, supostamente característico da música africana, o que carece de fundamento. Apesar do valor estético desse conjunto de obra, a denominação parece redundante, a não ser que encerre um questionamento das origens africanas do gênero principal da música popular brasileira; ou uma denúncia da desafricanização sofrida pelo samba a partir de sua urbanização e exploração comercial. *Ver* SAMBA.

AGOGÔ. Instrumento musical da tradição afro-brasileira, constante originalmente de duas campânulas metálicas (ou mais, na atualidade) unidas por um cabo comum, tocadas com uma baqueta. Historicamente é um instrumento ritual do candomblé jeje-nagô que se popularizou com as baterias das escolas de samba cariocas (principalmente a do Império Serrano), provavelmente depois da fundação, em 1951, da sucursal carioca do Afoxé Filhos de Gandhi, grupo carnavalesco que, desde a Bahia, congrega fiéis e admiradores do candomblé. Registre-se que o Império, na década de 1950, contou, em seus quadros desfilantes, com a participação do célebre pai de santo Joãozinho da Gomeia (1914-1971); e que algumas de suas filhas de santo integravam a Ala Baianas da Cidade Alta, importante grupamento da escola. – O vocábulo tem origem no iorubá *agogo*, "sino"; "tempo". *Ver* SERRINHA, morro da.

ALA. Cada uma das unidades básicas ou células organizacionais das escolas de samba, inicialmente formadas por parentes, vizinhos ou amigos. Em razão de suas funções, as alas eram outrora caracterizadas como "técnicas" ou "de componentes". Entre as primeiras estavam a ala da bateria, a das baianas e a dos compositores. **Origens e transformações** – A origem dessas unidades parece ter-se verificado espontaneamente talvez já na década de 1930, motivada pela busca de identidade de determinados círculos dentro do todo. Como exemplo, veja-se o episódio dos rapazes da Portela, trajados todos "com camisas brancas de gola azul, calças e sapatos brancos", descrito no verbete *comissão de frente*. O certo é que na década de 1960 as alas ainda eram integradas por grupos pequenos, de até quinze elementos, aproximadamente. Mais tarde foram se tornando contingentes de dezenas ou mesmo centenas de desfilantes, notadamente nas escolas de samba do Grupo Especial. Com nomes imponentes (ala dos lordes, dos príncipes, dos barões etc.) ou brincalhões (ala das secretas, dos periquitos, dos impossíveis...) e mais recentemente extraídos do mundo midiático (tropicália), elas desempenham papel importante nos desfiles. Tempos atrás, fora do carnaval, as alas tinham destacado papel nas relações públicas das agremiações, promovendo festas que serviam como cartão de visitas de suas respectivas escolas. A motivação dessas festas muitas vezes era o "batismo" de novas por antigas alas, inclusive de compositores, e de escolas diferentes. Então, em essência, elas constituíam o mais perfeito atestado das relações comunitárias sobre as quais se baseava a existência das escolas de samba. **Mercantilização** – Em 1969, segundo Moura (1986: 29), a criação na Portela da ala dos estudantes configurava uma resposta da escola à frequência cada vez maior da classe média aos seus ensaios na zona sul, na sede do Botafogo de Futebol e Regatas, no Mourisco. Essa ala, segundo a mesma fonte (numa primazia reivindicada por outra ala, da escola de samba Acadêmicos do Cubango, mencionada no verbete *estudantes, Alas de*), teria ditado o padrão a partir de então seguido: constituída principalmente por simpatizantes vindos de fora e não vinculados ou comprometidos comunitariamente com a escola, ela era como um corpo estranho, dirigido por pessoas sem vínculos históricos com a agremiação. Um claro exemplo disso foi testemunhado por um dos autores deste dicionário. Nos preparativos para o carnaval de 1974, os sambas de enredo concorrentes em sua escola, antes de serem apresentados na quadra, foram, um a um, gravados em fita na residência de um desfilante, ligado à diretoria da escola e "presidente" de uma ala da qual sua mulher era destaque. O histórico dessa ala deixava claro que ela participava de várias escolas, não mantendo maiores vínculos com nenhuma delas. Gestava-se aí o modelo das alas "comerciais". Tais alas, que começaram emitindo carnês para pagamento parcelado das fantasias do ano seguinte, chegam mesmo, na atualidade, a expor figurinos em shopping centers e a vender kits pela internet, subvertendo a antiga prática social que fazia desses grupamentos células coesas, nascidas de relações familiares e sociais, mas, sobretudo, de afinidade com suas escolas. Em 1985, a Ala Tropicália, do G.R.E.S. Acadêmicos do Salgueiro, disponibilizava carnês para parcelamento da fantasia do carnaval seguinte já no mês de abril (Circular nº 01/85 de 25/3/85). Essa forma de organização levaria à exploração comercial motivadora do excesso de desfilantes, reprimido mais tarde pelo mesmo Salgueiro que, em 1993, resolvia multar os presidentes de alas à razão de 300 mil cruzeiros por cada excedente do número preestabelecido de componentes. Em reportagem de Elenice Bottari, publicada em 5/3/1993, o jornal *O Globo* noticiava, estampando foto do recibo, que a escola, antes mesmo de entrar na avenida, já tinha faturado 110 milhões de cruzeiros com essas multas. Em tempos mais recentes, algumas agremiações, como o próprio Salgueiro, a Beija-Flor de Nilópolis e a Unidos de Vila Isabel vinham tentando, aparentemente com êxito, diminuir a força das alas comerciais, com incentivo a segmentos da comunidade, que, comparecendo aos ensaios ao longo do ano, ganhavam a fantasia para o desfile. **Alas Reunidas** – Em 1979, na Mocidade Independente de Padre Miguel, com o fito de corrigir "a diluição do visual pela multiplicação das alas", o carnavalesco Arlindo Rodrigues as unificou, transformando as sessenta alas existentes em apenas 28. Parece ter nascido aí a instituição das "alas reunidas", o que diluía mais ainda os fundamentos dessas células, as quais passaram a se organizar efetivamente como empresas, gozando cada uma de maior ou menor independência em relação à escola, conforme a tendência do poder central. *Ver* BAIANAS; ESTUDANTES, alas de.

ALAS DE ESTUDANTES. *Ver* ESTUDANTES, alas de.

ALEGORIA. Denominação de cada uma das figuras ou ornamentações que, movimentando-se mecanicamente ou por força humana, ilustram o enredo de uma escola de samba (Houaiss e Villar, 2001). O mesmo que carro alegórico. Trata-se de manifestação artística herdada das grandes sociedades, cujos desfiles constituíram o ponto alto do carnaval de rua carioca da década de 1850 até a de 1950, quando entraram em decadência, até a extinção. Nas escolas, a confecção das alegorias era, de início, confiada a artistas da própria comunidade, como o foram, na Portela, Antônio Caetano (também compositor), na década de 1930; e Lino Manuel dos Reis, de 1938 a 1956 (Candeia e Isnard, 1978: 23-25). Em 1935, a Portela desfilou apresentando aquela que é "considerada por muitos a primeira alegoria propriamente dita de uma escola de samba" (Portela Web): uma baiana sobre um globo terrestre, ilustrando o enredo "O samba dominando o mundo". Ao longo dos anos, as ingênuas alegorias dos primeiros tempos deram lugar a produtos artísticos bem-acabados, inclusive complementados por adereços e outros ornamentos e, mais recentemente, por figurantes de carne e osso. Em 1971, o jovem Joãosinho Trinta (1933-2011), responsável pelos adereços salgueirenses – o enredo era de Maria Augusta e os figurinos, de Rosa Magalhães – teria introduzido o isopor em substituição à massa e ao papel machê (Costa, 1984: 191). O mesmo artista, já destacado como carnavalesco, em 1976, deixando o Salgueiro pela Beija-Flor de Nilópolis, verticaliza os desfiles, com alegorias cada vez mais altas e repletas de destaques. Mais recentemente, o carnavalesco Paulo Barros introduziu nos desfiles as chamadas "alegorias humanas", carros repletos de componentes da escola que, ao fazer coreografias determinadas, substituem as esculturas e se tornam os elementos fundamentais da alegoria. Tal conceito popularizou-se no desfile de 2004 da Unidos da Tijuca, com um carro em que os componentes, em um enredo sobre o universo da ciência, representavam uma estrutura de código de DNA. Barros ousou, ainda, em 2007, quando colocou a bateria da Unidos do Viradouro em cima de uma alegoria de grandes proporções. *Ver* CARNAVALESCO.

ALUSIVOS. *Ver* SOLFEJOS.

ANOS DE CHUMBO. *Ver* ANOS DOURADOS.

ANOS DOURADOS. Expressão popularmente usada para definir, no Brasil, os anos do governo Juscelino Kubitschek (1956-1961). Com o mundo mergulhado na Guerra Fria, conflito caracterizado pela disputa entre os Estados Unidos e a União Soviética pelo controle e expansão de áreas de influência, o período trouxe ao país, geopoliticamente alocado no chamado Terceiro Mundo e marcado pela influência do capitalismo norte-americano, um exacerbamento do desejo de consumo, em larga medida por força do advento de novas tecnologias e da produção em massa subsequentes à Segunda Guerra Mundial. Sob a influência do *American way of life*, a classe média das grandes cidades passou a vestir-se e comportar-se segundo os modelos transmitidos pelo cinema de Hollywood e a aderir a um gosto musical sutilmente imposto pela indústria fonográfica. Nesse ambiente, em que o projeto desenvolvimentista e urbanizador de JK caminhava passo a passo com a forte influência cultural norte-americana, nascia a bossa nova. Em contraposição à expressão aqui verbetizada, o período mais duro da ditadura militar de 1964-1985, correspondente ao Governo Médici (1969-1974), ficou conhecido como "anos de chumbo".

APANHA-O-BAGO. Figuração coreográfica do samba de roda baiano, incorporada pelo samba tradicional carioca. Complementar ao corta-jaca e ao separa-o-visgo, nela o dançarino se abaixa, simulando apanhar o caroço da fruta.

APITO. Instrumento de sinalização sonora tradicionalmente usado nas escolas de samba pelos diretores de bateria e de harmonia. O apito do primeiro emite som semelhante àquele dos juízes de futebol; o do segundo, similar ao dos guardas de trânsito. A diferença de timbres serve para estabelecer a distinção entre os diversos comandos e sinalizações. A utilização do apito de maneira similar a um instrumento musical teria sido introduzida pelo compositor Herivelto Martins (1912-1992), em seu conjunto de shows, e implantada depois em algumas escolas de samba. Nas de São Paulo, por exemplo, o diretor de bateria foi outrora referido como "apitador". As variações executadas motivaram a criação de "O apito no samba", composição de Luís Bandeira (1923-1998) e Luís Antônio (1921-1996) e grande sucesso de 1958, na voz da cantora Marlene (1922-2014).

AUTENTICIDADE. Qualidade do que é autêntico, original, de origem comprovada; do que, em termos jurídicos, é revestido das formalidades legais. Por extensão, qualidade do que é verdadeiro, legítimo, não imitativo. Em torno da década de 1960, a expressão "samba autêntico" passou a ser usada, talvez por influência da acepção jurídica, para qualificar toda composição do gênero samba criada dentro de certas "formalidades" idealmente estabelecidas. Segundo algumas críticas, essa conceituação de autenticidade caracterizaria o samba como uma forma de expressão restrita aos ambientes de população afro-brasileira.

AUTORREFERÊNCIAS. Sambas em que o tema é o próprio samba. *Ver* REPERTÓRIO AUTORREFERENTE.

AVENIDA. Uma das acepções do vocábulo "avenida" é a de via urbana, mais larga que a rua, geralmente arborizada (Houaiss e Villar, 2001). No Rio de Janeiro, a partir de 1905, o termo foi popularmente usado para designar a avenida Central, atual avenida Rio Branco, aberta no âmbito das grandes reformas urbanas ocorridas na antiga capital federal no início do século XX. Como a ampla artéria era o palco principal do carnaval, o substantivo passou, então, a ser usado, no jargão carnavalesco, com o sentido de local de desfile. Com esse significado, o termo foi popularizado pelo cancioneiro e em demais referências no universo do samba. Ao longo da história das escolas de samba, as avenidas Rio Branco, Presidente Vargas, Presidente Antônio Carlos, bem como a rua Marquês de Sapucaí, desfrutaram do status de "avenida dos desfiles", forma de referência que ainda permanece no imaginário do samba, mesmo após a inauguração do Sambódromo.

BAHIA. Estado litorâneo da federação brasileira, localizado na porção sul da região Nordeste. Ponto de chegada dos colonizadores portugueses no Brasil, a antiga capitania abrigou a primeira sede do governo colonial, a cidade de Salvador, entre 1549, ano de sua fundação, e a segunda metade do século XVIII, época em que manteve intenso comércio com o continente africano. Sua cultura original é toda calcada em heranças africanas, notadamente a da região do golfo de Benim (principalmente na capital Salvador, outrora conhecida como "cidade da Bahia") e a de Angola e vizinhanças. Observe-se que, até o século XVII, o fluxo maciço de africanos importados era de negros bantos, embarcados principalmente nos portos de Cabinda, Luanda e Benguela; e que só depois, no século XVIII, o tráfico se deslocou para a Costa dos Escravos, marcando a influência sudanesa, sobretudo da Iorubalândia (nagô) e do antigo Daomé (jeje). **No Rio de Janeiro** – A violenta repressão motivada pela grande Revolta dos Malês, em 1835, e, depois, a Guerra do Paraguai (1864-1870) contam-se entre os fatores que motivaram o surgimento de uma comunidade baiana na cidade do Rio de Janeiro, a capital do Império. Por ação dessa comunidade nasceram os primeiros terreiros cariocas e fluminenses de candomblé e se desenvolveu o samba carioca, nascido no Rio, mas no "território baiano" da Pequena África (Alencar, 1981: 79). Certamente por isso a Bahia foi sempre a grande referência dos sambistas do antigo Distrito Federal; circunstância expressa num vasto repertório, no qual as marcas da ancestralidade afro-baiana se fazem muito presentes. Já no carnaval de 1904, Ernesto de Souza, dublê de farmacêutico e músico carioca, morador no bairro do Andaraí (Vasconcelos, 1977: 97), lançava composição em que dizia: "A mulata da Bahia/ não tem osso, é carne só/ Sapateia noite e dia/ em qualquer forrobodó" (Alencar, 1981: 79). Trata-se de uma cançoneta em cuja letra ecoa um típico samba de roda baiano. Mais tarde, surgiram: "Bahia" (Ary Barroso, 1931); "Bahia imortal" (Ary Barroso, 1946); "Bahia de todos os santos" (Vicente Paiva e Chianca de Garcia, 1948); "A Bahia te espera" (Herivelto Martins e Chianca de Garcia, 1950); "Faixa de cetim" (Ary Barroso, 1942); "Falsa baiana" (Geraldo Pereira, 1944); "No tabuleiro da baiana" (Ary Barroso, rotulado como "batuque", 1937); "O que é que a baiana tem?" (Dorival Caymmi, 1938); "Quando eu penso na Bahia" (Ary Barroso e Luís Peixoto, samba-jongo, 1938); "Trezentas e sessenta e cinco igrejas" (Dorival Caymmi, 1946), como exemplares dos muitos clássicos desse cancioneiro. **Escolas de samba** – No livro *As escolas de samba do Rio de Janeiro*, o jornalista Sérgio Cabral consigna que, já no desfile de 1933, quatro agremiações tinham a natureza ou a cultura baianas como tema: A Azul e Branco, do Salgueiro, apresentou "Uma noite na Bahia"; a Estação Primeira de Mangueira, "Uma segunda-feira do Bonfim na Ribeira"; a Príncipes da Floresta (do Salgueiro), "Passeata nas florestas da Bahia"; e a Mocidade Louca de São Cristóvão, Antiga Bahia (Cabral, 1996: 80). Após a oficialização dos desfiles, são também inúmeros os exemplos: "Romaria à Bahia" (Salgueiro, 1954); "Glória e graças da Bahia" (Império Serrano, 1966); "Bahia de todos os deuses" (Salgueiro, 1969); "Bahia, berço do Brasil" (Em Cima da Hora, 1972); "Lendas do Abaeté" (Mangueira, 1973); "Arte negra na legendária Bahia" (Unidos de São Carlos, 1976); "Mar baiano em noite de gala" (Unidos de Lucas, 1976); "Mãe baiana, mãe" (Império Serrano, 1983); "Ave Bahia, cheia de graça" (Acadêmicos do Cubango, 1988); "E o povo na rua cantando, é feito uma reza, um ritual" (Portela, 2012). **Sambistas** – Nos diversos estilos do samba, ao longo dos tempos, destacaram-se, na Bahia, entre outros, os seguintes compositores: Batatinha (1924-1997); Ederaldo Gentil (1947-2012); Edil Pacheco; Nelson Rufino; Riachão; Tião Motorista (1927-1996) e Valmir Lima. *Ver* ÁFRICA; CONSCIÊNCIA NEGRA; BAIANA; SAMBA-REGGAE.

BAIANA. Denominação da indumentária usada tradicionalmente pelas mulheres negras da Bahia, sobretudo as vendedoras de iguarias em tabuleiros. Compõe-se principalmente de bata rendada, saia comprida e armada, turbante, pano da costa e chinelinhas. As mulheres de posses adicionam a essa indumentária ricos adornos, como colares, pulseiras, braceletes e balangandãs de ouro ou prata. O traje, que vestia as negras de ganho na época colonial, estilizado e difundido pela cantora Carmen Miranda (1909-1955) no âmbito da política da boa vizinhança, tornou-se a representação simbólica da imagem da mulher brasileira. Entretanto, segundo Mauad (2004: 60), o traje estilizado pela Pequena Notável, como Carmen foi celebrizada, foi reformatado por Hollywood para tornar-se "latino" e não apenas brasileiro, além de bem-comportado, dentro dos padrões morais norte-americanos. **Alas de baianas** – A denominação do traje estendeu-se às mulheres que o usam, como aquelas que desfilam nas alas de baianas das escolas de samba. Essas alas constituem, no momento deste texto, o aspecto mais histórico e ancestral do desfile das escolas. Remontam ao início do século XIX, como se pode concluir da leitura do trecho em que Manoel Antônio de Almeida, no livro *Memórias de um sargento de milícias* (1997: 83-5), assim descreve uma procissão católica no Rio dos tempos do rei d. João VI: "Queremos falar de um grande rancho chamado rancho das Baianas, que caminhava adiante da procissão, atraindo mais ou tanto como os santos, os andores, os emblemas sagrados, os olhares dos devotos; era formado esse rancho por um grande número de negras vestidas à moda da província da Bahia, donde lhe vinha o nome; e que dançavam no intervalo dos Deo gratias uma dança lá a seu capricho. [...] As chamadas Baianas não usavam de vestidos; traziam somente umas poucas de saias presas à cintura, e que chegavam pouco abaixo do meio da perna, todas elas ornadas de magníficas rendas; da cintura para cima apenas traziam uma finíssima camisa, cuja gola e mangas eram também ornadas de renda; ao pescoço punham um cordão de ouro ou um colar de corais, os mais pobres eram de miçangas; ornavam a cabeça com uma espécie de turbante a que davam o nome de trunfas, formado por um grande lenço branco muito teso e engomado; calçavam umas chinelinhas de salto alto, e tão pequenas que apenas continham os dedos dos pés, ficando de fora todo o calcanhar; e além de tudo isto envolviam-se graciosamente em uma capa de pano preto, deixando de fora os braços ornados de argolas de metal simulando pulseiras." Ressalte-se que, desde o surgimento das escolas, a presença das alas de baianas foi decisiva para o encorpamento do canto e a beleza da dança coletiva. Assim, e por sua importância histórica, o desempenho desse contingente logo se destacou desde os primeiros desfiles competitivos, iniciados na década de 1930. Na década de 1970, entretanto, em meio às grandes transformações que se operavam, essa importância passou a ser contestada, em favor do novo tipo de espetáculo que se começava a apresentar. As baianas, então, passaram a somar apenas como parte do conjunto da escola em desfile, muito embora seu canto e sua dança continuassem a influenciar nos quesitos evolução e harmonia. Em 2013, uma matéria jornalística ("Baianas na dispersão", Maiá Menezes, *Revista O Globo*, 10/2/2013, p. 16-17) apontou para o esvaziamento dessas alas, tradicionalmente compostas por mulheres idosas. Como remédios para a crise, utilizam-se paliativos que vão desde a busca de componentes mais jovens até a participação das mesmas baianas em várias escolas diferentes. Uma das causas para o esvaziamento é, além do cansaço físico, a cooptação de muitas antigas sambistas, pobres e carentes, pelas seitas neopentecostais. *Ver* BAHIA; IGREJAS EVANGÉLICAS; TIAS BAIANAS.

BAILE. Reunião festiva cuja finalidade principal é a dança de par enlaçado. Os bailes em salões de gafieiras, clubes sociais, *dancing clubs* e mesmo em casas de família figuram, na história do samba, como espaços e momentos não só de lazer e entretenimento, mas também de socialização e afirmação artística. Foi neles que o mundo do samba criou e desenvolveu, graças ao talento de grandes dançarinos, o estilo popularizado como "samba de gafieira". *Ver* DANCING.

BALANÇA. Denominação de um local para pesagem de veículos de carga, abrigado sob uma espécie de alpendre outrora existente na Praça Onze, mitificado como um ícone da história do samba. Uma das dez instaladas na cidade por determinação de um decreto municipal promulgado em 1901, a balança referida tinha por objetivo evitar o excesso de peso nas carroças de tração animal. Entretanto, ganhou notoriedade mais pelo local de sua instalação, que serviu de palco a históricas competições de batucada; e também provavelmente pela simbologia do nome "balança" como circunstância na qual se pesavam a destreza e a força dos batuqueiros. Segundo Franceschi (2010: 99), sua localização exata era "entre os fundos da Escola Benjamin Constant e o início do Canal do Mangue, de frente para o lado ímpar da rua Visconde de Itaúna e próxima à ponte da rua Marquês de Sapucaí".

BALIZA. *Ver* MESTRE-SALA E PORTA-BANDEIRA.

BALUARTE. No vocabulário militar, "baluarte" é o sustentáculo de um reduto, a fortaleza inexpugnável. O termo acabou se incorporando ao universo das escolas para designar aquele indivíduo, geralmente veterano, que se destaca como grande defensor dos valores de sua agremiação e das tradições do samba, não medindo esforços nem sacrifícios. *Ver* MILITARISMO.

BAMBA. Qualificativo do sambista virtuoso e, outrora, destemido. Do quimbundo *mbamba*, "proeminente".

BAMBAMBÃ. Valentão; maioral; mandachuva. É forma aumentativa de bamba, originada do quimbundo *mbambamba*.

BAMBAS DO ESTÁCIO. Expressão que designou, na origem, os sambistas em cujo universo nasceu a legendária agremiação Deixa Falar. Em 1930, a gravadora Odeon formou um conjunto musical de estúdio com esse nome, destinado a acompanhar as gravações do nascente estilo de samba estaciano. Era formado por Romualdo Peixoto, o Nonô, ao piano; Esmerino Cardoso, trombone; Djalma Guimarães, pistom; e Walfrido Silva, bateria, além de ritmistas e coristas (Franceschi, 2010: 104).

BANDEIRAS. Símbolo universal de nações, estados, instituições, agremiações etc., nas escolas de samba a bandeira é também um distintivo importante. No ambiente do samba carioca, renovadas a cada ano, as primeiras, até talvez a década de 1950, continham informações sobre o enredo que apresentavam. Daí em diante, provavelmente pelo fato de terem deixado de ser confeccionadas artesanalmente, ganharam, como regra geral, uma forma padronizada, que remete à "bandeira do sol nascente", pavilhão militar do Japão, banido em 1952 e readotado em 1954. Acrescente-se que, nas escolas, o costume da renovação anual da bandeira permanece, sendo a do ano anterior empunhada pela segunda porta-bandeira.

BANHO DE MAR À FANTASIA. Antiga programação pré-carnavalesca realizada na orla carioca. Nela, usando a areia da praia como avenida, blocos carnavalescos de samba exibiam-se competitivamente. Os trajes obrigatórios eram fantasias feitas com papel crepom e vestidas por cima das roupas de banho. Ao final do desfile, os componentes caíam na água, em alegres e divertidos banhos coletivos, em que as fantasias se diluíam (Riotur, 1991: 363). As origens da tradição são incertas; segundo algumas fontes, o festejo teria surgido na Ilha do Governador, na década de 1940. A popularização entre os sambistas dos blocos levou à inclusão do banho de mar à fantasia no calendário turístico oficial da cidade, do qual fez parte até 1978. Mesmo fora do calendário oficial da cidade, os banhos continuaram existindo. Na década de 1990, as praias da Freguesia, na Ilha do Governador, de Dona Luíza, em Sepetiba, e a do Flamengo, eram os locais mais tradicionais e animados de realização do evento.

BANTOS. Conjunto de povos localizados principalmente na região do centro-sudoeste do continente africano. Indivíduos dessa origem, em especial os embarcados nos portos de Cabinda, Luanda e Benguela, representaram cerca de dois terços dos enviados para as Américas como escravos entre os séculos XV e XIX, como consignado no verbete *África*. Responsáveis pela introdução no continente americano de múltiplos instrumentos musicais, como a cuíca ou puíta, o berimbau, o ganzá e o reco-reco, bem como pela criação da maior parte dos folguedos de rua até hoje brincados nas Américas e no Caribe, foram certamente africanos do grupo Banto, falantes de línguas como quimbundo, quicongo, umbundo e aparentadas, que legaram à música brasileira as bases do samba e o amplo leque de manifestações que lhe são afins. **Clementina de Jesus** – Emergindo do mundo do samba para a vida artística profissional já sexagenária, a cantora Clementina de Jesus (1901-1987), nascida em Valença, RJ, destacou-se como intérprete de sambas "de morro". Entretanto, seu trabalho de maior profundidade se fez pela recriação de jongos, curimbas ou corimas, lundus e sambas da tradição rural, de raízes claramente pertencentes ao universo banto.

BARRACÃO. No ambiente das escolas de samba, denominação da edificação, geralmente fora do espaço da sede da agremiação, em cujo interior se confeccionam alegorias, aviamentos, adereços e fantasias para o desfile. O vocábulo, nesta acepção, embora com função social distinta, parece remeter ao espaço público e festivo dos candomblés, também referido como "barracão". A pertinência da remissão vem da comparação entre as acepções de "terreiro", nos mesmos ambientes. *Ver* CIDADE DO SAMBA.

BASTÃO. Espécie de vara cilíndrica, de madeira ou outro material, usada pelo diretor de bateria da escola de samba à guisa de batuta. *Ver* APITO.

BATALHÃO NAVAL. Antiga denominação do Corpo de Fuzileiros Navais, corporação militar popularizada, entre outras razões, pela excelência de sua banda de música. No início da década de 1930, quando eram comuns audições dominicais de bandas militares em praças públicas da cidade do Rio, como a Sáenz Peña, a da Harmonia e o Largo da Glória (Tinhorão, 2005: 131), a do Batalhão Naval era uma das mais apreciadas. Celebrizada também pelas evoluções que executava com estandartes, baliza etc., foram certamente a grande inspiração para a formatação do segmento dos ritmistas na instituição Escola de Samba. O próprio cancioneiro popular refletiu essa influência, no samba "Tem marujo no samba", de Braguinha, mencionado no verbete *bateria*.

BATE-BAÚ. Antigo estilo da dança do samba de roda, cuja denominação deriva do suposto ruído produzido pelo entrechoque dos ventres, na umbigada (Carneiro, 1981: 201).

BATERIA. Grupamento da escola de samba (considerado como uma das "alas técnicas") que constitui a orquestra de sustentação do desfile. Consiste em um conjunto de instrumentos de percussão organizado ao estilo das bandas marciais, com bombos, surdos, caixas-claras, taróis etc., mais tamborins, cuícas, reco-recos, chocalhos e, outrora, pandeiros, além de outros instrumentos. O aspecto militar da organização das baterias remete à conjuntura histórica em que surgiram as escolas, conforme registrado no verbete *militarismo*. E essa característica era quase sempre exaltada, como em "Tem marujo no samba", sucesso de João de Barro, o Braguinha, no carnaval de 1949, cuja letra diz: "Chegou a primeira escola de samba/ escola que não tem rival/ Pelo som da bateria/ até parece o Batalhão Naval..." Acrescente-se a citação deste improviso de partido-alto, ouvido no morro do Salgueiro e transcrito em Andrade (1989: 51): "A bateria/ parece coisa de guerra:/ tamborim veio da Alemanha/ cuíca veio da Inglaterra." **História** – Os primeiros grupos acompanhantes do samba eram compostos de surdo, pandeiros, tamborins e cuícas de fabricação caseira, mais violões, cavaquinhos e eventualmente banjo (fotos em Moura, 1988: 38). Em 1932, ano em que a legendária agremiação Deixa Falar assumia condição de rancho carnavalesco, o noticiário da imprensa, às vésperas do carnaval, chamava atenção para as baterias das escolas, com destaque para as sonoridades da cuíca e da "caixa-surda" (Silva e Maciel, 1989: 62). Mas as informações sobre o desfile do ano seguinte sugerem que a bateria não era um item em julgamento. A consolidação da performance da bateria como quesito determinante só vem no carnaval de 1935, juntamente com originalidade, harmonia e bandeira, e com a proibição expressa dos instrumentos de sopro (*op. cit*, p. 75). Mas, tomando por base o desfile realizado dois anos antes, as baterias ainda constituiriam conjuntos pequenos: a da escola Vê se Pode, por exemplo, compunha-se de uma caixa--surda (surdo), duas cuícas, sete tamborins, um reco-reco, além de um cavaquinho e um banjo (Cabral apud Lopes, 1981: 53-4). Veja-se, agora, que a informação recorrente de que o compositor Bide (Alcebíades Barcelos, 1902--1975) teria inventado o surdo, obrigatório na marcação do ritmo, decorre certamente de um equívoco: as denominações "tambor-surdo", "caixa-surda" ou simplesmente "surdo" aplicam-se a "tambores e caixas de som pouco intenso" (cf. *Enciclopédia da música brasileira*, 1998: 757-8), em oposição à "caixa-clara", expressão que designa a caixa de guerra e o tarol; e o instrumento é de uso antigo nas bandas militares. Possivelmente, Bide introduziu no samba o surdo de tarraxas, de confecção industrial, uma vez que os de fabricação caseira eram tensionados, esticados, pelo calor de fogo. Observe--se, além disso, e da herança deixada pelos antigos cordões, que a condição econômica dos primeiros sambistas parece ter sido o fator predominante na opção das escolas pela percussão: os instrumentos de ritmo eram passíveis de fabrico caseiro, com barricas e pequenas caixas. Sobre elas, estendiam-se couros, que se esticavam em pequenas fogueiras de papel, conforme observado por um dos autores deste dicionário ainda na década de 1950 e registrado em Tinhorão, 1966: 78. **Performance** – A performance da bateria consiste, resumidamente, na interpretação conjunta dos surdos, caixas e demais instrumentos. No ritmo, os surdos incumbem-se da pulsação (os de marcação), do impulso (resposta, os de segunda), do contratempo (balanço, os de terceira) e das variações (repiques); as caixas de guerra e taróis sustentam a constância da pulsação; e os demais instrumentos ornamentam a teia polifônica (Spirito Santo, 2011: 154-55). Tradicionalmente, cada escola tem seu estilo percussivo, sua identidade, traço que, em passado não muito remoto, fazia que fossem reconhecidas a distância. Essa identidade, ainda mais explicitada em outra parte deste verbete, dever-se-ia, segundo algumas opiniões, à ideia de que cada bateria das principais escolas reproduziria toques rituais específicos de alguns orixás, como o aguerê de Oxóssi, o ijexá de Oxum, o alujá de Xangô, o sató de Iemanjá etc. A ideia, entretanto, parece ser meramente especulativa, carecendo de maior fundamentação. **Regente** – Na atualidade chamado indistintamente de "mestre", o regente da bateria é, no seio das escolas, designado como "diretor". Na condução do conjunto ele "usa, geralmente, um bastão e um apito de boca, por meio dos quais faz todas as marcações. O uso do bastão no alto da cabeça significa levar o samba 'em cima' (com intensidade forte). Embaixo ou abaixando, indica diminuir de intensidade. Levando o bastão até o joelho significa terminar o samba [...] O diretor usa também um apito de boca, para se comunicar com os instrumentistas da bateria. A primeira vez que apita significa 'Atenção!'. [...] Usa ainda o apito para mudar o ritmo, indicar a mudança de andamento, indicar o corte ou o momento de o samba ser cantado em solo ou em coro. As marcações fazem-se com o apito só ou com o bastão também". Mas cada diretor tem o seu modo de trabalhar (cf. Lamas, 1981, p. 42-43). Nas escolas de samba paulistas, o diretor de bateria foi durante muito tempo referido como "apitador". **Inovações** – Pouco numerosas a princípio, as baterias, com o passar do tempo, foram crescendo, diversificando seus timbres e incorporando inovações, inclusive no instrumental: agogô, reco-reco de mola, chocalho de platinelas (soalhas de pandeiro) e xequeré, por exemplo, são algumas dessas inovações; assim como a eliminação do pandeiro, outrora um instrumento não só importante como simbólico. Outras inovações ocorreram no campo da interpretação e do desempenho. Nos anos 1960, a bateria da Mocidade Independente de Padre Miguel tornou-se famosa pela "paradinha" que, sob a batuta do legendário Mestre André (José Pereira da Silva, 1931-1981), costumava ser feita em frente à comissão julgadora. A inovação consiste, como definida em Spirito Santo (2011: 247), em um "artifício de interpretação" no qual todos, ou a maioria dos instrumentos, principalmente os surdos de marcação, são silenciados bruscamente, "para que, durante uma pausa de duração imprevisível, apenas um instrumento agudo – geralmente um repique ou um naipe de tamborins" – execute um solo. Terminado esse, todo o grupo volta a tocar de repente e "de maneira viva e retumbante", provocando "uma emoção difícil de ser descrita". Na obra citada, o autor discute várias hipóteses, algumas lendárias, para a invenção da "paradinha", não só atribuída ao Mestre André (1931-1981) como também apontada como um antigo recurso do jazz e das orquestras de bailes para animar plateias e dançarinos. O documentário *Nossa escola de samba*, de 1966, de Thomas Farkas, mencionado no verbete *cinema*, mostra, num desfile do ano anterior, a bateria da escola de samba Unidos de Vila Isabel executando esse tipo de performance, com um simples pandeiro executando o solo. Mas o certo é que, embora às vezes atribuída ao talento de outros artistas, a "bossa" acabou mesmo por celebrizar o conjunto da Mocidade e seu mestre. No carnaval de 1997, Mestre Jorjão, egresso da histórica bateria da Mocidade Independente, introduziu na bateria da escola de samba Unidos do Viradouro variações percussivas em ritmo de funk, em diversos momentos do desfile. Essa surpresa causou grande repercussão na imprensa, motivando inclusive a elaboração do livro *Do samba ao funk do Jorjão,* escrito pelo músico e pesquisador Spirito Santo (Antônio José do Espírito Santo). No livro, o autor consigna que a exibição "desequilibrou completamente o panorama modorrento do desfile e o conformismo tradicional do corpo de jurados, que apontava para uma farta e burocrática distribuição de notas dez para as mesmas grandes escolas de sempre (tendência cada vez mais predominante nos desfiles)". E acrescenta o arguto analista: "Mais do que um sucesso da bateria da Viradouro, verificou-se ali a vitória de um estilo clássico, mais ou menos como se, numa estranha inversão de fatores, a bateria da Mocidade, naquele ano sob a batuta técnica de Mestre Coé, tivesse trocado de lugar com a bateria da Viradouro ou ainda se, pressionados pela mesmice que ameaçava arrastar as baterias de samba para a agonia e a decadência, os espíritos de Mestre André e Mestre Waldomiro (1901-1983), abandonando suas escolas no ramerrão no qual estavam mergulhadas, tivessem se incorporado no Mestre Jorjão, justamente na hora do desfile da Viradouro." **Organização** – Com o crescimento da importância dos desfiles, a bateria, que era basicamente um setor de apoio, passa a constituir um corpo efetivamente integrante do enredo, o que se observava inclusive nos trajes. Assim, em 1960, a Estação Primeira de Mangueira organiza a sua bateria efetivamente como uma ala. Antes, como contava Homero José dos Santos – o Seu Tinguinha

(1918-1999), mangueirense histórico –, não havia nenhum tipo de organização: "Cada qual fazia a sua fantasia. Um vinha de tênis pintado, outro vinha de sapato pintado. [...] um com boina, outro sem boina [...] de 1960 para cá acabou tudo isso" (cf. Goldwasser, 1975: 85). Esse tipo de organização, que certamente refletia no desempenho do conjunto, já era adotado na Portela. Em meados da década de 1950, a bateria da escola de Oswaldo Cruz surpreendeu pela elegância: vestiu-se com ternos confeccionados em tecido azul especialmente estampado com o emblema da escola em branco, o qual revestia também os chapéus. No ano seguinte, o tecido foi branco com a impressão em azul. **Identidade** – No dia 11 de fevereiro de 1963, realizava-se no Maracanãzinho o 1º Torneio de Bateria do Estado da Guanabara, vencido pelas baterias dos Acadêmicos do Salgueiro e da Flor do Lins (uma das escolas que deram origem à Lins Imperial). Os jurados foram Pixinguinha, Donga, Lúcio Rangel e Oswaldo Sargentelli (*O Globo*, "Há 50 anos", 11/2/2013), os quais certamente perceberam a identidade traduzida nas performances de cada um dos conjuntos. Sobre isso, observemos que em 1968 era colocado no mercado o primeiro LP anual de sambas de enredo. Nesse disco, focalizando apenas as principais escolas do grupo de elite, inseriram-se, como complemento, faixas com o ritmo de cada uma das baterias. Magnificamente gravadas ao vivo, nos terreiros das escolas, e com excelente qualidade para os padrões da época, essas gravações são hoje peças de alto valor. Nelas, o ouvinte poderá perceber, com nitidez, as enormes variações entre andamentos, cadências, levadas, timbres e afinações de cada uma das escolas e suas baterias. Essas peculiaridades faziam a diferença, a ponto de qualquer apreciador mais bem informado poder adivinhar, de olhos fechados, de que escola se tratava. Com o tempo, essa identidade também foi se perdendo, restando poucas diferenciações entre cada um dos grupamentos. Podemos citar como exemplo a autoproclamada Bateria Surdo Um, a orquestra de percussão da Mangueira. Segundo A. J. Spirito Santo, na obra citada, o que diferencia sua cadência rítmica é, na batida dos surdos, a supressão da síncopa, elemento que, nas outras baterias, por meio dos surdos de terceira e de resposta, fornece o balanço, o suingue, induzindo à dança. Não obstante, essa característica da Mangueira lhe conferiu uma cadência marcial, também contagiante por sua vibração, embora já com o andamento bastante acelerado. E essa aceleração tornou-se regra geral, o que certamente aconteceu por injunções de mercado: a rigorosa limitação do tempo de desfile; o grande número de desfilantes; as dimensões gigantescas dos carros alegóricos etc. devem-se a compromissos midiáticos, numa conjuntura em que, cada vez mais, "tempo é dinheiro". Registre-se que, em 2014, era lançado pela Gryphus Editora o livro infantojuvenil *Na bateria da escola de samba*, criado pelo músico Leandro Braga, com a consultoria técnica de Carlos Henrique Vicente, o Mangueirinha, um dos diretores de bateria da escola de samba Unidos de Vila Isabel. Contendo um CD com as sonoridades de cada instrumento e do conjunto deles, o livro é precioso tanto por seu didatismo quanto pela importância do registro sonoro que apresenta. *Ver* CADÊNCIA; CUÍCA; PANDEIRO; RAINHA DE BATERIA; REPIQUE; SAMBA DE ENREDO; SURDO DE TERCEIRA; TAMBORIM; VIOLÊNCIA.

BATUCADA. Além de designar o ato ou o efeito de batucar e a canção que acompanha o batuque, o termo "batucada", no mundo do samba, é uma das denominações do jogo atlético também conhecido como pernada, cujos praticantes são referidos como "batuqueiros". Nele, um dos jogadores, no centro de uma roda e ao som de refrões de sambas cantados em coro, tenta arredar do chão uma das pernas do adversário, deslocando sua base de apoio para fazê-lo cair. Segundo voz geral, tratar-se-ia de uma diversão dos antigos africanos procedentes de Angola, desenvolvida principalmente no Rio de Janeiro, sendo considerada, por alguns autores, uma forma derivada da capoeira ou a ela integrada. **Batuqueiros famosos** – Em reportagem sobre a Praça Onze publicada no Caderno B do *Jornal do Brasil* em 1968, o jornalista Francisco Duarte, localizando suas observações na célebre Balança da Praça Onze, destaca, com significativos detalhes, os seguintes batuqueiros: Ruço; Zé Caldeira (da Marquês de Sapucaí); Valdemar da Babilônia (então morador da Piedade); Zé Boleiro (da Mangueira), que teria cometido um crime na praça e saído do presídio na condição de funcionário público nomeado; o famoso Brancura do Estácio e seu irmão Doca; Trindade, da rua Marquês de Sapucaí; Leofontino, da mesma rua; Saturnino, malandro e desordeiro, filho do célebre Hilário Jovino, morto com um tiro na boca; Reis, filho de Tia Carmem do Chibuca, que teria sido envenenado na rua Júlio do Carmo; Geraldo Vagabundo, dono de uma oficina de fundição no começo da Maia Lacerda; Mano Otávio, da Sapucaí, mais tarde motorista do presidente Arthur Bernardes; Maçu, da Mangueira; Tio Faustino (que, nos carnavais, costumava chegar por volta das 14 horas do sábado e só ir embora na manhã da quarta-feira, quando não acabava recolhido à 14ª Delegacia de Polícia); Álvaro Canhoto; Gastão Viana – mencionado como antigo desordeiro que, depois de passar um tempo na penitenciária, tornou-se compositor e inspetor de veículos (guarda-civil); Antenor Gargalhada, do Salgueiro; e Claudionor da Favela (Duarte, 1968: 5). Sobrevivente dessa época foi o salgueirense Manoel Laurindo, o Neca da Baiana, participante da fundação do G.R.E.S. Acadêmicos do Salgueiro, que, na década de 1960, desfilava na escola como figura de destaque. **Estilo de samba** – A denominação batucada se estendeu a um estilo de samba consagrado a partir da década de 1930 e consignado nos rótulos de discos como os das obras seguintes: "Na Pavuna" (Almirante e Homero Dornelas, 1931); "Já andei" (Pixinguinha, Donga e João da Baiana") [Cabral, 1978: 83]; "É batucada" (Caninha e Horácio Dantas, o "Visconde de Bicoíba, 1933") [Vasconcelos, 1985: 54]; "A cuíca tá roncando" (Raul Torres, 1935) [Severiano e Mello, 1997: 138]; "Cai, cai" (Roberto Martins, 1940); "Nega do cabelo duro" (Rubens Soares e David Nasser, 1942); "General da banda" (Sátiro de Melo, Tancredo Silva e José Alcides, 1950).

BATUQUE. Outrora, na África colonial portuguesa e no Brasil, termo aplicado tanto à percussão executada por tocadores de tambores quanto, genericamente, a qualquer dança praticada ao som dessa percussão. *Ver* BATUCADA; SAMBA: As danças do tipo samba.

BIENAL DO SAMBA. Evento competitivo realizado em São Paulo, entre maio e junho de 1968, produzido e transmitido pela TV Record. Criado como uma espécie de reação à discriminação do samba no âmbito dos festivais da canção, pretendia ser o primeiro de uma série, mas não passou da edição inicial. Na Bienal foram lançadas, todavia, obras importantes como "Coisas do mundo, minha nega", de Paulinho da Viola; "Lapinha", de Baden Powell e Paulo César Pinheiro; "Pressentimento", de Elton Medeiros e Hermínio Bello de Carvalho; e "Tive, sim", de Cartola.

BLOCOS CARNAVALESCOS. Um bloco é um grupo indistinto de pessoas; assim como um rancho é um grupo de pessoas em marcha. Os blocos carnavalescos, no antigo Distrito Federal, foram passando, ao longo da década de 1920, da condição de grupos anárquicos de foliões para grupamentos organizados e trajados de modo uniforme. Constituíram-se, por isso, em ancestrais próximos das primeiras escolas de samba, como o Baianinhas de Osvaldo Cruz foi para a Portela e o Bloco dos Arengueiros foi para a Estação Primeira de Mangueira. **Embalo e enredo** – Por volta da década de 1960, além dos grupos espontâneos que saíam às ruas apenas com um mínimo de organização, os blocos de samba participantes do carnaval oficial da cidade do Rio de Janeiro dividiam-se em blocos "de embalo" (também conhecidos como blocos de "empolgação") e "de enredo", classificação que subsiste hoje em dia. Os primeiros caracterizam-se efetivamente como blocos compactos, sem divisão em alas, usando fantasias simples e apresentando usualmente sambas curtos e de grande impacto rítmico e melódico. Entre eles, são hoje históricos e ainda ativos no momento deste texto, embora sem o espaço midiático de outrora, o Bafo da Onça, do bairro do Catumbi, o Cacique de Ramos, e o Boêmios de Irajá. Segundo a Riotur (1991: 99), no fim do século XX os blocos de enredo eram grupos "com estruturas bem próximas das escolas de samba". Em 2013, na culminação desse processo imitativo, já disputavam acesso ao grupo inferior das escolas, em que deixariam de ser blocos para alcançarem a condição de maior prestígio. **As escolas como modelo** – À época da produção deste dicionário, mesmo com as grandes transformações surgidas no carnaval do século XXI, os blocos cariocas, inclusive aqueles não ligados ao mundo do samba, seguem predominantemente, guardadas as devidas proporções, o modelo de desfile das escolas de samba: apresentam-se com carro de som, bateria e sem instrumentos de sopro (usados, por razões financeiras, em poucos casos), executando principalmente sambas de criação própria, também escolhidos por concurso, como os sambas de enredo. Em contraposição a esse fato, desde talvez a década de 1980, várias comunidades de escolas de samba passaram a manter blocos "de embalo", para apresentações mais descontraídas, com pretensões mais dionisíacas e menos apolíneas, com menos espetáculo e mais folia. *Ver* CORDÃO; RANCHO CARNAVALESCO.

BOATES. Após o fim da era dos cassinos, as casas de diversão noturna popularizadas sob a denominação "boate" (do francês *boîte de nuit*), embora menos acessíveis aos bolsos da classe média, pois cobravam couvert artístico, destacaram-se como locais de apresentação de espetáculos musicais nos quais os números de samba tinham sempre lugar. **Shows de variedades** – Nas boates cariocas, como o Golden Room, do Copacabana Palace; o Night and Day, na Cinelândia; o Monte Carlo, na Gávea; a Casablanca, na Praia Vermelha; e a Béguin, no Hotel Glória, havia espetáculos de variedades com números de samba. Nessas encenações, destacou-se, por sua criatividade e ousadia, o produtor e empresário Carlos Machado. Fazendo do samba de passistas e ritmistas uma atração dos seus shows, Machado encenou no Night and Day, em 1953, o espetáculo *Esta vida é um carnaval*, no qual incluiu, em iniciativa pioneira, uma representação completa da escola de samba Império Serrano, com parte da bateria, mestre-sala e porta-bandeira, passistas, baianas etc. **Para ouvir e dançar** – De outro tipo eram as boates menores, onde a música se destinava exclusivamente à audição e à dança, como foi a Arpège, do pianista Waldir Calmon (1919-1982). A partir do sucesso da casa, Calmon experimentou grande sucesso gravando, com seu conjunto de danças, dezenas de discos de grande êxito comercial, entre eles o LP *Samba, alegria do Brasil*, de 1959. O grupo de Valdir Calmon era formado por seu piano, ao qual era acoplado um solovox (teclado simples, ancestral dos sintetizadores), com guitarra, contrabaixo acústico, bateria, percussões e cantores. Esse tipo de formação repetia, com pequenas variações, a de outros grupos importantes, como o pioneiro Djalma Ferreira e seus Milionários do Ritmo, formado em 1945, e do qual despontaram músicos importantes, como o baixista e organista Ed Lincoln (1932-2012) e os cantores Miltinho (1928-2014), Helena de Lima e Sílvio César. **Sambalanço e samba-crônica** – Herdeiro direto de Ferreira e Calmon, o músico e chefe de orquestra Ed Lincoln dominou a cena dos bailes cariocas na década de 1960. Tendo como tônica de seu repertório sambas altamente dançantes e interpretados de maneira contagiante, foi, talvez, a partir de seu trabalho que se popularizou a vertente sambística conhecida como sambalanço, característica de cantores de seu grupo, como Orlandivo, Pedrinho Rodrigues (1936-1962) e o já citado Sílvio César. A par desse sambalanço dos bailes e, de certa forma, aproximando-se dele, desenvolvia-se outra vertente, a partir principalmente da obra de compositores da zona sul, como Luís Antônio, Miguel Gustavo (1922-1972), Billy Blanco (1924-2011), Macedo Neto, Luís Reis (1926-1980), Haroldo Barbosa (1915-1979) etc. Estes, em geral, compunham sambas bem-humorados e quase sempre centrados na crítica de costumes, produzindo verdadeiras crônicas do cotidiano. Tudo isso ocorria nos mesmos ambientes e contextos em que os trios de piano-baixo-bateria começavam a formatar o estilo samba-jazz. **Miltinho e Elza Soares** – Em plena efervescência do samba-jazz, ao lado de outros estilos de interpretação do samba, o ano de 1960 marca a estreia em LP dos cantores Elza Soares e Miltinho. Ele, vocalista e pandeirista tarimbado em conjuntos vocais e *crooner* de orquestras e conjuntos de boate desde os anos 1940, absolutamente familiarizado com a linguagem do samba, lançava, no LP *Um novo astro*, um repertório sambístico quase que totalmente inédito. Ela, ex-favelada do subúrbio carioca, estreava com *Se acaso você chegasse*, acompanhada por grande e vibrante orquestra. No ano seguinte, Elza lançou o histórico *A bossa negra*, com um repertório no qual se destacavam sambas antológicos como “Tenha pena de mim”, “Beija-me”, “Só vendo que beleza (Marambaia)” e “Cadeira vazia”.

BOI COM ABÓBORA. No mundo do samba, expressão de gíria que designa a composição musical mal-construída, em letra e melodia.

BOLE-BOLE. Na dança do samba, efeito de bulir reiteradamente os quadris; rebolado, requebrado (Cascudo, 1980: 136).

BOLIMBOLACHO. Vocábulo expressivo (de origem onomatopaica), nascido no ambiente do samba de roda baiano, para designar o movimento em que a dançarina requebra e rebola quase até o chão e depois retorna, com o mesmo movimento. Ex: "Bolimbolacho/ bole em cima e bole embaixo" (refrão popular). Em *A alma encantadora das ruas* (1997: 403), João do Rio cita: "Bolimbolacho, bole em cima/ Bolimbolacho por causa do bole embaixo..."

BONDES. No Rio de Janeiro e em outras cidades brasileiras, o nome "bonde", originário da língua inglesa, designou um veículo de transporte coletivo sobre trilhos, intensamente utilizado pela população carioca até a década de 1960. O pesquisador e escritor Humberto M. Franceschi chama atenção para a importância do bonde na divulgação do samba, nos primeiros tempos, a partir da Festa da Penha. Segundo ele, "a malha da rede elétrica das linhas, estendida por toda a cidade, fez levar aos bairros mais longínquos o que fazia sucesso a cada domingo de outubro", mês da realização da festa (cf. Franceschi, 2010: 125). No carnaval, o bonde também servia como uma espécie de "palco móvel" para animadas batucadas.

BOREL, morro do. Localidade na ramificação da serra dos Três Rios, no maciço da Tijuca, entre os bairros de Usina e Andaraí. Sua denominação vem do sobrenome dos irmãos Edouard e Antoine Borel, herdeiros da fábrica de rapé e tabaco outrora existente nas proximidades, e que passou a se chamar Fumos e Rapé de Borel e Cia. A ocupação do morro data de 1908, aproximadamente. **Unidos da Tijuca** – Em 31 de dezembro de 1931 era fundado o G.R.E.S. Unidos da Tijuca, resultado da fusão de quatro blocos carnavalescos existentes no Borel e nas vizinhanças: o da família Moraes, liderado pela avó Blandina; o da família Vasconcelos; o do Caroço, do lugarejo conhecido como Ilha dos Velhacos; e o de Dona Amália Baiana, no morro da Formiga, mais tarde reduto da escola de samba Império da Tijuca. Campeã em 1936 e terceira colocada no ano seguinte, a Unidos da Tijuca, terceira entre as mais antigas escolas cariocas, tinha sede no terreiro da família Vasconcelos (Duarte, 1981: 1). Existem duas versões que explicam a origem das cores e dos símbolos da agremiação. À época da fundação, a escola adotou como escudo um emblema com mãos entrelaçadas unidas a um ramo de café, em referência aos cafezais da velha Tijuca. As cores azul-pavão e amarelo-ouro teriam sido escolhidas por um dos fundadores de origem portuguesa, Bento Vasconcelos, em referência a "Casa Real de Bragança". Outra versão, mais propalada e menos pomposa, diz que a Fábrica de Cigarros, Fumos e Rapé de Borel e Cia. ilustrava a embalagem de um produto com a figura de um pavão-real, nas cores azul e amarelo-ouro. Viriam daí, portanto, as cores da escola e o símbolo hoje adotado – o Pavão. Como uma das mais antigas e tradicionais agremiações do carnaval, a Unidos da Tijuca apresentou ao longo de sua história alguns sambas de enredo de qualidade acima da média. Dentre eles destacam-se o samba de 1976, "Mundo encantado dos deuses afro-brasileiros"; o de 1980, "Coronel Delmiro Gouveia"; o de 1982, "Lima Barreto, mulato pobre, mas livre"; e o de 1983, "Brasil: devagar com o andor que o santo é de barro." **Império da Tijuca** – Do outro lado da rua Conde de Bonfim, que corta o maciço da Tijuca, ergue-se o morro da Formiga (ou "do Formiga", em provável referência ao sobrenome de um antigo proprietário), cuja comunidade, para alguns efeitos, integra o Complexo do Borel. É o reduto da escola de samba Império da Tijuca, fundada em 1940, na qual se destacaram, entre outros, os compositores Sinval Silva (1911-1994), Marinho da Muda (1928-1987) e Jorge Melodia (1934-2008). A agremiação do morro da Formiga, segundo as fontes disponíveis, foi a primeira escola de samba do Rio de Janeiro a participar de um desfile oficial com um enredo monográfico sobre as religiões afro-brasileiras, o "Misticismo da África para o Brasil", de 1971.

BOSSA NOVA. Nome pelo qual se tornou conhecido o movimento de renovação do samba difundido a partir da zona sul do Rio de Janeiro, no fim da década de 1950, e estendido ao estilo de interpretação e acompanhamento dele emergido. **Origens** – O marco fundador do movimento e do estilo então referido como "samba moderno" está em duas gravações do samba "Chega de saudade", de Tom Jobim (1927-1994) e Vinicius de Moraes (1913-1980), em 1958. A primeira, por Elizeth Cardoso (1920-1990), em janeiro; a segunda, por João Gilberto, cujo violão está presente em ambas as gravações. Como preâmbulo tem-se, pelo menos desde o início daquela década, a inventiva desse importante violonista e cantor, alterando as harmonias com a introdução de acordes não convencionais, como antes já faziam músicos como Garoto (1915-1955), Oscar Bellandi, Vadico (1910-1962), Valzinho (1914-1980) etc.; e radicalizando a sincopação do samba, com uma divisão única. O LP *Chega de saudade*, de João Gilberto, trazia, além da faixa-título, mais onze gravações em que eram lançados compositores como Carlos Lyra e Ronaldo Bôscoli e consolidados outros, como a citada dupla Tom e Vinicius e o pianista Newton Mendonça. A revolução gilbertiana, porém, era feita também em cima de sambas tradicionais, como "Rosa morena", de Dorival Caymmi; "Morena boca de ouro", de Ary Barroso; "Aos pés da cruz", de Marino Pinto e Zé da Zilda; e "É luxo só", de Ary Barroso e Luís Peixoto. O minimalismo ficava por conta da composição "Bim Bom", um samba de autoria exclusiva do intérprete e violonista. Ao redor e a partir de João Gilberto reuniu-se um grupo de músicos, quase todos de classe média e formação universitária, que acabou por transformar as experiências formais de Gilberto em um movimento. Vale notar que, em um universo distinto, o das boates, o pianista Johnny Alf (1929-2010), vocalista personalíssimo e criador de harmonias ousadas, tornava-se, desde a gravação de "Rapaz de bem", em 1955, também um dos pioneiros da renovação do samba naquele momento histórico. **Dissidência** – A estética leve e descompromissada, parcialmente motivada pelos chamados Anos Dourados, vividos pelo Brasil na segunda metade da década de 1950, acabou abalada pela truculência do golpe militar de 1964 e da nova ordem político-econômica consolidada a partir de dezembro de 1968. Nesse interregno, então, os seguidores de João Gilberto se dividiam, na forma assim explicada em Soares (1966: 365-66): "A contradição inicial dentro da bossa nova assumiu em pouco tempo o aspecto de uma verdadeira diáspora. Em termos gerais, pode-se dizer que uma facção optou por manter a influência do jazz norte-americano, um tom suave, intimista (personificado na voz fanhosa de João Gilberto) e nas letras de temas amenos, sem maior compromisso com a realidade brasileira ou qualquer espécie de participação social. A outra, constituída por gente como os compositores Baden Powell, Sergio Ricardo e Carlos Lyra e os letristas Vinicius de Moraes e Nelson Lins e Barros, uniu-se ao movimento geral da cultura brasileira no sentido de uma base popular-folclórica nas músicas, e uma temática de realismo e participação social nas letras." Esse rompimento com a estética de leveza e descompromisso, que já se delineara em sambas como "Zelão" (Sergio Ricardo, 1961), "O morro (feio não é bonito)" (Carlos Lyra e Gianfrancesco Guarnieri, 1963) e "O morro não tem vez" (Tom e Vinicius, 1963), entre outros, vai estabelecer ou reestabelecer um elo importante entre o samba da bossa nova e o samba das camadas populares, geralmente conhecido como "do morro". É por esse elo que Cartola, Elton Medeiros, Nelson Cavaquinho e Zé Kéti – entre outros compositores que, embora desfrutando de grande prestígio no mundo do samba, já eram definitivamente alijados do mercado musical – puderam enfim (a afirmação é do citado Soares) dialogar com uma fatia de público, jovem e universitário, que até então só tinha acesso à música de mercado ou àquela em geral praticada em seu ambiente social. No mesmo contexto do ressurgimento de Cartola e Nelson Cavaquinho, o samba vê surgir Paulinho da Viola; e é também em meados da década de 1960 que emerge, no cenário artístico, como um sucessor de Noel Rosa (1910-1937) ou de Ismael Silva, o pós bossa-novista Chico Buarque, autor de sambas logo tornados antológicos. **Difusão internacional** – Entre 1963 e 1964, o trabalho de João Gilberto com o saxofonista americano Stan Getz, que resultou na gravação de dois LPs, impulsiona a difusão internacional da bossa nova a partir dos Estados Unidos. O prenúncio de tal acontecimento já vinha no disco *Jazz samba*, gravado por Getz juntamente com o guitarrista Charlie Byrd, em 1962, ano do lançamento, no Brasil, do samba "Garota de Ipanema", pelo cantor Pery Ribeiro. Em 1967, sob o título "The girl from Ipanema", o samba de Tom e Vinicius é gravado em inglês por Frank Sinatra, marcando a definitiva expansão do estilo em dimensão internacional, como jamais havia ocorrido com outra vertente da música popular brasileira. **Batida diferente** – Ressalte-se que o acompanhamento rítmico do samba em estilo bossa nova caracteriza-se por uma "batida diferente", expressa em um tipo de sincopação não ortodoxo, o que levou, por exemplo, o compositor Cartola a assim se expressar sobre um de seus encontros musicais com o jovem colega Carlos Lyra: "Há um pouco de dificuldade tanto pra ele no antigo quanto para mim no moderno" (cf. Carvalho, 1986: 39). A "batida" da bossa nova, então, é característica de um estilo e não de um gênero autônomo. E a convalidação dessa afirmação pode ser atestada por uma constatação do musicólogo Gilberto Mendes, líder na década de 1960 do movimento Música Nova (Campos, 1968: 127-28). Segundo ele, nas "três fases rítmicas do samba", cumpridas até o momento de seu texto, a primeira foi aquela, herdeira da *habanera*, que deu os "tanguinhos" de Ernesto Nazareth; a segunda, a do "samba de morro carioca"; e a terceira, a potencialização extraída por João Gilberto do samba de morro e do samba folclórico, para criar a "batida" de violão característica da bossa nova. Segundo Ruy Castro (2008: 9), a batida da bossa nova foi lançada nacionalmente em 1958 pelo baterista Milton Banana. Era "uma simplificação extrema da batida da escola de samba", como se dela fossem retirados todos os instrumentos e conservado apenas o tamborim, "como João Gilberto fizera com o violão". Reafirmemos que o estilo bossa nova ganhou o mundo expressando sua indiscutível origem em títulos como "Samba de verão", "Samba do avião", "Samba em prelúdio", "Samba triste", "Só danço samba" etc. Em 1962, o músico francês Sacha Distel empenhou-se em lançar em seu país a dança da bossa nova que, segundo Tinhorão (1969: 114), era o "bom e velho samba, rejuvenescido pelo jazz". Seguiram-se iniciativas semelhantes na Itália e em outros países europeus; e, depois, no Brasil, o estilo conhecido como jazz dance. **Críticas** – Em 1966, no livro *Música popular: um tema em debate*, o citado Tinhorão dissecava o estilo em todos os seus aspectos. Num texto irônico, ácido e mordaz, ecoando as discussões sobre autenticidade que então se travavam, ele, citando vários nomes, afirmava ser a bossa nova "filha de aventuras secretas de apartamento [da música brasileira] com a música norte-americana". Mas, no cenário esboçado, destacava "a figura do único instrumentista compositor e cantor realmente original: o baiano João Gilberto do Prado Pereira de Oliveira". O livro mereceu, entre muitos outros, um artigo de Paulinho da Viola, publicado no boletim *Samba e Cultura*, da Associação das Escolas de Samba do Estado da Guanabara (Aeseg), no qual o compositor afirmava: "Foi um erro grave a citação de nomes [...] de pessoas que são, incontestavelmente, as mais importantes de nossa música moderna." Estranhamente, na mesma edição do boletim mencionado, à página 10, o jornalista Antônio Barroso, no texto "Samba pede passagem", fazia uma espécie de alerta enigmático: "Paulinho da Viola, oriundo da Portela, está sendo usado pelos grupinhos da zona sul, não se sabe até quando." *Ver* DANÇA JAZZ; SAMBA-JAZZ.

BOTEQUIM. Estabelecimento comercial popular, tradicionalmente localizado em andar térreo, dedicado à venda de bebidas, tira-gostos, sanduíches e, eventualmente, refeições de pratos simples. O termo, presente no léxico brasileiro desde 1858 (Cunha, 1982: 121), é comumente referido como sinônimo de "bar", vocábulo mais recente, de origem inglesa. Muitas vezes celebrados como espaços do samba e outras tantas como temas de sambas antológicos ("Conversa de botequim", de Vadico e Noel Rosa, é um dos muitos exemplos), os botequins e bares nem sempre foram ou são receptivos ao samba. "Quase sempre é proibido cantar. Mas sempre se canta." – escreveu a bem-humorada equipe organizadora do livro *Bar, boteco, botequins: imagens de um sentimento,* (1987: 10-11). "Muito mais do que isso: é no próprio bar onde surge a maioria das músicas que depois todo mundo sai cantando pelo país inteiro." **Redutos de samba** – Na história do samba carioca, alguns desses estabelecimentos marcaram época, com ou sem música. Na década de 1930, foi famoso o Café do Compadre, em uma esquina da rua Estácio de Sá com a atual

Visconde de Duprat, próxima à antiga zona do Mangue. Era frequentado pela Turma do Estácio, na qual se destacavam os compositores Nílton Bastos, Ismael Silva, Bide, Rubens Barcelos, Edgard Marcelino, Aurélio, Brancura, Baiaco etc. Caracterizava-se, ao que consta, apenas como local de convivência e não de exibições musicais. Em 1963, surgia o Zicartola, restaurante e casa de shows (como os antigos cafés-cantantes) que se tornou atração na cidade e espaço de divulgação do samba. Apesar da ditadura militar, ao longo das décadas de 1960 e 1970, outras iniciativas em favor do samba floresceram no ambiente dos bares e botequins. Mais recentemente, vários restaurantes e botequins do bairro da Lapa caracterizam-se como espaços para shows e rodas de samba, dirigidos a um público formado predominantemente por turistas nacionais e estrangeiros. *Ver* PAGODES; TENDINHA.

CABROCHA. Termo com que outrora se designava a pastora da escola de samba. Essa acepção era extensão do uso do substantivo que, nos dois gêneros, designa qualquer mestiço jovem (Houaiss e Villar, 2001).

CACHAÇA. Aguardente brasileira de origem colonial obtida a partir da destilação do caldo da cana-de-açúcar. Seu uso pelos trabalhadores escravizados foi estimulado por iludir a sensação de fome e, ao mesmo tempo, cerceado por causar embriaguez. Do estímulo resultou o vício do álcool, especialmente disseminado entre os escravos rurais, e um dos mais frequentes estereótipos racistas do Brasil: o de que os negros são amantes inveterados das bebidas alcoólicas (Lopes, 2011: 151). Tal estereótipo, em larga medida, se fez presente em relação a uma suposta ligação entre sambistas e o vício do álcool. Não obstante, a cachaça está presente no cancioneiro do samba de várias maneiras: retratada como bebida de malandro; vinculada às rodas de samba; descrita como a bebida ideal para acompanhar as comidas brasileiras; destacada em seus aspectos culturais; apresentada como o vício que desvirtua o sujeito e tira as mulheres da linha etc. São exemplos desse vasto cancioneiro músicas como "Bebida, mulher, orgia" (Anis Murad, Luis Pimentel e Manoel Rabaça); "Por essa vez passa" (Noel Rosa); "É bom parar" (Noel Rosa e Rubens Soares); "Maria Fumaça" (Noel Rosa); "Quem mandou você beber" (Bide); "Ai, cachaça" (Manezinho Araújo e Fernando Lobo); "Não deixarei de beber" (Sebastião Gomes, Jorge Gonçalves e Irineu Silva); "Que me dão pra beber" (Candeia); "Beberrão" (Aniceto do Império e Molequinho); "Coité, cuia

(Wilson Moreira e Nei Lopes); "Moenda velha" (Wilson Moreira e Zeca Pagodinho); "Nega Luzia" (Jorge de Castro e Wilson Batista); "Bafo de boca" (João Nogueira e Paulo César Pinheiro); e "A verdade é pura" (Moacyr Luz). No ano de 2006 os cantores Alfredo Del-Penho e Pedro Paulo Malta lançaram o CD *Cachaça dá samba*, pela gravadora Deckdisk, com um repertório dedicado à bebida. A cachaça também foi enredo de escolas de samba. O caso mais notório é do desfile do Salgueiro de 1977, quando a agremiação apresentou o enredo "Do cauim ao efó, com moça branca, branquinha", de Geraldo Babão (1926-1988) e Renato de Verdade. Em 2014, o G.R.E.S. União do Parque Curicica desfilou no Grupo de Acesso do Rio de Janeiro com o enredo "Na garrafa, no barril, salve a cachaça, patrimônio cultural do Brasil".

CADÊNCIA. No universo do samba, o mesmo que "ritmo" e, mais apropriadamente, ritmo que flui com suavidade, agradável de ouvir e sentir. O samba "cadenciado" é aquele tocado em andamento mais lento ou ralentado.

CAIS DO PORTO. Denominação popular de toda a zona portuária carioca, de grande importância na história do samba. Compreende parte dos bairros da Gamboa, Saúde e de Santo Cristo, historicamente relacionados à geografia e ao ambiente da Pequena África. O cais propriamente dito, com as instalações onde se desenvolvem os trabalhos de estiva e arrumação de cargas, foi e continua sendo local de trabalho de muitos sambistas, o que é referido também nos verbetes *partido-alto* e *Serrinha*.

CALANGO. Modalidade de cantoria em forma de desafio praticada na região Sudeste do Brasil. Por efeito da forte presença de migrantes mineiros e fluminenses nos antigos redutos do samba, exerceu grande influência na estruturação do estilo partido-alto. Mário de Andrade (1989: 82) registra também, para o termo, o significado de "dança de origem africana". A partir daí, explica-se a denominação: como as de outras danças rurais cujas designações se originam no reino animal, essa se refere certamente aos movimentos coleantes do réptil calango (do quimbundo *kalanga,* lagarto).

CANCIONEIRO. Coletânea de canções. O cancioneiro do gênero samba compreende vários subgêneros e estilos definidos ao longo desta obra.

CANDOMBLÉ. Nome genérico com que, no Brasil, a partir da Bahia, se designa o culto aos orixás jeje-nagôs, bem como algumas formas dele derivadas, manifestas em diversas "nações". Por extensão, o nome designa também a celebração, a festa dessa tradição, o xirê; e também o terreiro, base física da comunidade de culto. A relação do candomblé com o samba dá-se, como no caso da umbanda, pela tradicional participação, nas escolas, de fiéis e donos de terreiro. E, finalmente, pela consagração de algumas escolas junto a orixás do candomblé ou entidades da umbanda, identificadas com suas cores e, às vezes, "assentadas" e propiciadas em suas sedes. *Ver* BATERIA; EVANGÉLICOS; TIAS BAIANAS.

CANTO POPULAR. A interpretação do samba, como expressão do canto popular, tem no cantor Mário Reis (1907-1981) o seu divisor de águas. Aproveitando as vantagens trazidas pelas gravações eletromagnéticas, ele rompeu com a tradição do *bel-canto* italiano e criou uma forma mais espontânea e natural de cantar, o que foi fundamental para a expansão do samba. Na década de 1930, no caminho aberto por Mário Reis, destacam-se os cantores Noel Rosa (1910-1937), Jonjoca (João de Freitas, 1911-2006), Castro Barbosa (1905-1975) e Luís Barbosa (1910-1938). No final da década, despontam Cyro Monteiro (1913-1973) e Dilermando Pinheiro (1917-1975), entre outros. Entre as cantoras, fora do âmbito do teatro de revista, fizeram sucesso, na década de 1920, Aracy Cortes (1906-1985) e Carmen Miranda (1909-1955). A partir de 1935, além de Carmen, principalmente Araci de Almeida (1914-1988) e Marília Batista (1918-1990) ficaram conhecidas intérpretes de Noel Rosa (1910-1937). **Pagode** – O ambiente dos pagodes revelou, a partir da década de 1980, cantores solistas dignos de atenção por seus dotes vocais e interpretativos, como: Marquinho Sathan (Prêmio Sharp de Melhor Intérprete em 1991); Reinaldo, o Príncipe do Pagode; e Péricles, que surgiu com o grupo paulistano ExaltaSamba. **Puxadores de samba** –

Nos desfiles das escolas, o cantor responsável pela interpretação do samba, imprimindo-lhe o andamento correto, para que os componentes acompanhem; é mencionado como puxador de samba ou simplesmente puxador. A origem da expressão parece decorrer da ideia de que aquele que inicia o canto "puxa" o coro. Na atualidade, atribui-se também ao puxador a missão de animar os componentes durante o desfile, inserindo, na interpretação, "cacos" e "gritos de guerra". Nos primeiros anos dos desfiles, ainda não existia a figura do puxador-intérprete de samba de enredo. O samba era cantado por um grupo de pastoras que ficavam próximas do palanque onde estava a comissão julgadora. As pastoras cantavam a primeira parte, e a segunda, em geral improvisada, ficava a cargo dos chamados versadores ou mestres do canto (precursores dos puxadores de samba). Um dos maiores cantores da música brasileira, Jamelão (José Bispo Clementino dos Santos, 1913-2008), que desde o início da década de 1950 era o principal puxador da Mangueira, criticava abertamente o termo tradicional, preferindo ser chamado de "intérprete" do samba. Mesmo porque Jamelão era também cantor de gafieira, ambiente no qual todo cantor solista era referido como *crooner*, termo advindo do ambiente do jazz, com seu correspondente feminino *lady-crooner*. A maestria de puxar sambas de enredo consagrou nomes como os de Abílio Martins, Dedé da Portela, Haroldo Melodia, Neguinho da Beija-Flor, Ney Vianna, Noel Rosa de Oliveira, Roberto Ribeiro, Silvinho da Portela etc. Na década de 1960, Carmem Silvana, conhecida como o Rouxinol do Império, destacava-se como puxadora ao microfone do Império Serrano. No momento em que este dicionário foi produzido, como mais um indício do processo de desarticulação dos elos comunitários que caracterizavam as escolas de samba, é muito comum que os intérpretes troquem de escola em virtude, entre outras coisas, de interesses financeiros envolvidos na função. São raros os que ainda mantêm a fidelidade às cores de suas agremiações de origem. *Ver* CONDIÇÃO FEMININA.

CARNAVAL. Período de festivais ou festas profanas de origem religiosa, registrado em diversas culturas arcaicas, inclusive africanas. No Brasil, originário do calendário católico, manifesta-se em duplo aspecto: dionisíaco (folia) e apolíneo (espetáculo). Externando essa duplicidade, o samba está presente no carnaval carioca desde antes da criação da primeira escola de samba, instituição que, nascida dos segmentos mais desfavorecidos, acabou por tornar-se, no contexto sócio-histórico da sociedade de consumo, o ponto mais artístico e espetacular da festa carnavalesca no Rio de Janeiro.

CARNAVALESCO. Forma reduzida de "artista carnavalesco", expressão oriunda dos antigos ranchos. Designa aquele que, na escola de samba, liderando uma equipe de trabalho, é geralmente o responsável pela execução do enredo, que nem sempre é de sua autoria. Ao carnavalesco cabe a responsabilidade pela concretização da ideia em espetáculo visual. **Pratas da casa** – Os primeiros carnavalescos eram integrantes das próprias escolas, com habilidades artísticas, como o foram, na Portela, Antônio da Silva Caetano, o Seu Caetano e Lino Manuel dos Reis, à frente de pequena equipe. Segundo consignado em Candeia e Isnard (1978: 31), durante muitos anos a Portela ditou normas em termos de criatividade, sendo imitada por "todas as demais". Nos preparativos para o carnaval de 1954, a crônica portelense registra a colaboração de um certo Professor Batista e, em 1962, do cenógrafo Djalma Vogue, do ambiente dos shows de boate (Candeia e Isnard, 1978: 25). **Artistas de fora** – A participação, no carnaval popular, de artistas com formação ou prática acadêmica remonta aos ranchos carnavalescos. Embora, segundo algumas fontes, a Portela já tivesse utilizado, na década de 1950, os serviços da decoradora francesa Ded Bourbonnais (Lopes, 1981: 41; mas não registrado no citado Candeia e Isnard), e o casal Dirceu e Marie Louise Nery tivesse igualmente realizado desfiles salgueirenses, o grande marco da participação de artistas de outro universo nas escolas é a chegada do cenógrafo Fernando Pamplona ao G.R.E.S. Acadêmicos do Salgueiro no carnaval de 1960. Professor da Escola Nacional de Belas-Artes, Pamplona promoveu grande revolução na estética do carnaval das escolas, tipificando, assim, a figura do carnavalesco, e criando uma verdadeira "escola" entre alunos e colaboradores, muitos dos quais, como Joãosinho Trinta, se tornaram famosos nas décadas seguintes. Exemplo singular, entretanto, foi o de Júlio Matos, o Julinho, artista efetivamente popular, sem instrução formal, autor de diversos enredos na Mangueira, principalmente entre 1968 e 1989. Em meados da década de 1980 ele dizia ter-se "industrializado", pois, na "fábrica de alegorias" que mantinha no bairro carioca de Ramos, atendendo a diversas escolas, com cinco operários conseguiria realizar em um mês o que outros só conseguiam com cem (Auler, 1986: 51). *Ver* ALEGORIA.

CARRO ALEGÓRICO. *Ver* ALEGORIA.

CARRO DE SOM. Equipamento móvel que, no desfile das escolas, desde a década de 1960, amplifica o som das vozes dos puxadores do samba de enredo, para ser melhor ouvido pelos desfilantes e pelo público. Antes de sua invenção, o puxador seguia a pé no fim do cortejo, usando um megafone; mas os cantores dos primeiros tempos, chamados mestres de canto, contavam apenas com a potência de suas vozes. *Ver* PUXADOR.

CARTA DO SAMBA. Em dezembro de 1962, vinha a público o documento intitulado Carta do Samba. O ato coroava a realização, no Rio de Janeiro, do 1º Congresso do Samba, e a tarefa de redação foi entregue ao escritor Edison Carneiro, respeitado intelectual afrodescendente. O documento (Carneiro, 1982: 161-166) expressava "um esforço por coordenar medidas práticas e de fácil execução para preservar as características tradicionais do samba sem, entretanto, lhe negar ou tirar espontaneidade e perspectivas de progresso". Definindo as características do samba (coreografia e música), o texto de Edison Carneiro recomendava ainda: "Música, o samba caracteriza-se pelo constante emprego da síncopa" – deslocamento agradável da acentuação rítmica, induzindo ao bamboleio e ao requebrado, explicamos. "Preservar as características tradicionais do samba significa, portanto, em resumo, valorizar a síncopa. Mas a alteração desta regra, para aproximar o samba de outras formas de música popular vigentes no país ou fora dele, [...] é sem dúvida legítima e aceitável, pelos dois motivos já indicados." Os motivos eram a "evolução" pela qual o gênero ainda passava, e a formação, então, de "uma clientela cada vez maior, cada vez mais diferente da original". No momento deste texto, apesar de defasada em muitos pontos (papel das escolas de samba, da Ordem dos Músicos do Brasil e das entidades de Direito Autoral, por exemplo), a Carta ainda é um documento para reflexão, sobretudo quando estabelece a necessidade de "preservação das características do samba" em uma "perspectiva de progresso que não entre em choque com a tradição que consideramos de nosso dever proteger". Quanto à escola de samba, parece fora de dúvida que as agremiações precisam revitalizar sua essência, sob pena de se distanciarem cada vez mais de suas origens e propósitos iniciais – o que, entretanto, poderá significar uma opção, face aos ditames da indústria cultural, dentro da qual se inserem dinamicamente.

CASSINOS, era dos. O vocábulo "cassino" define a casa de diversões que trabalha principalmente com jogos de azar, mas que eventualmente oferece espetáculos musicais, serviço de bar e restaurante, bem como pista de dança. Em novembro de 1937, com o fechamento do Congresso Nacional e a dissolução dos partidos políticos, tinha início no Brasil o Estado Novo. A nova ordem política destacava-se também pelo aspecto feérico e festivo da *entourage* palaciana, expresso em uma intensa vida noturna. Na capital federal, em cidades vizinhas e em estâncias turísticas, salões, clubes e cassinos se multiplicavam. No Rio, reluziam os cassinos Atlântico, Copacabana e da Urca; em Niterói, o Cassino Icaraí; em Petrópolis, o do Hotel Quitandinha. Neles, encenavam-se espetáculos musicais, nos quais o samba tinha sempre lugar destacado. Com o fim do Estado Novo e a proibição dos jogos de azar durante o governo do presidente Eurico Gaspar Dutra, em 1946, terminava a "era dos cassinos". No lugar deles, as boates assumiam a hegemonia da noite carioca. *Ver* MARCOS HISTÓRICOS.

CAVAQUINHO. Pequeno instrumento de cordas dedilhadas normalmente em número de quatro e afinadas no esquema ré-sol-si-ré; ou como o bandolim, sol-ré-lá-mi. Em Portugal, de onde provém, é chamado "machete" ou "braguinha" (Andrade, 1989: 123); mas foi no Brasil, no ambiente do choro e do samba, que ganhou protagonismo e identidade, como instrumento tanto acompanhante quanto solista. No mundo do samba, grandes cavaquinistas se destacaram, quase todos agregando ao nome artístico a denominação do instrumento, às vezes na forma mais carinhosa e popular de "cavaco". Entre esses, podemos elencar Jair do Cavaquinho, Mané do Cavaco, Nelson Cavaquinho (que abandonou o instrumento mas não o "sobrenome"), Osmar do Cavaco, Paulo Salvador de Carvalho – o Ratinho do grupo Exporta Samba, autor de um método de ensino do instrumento etc. **Nosso Samba** – Integrante do Conjunto Nosso Samba, o cavaquinista Carlos Alberto da Silva Ferreira, popularizado como Carlinhos do Cavaco (c.1940-1991), foi um dos músicos mais originais em sua especialidade. Tocando na afinação de bandolim, foi o grande responsável pelo som que marcou, principalmente na gravadora Odeon, os registros de artistas como Clara Nunes, Roberto Ribeiro, João Nogueira (1941-2000) e outros nas décadas de 1970 e 1980. Essa sonoridade era conseguida pela soma de seu timbre ao do cavaquinho de Alceu Maia, principalmente. *Ver* CONJUNTOS VOCAIS-INSTRUMENTAIS; OPINIÃO.

CENSURA. A censura governamental à produção musical no Brasil opera, pelo menos, desde a década de 1930, quando era exercida no âmbito do Departamento de Propaganda e Difusão Cultural e, depois, do Departamento de Imprensa e Propaganda (DIP). Segundo Sodré (1979: 10), a censura do Estado Novo teria tentado proibir o samba "Gegê" ou "Macumba Gegê", de Sinhô, gravado em 1923, por entender que se referia ao apelido do presidente Getulio Vargas. Mas a referência era a "jeje", denominação étnica atribuída no Brasil a africanos oriundos do antigo Daomé. Com a ditadura militar de 1964, a tarefa coube, a partir de 1972, à Divisão de Censura de Diversões Públicas (DCDP), subordinada ao Departamento de Polícia Federal do Ministério da Justiça. A partir daí, toda música, para ser gravada, tinha que ter sua letra aprovada pelo órgão. Caso não fosse liberada, a gravadora ou o compositor poderiam apresentar recurso. Nesse quadro, foram inúmeras as canções censuradas, das quais, no universo do samba, ocorreram alguns casos exemplares. O samba "Menina-moça", de Martinho da Vila, foi censurado em 1969 por acusação de atentar contra a instituição da família, já que a personagem-título se desquita e depois "se amiga" (disponível em: <http://oglobo.globo.com/cultura/martinho-da-vila-vai-alem-regrava-seu-primeiro-lp-5361947>. Acesso em 15 jul. 2015). No mesmo ano, no desfile das escolas, o samba "Heróis da liberdade", apresentado pelo Império Serrano, teve problemas com a censura. Entretanto, a ação talvez mais violenta foi a perpetrada em 1975 contra o samba "Mestre-sala dos mares", de João Bosco e Aldir Blanc, que, por tematizar a Revolta da Chibata e fazer o elogio do marinheiro João Cândido, teve que ser refeito em vários trechos de sua letra. *Ver* DITADURA MILITAR; REPRESSÃO POLICIAL.

CENTRO CULTURAL CARTOLA. Entidade fundada em janeiro de 2001, na comunidade carioca da Mangueira. Tendo como base a obra do compositor Angenor de Oliveira, o Cartola, reúne intelectuais, artistas, produtores culturais e formadores de opinião no sentido de promover o desenvolvimento cultural e social do mundo do samba, bem como proteger suas tradições e preservar sua memória. Desenvolvendo atividades culturais, de lazer e profissionalizantes, o Centro destaca-se também por sua atuação política em defesa da cultura do samba. Em 2015, o CCC passou a sediar o Museu do Samba. *Ver* TOMBAMENTO.

CERVEJA. Bebida fermentada, às vezes com alto teor alcoólico, a cerveja tem seu consumo frequentemente associado, pela publicidade, à alegria, descontração, companheirismo etc. E assim se estabelece sua ligação com o mundo do samba. Até pelo menos a década de 1970, as capas dos discos de sambistas, notadamente aqueles do tipo popularizado como *pau de sebo*, quase sempre reproduziam reuniões em torno de uma mesa de bar, repleta de garrafas de cerveja. E os fabricantes da bebida sempre disputaram o filão das escolas e demais ambientes do samba. No carnaval de 1985, o Império Serrano levou para o desfile, no Grupo 1A, o enredo *Samba, suor e cerveja, o combustível da ilusão*, conseguindo apenas um sétimo lugar. E em 2012, já em tempos de "consumo responsável", como recomendado pelas autoridades, a maior empresa carioca do ramo desenvolvia, no Rio, o projeto de marketing intitulado Talentos do Samba. A iniciativa visava premiar grupos de samba e "divulgar a cultura do samba de raiz" nos "bares ou nas praças onde as rodas de samba ganham vida, a comunidade se encontra, celebra, saboreia comidas e uma boa cerveja gelada" (cf. *Guia do Samba*, Linx Consultoria: Prata Design, s/d).

CHANCHADA. *Ver* CINEMA.

CHÃO. No universo das escolas de samba, termo usado para definir a decisiva participação, no desfile carnavalesco, dos integrantes da comunidade de origem de uma escola. A agremiação que tem "chão" garante boa pontuação no quesito harmonia, principalmente graças à força do canto coletivo. *Ver* PASTORA.

CHAPÉU DE PALHA. Acessório da indumentária típica do malandro dos primeiros anos do samba, usado também como instrumento de percussão. A batucada era conseguida pelo tamborilar dos dedos no corpo endurecido do chapéu, também mencionado como palheta. Essa pioneira utilização é creditada ao cantor Luís Barbosa (1910-1938) (Barbosa, 1978: 71), porém outros, como Dilermando Pinheiro (1917-1975), Joel de Almeida e Zé Cruz (José da Silva Cruz, n. 1927), também se destacaram no uso percussivo do chapéu de palha. *Ver* INSTRUMENTOS IMPROVISADOS.

CHORINHO. Variante do choro, de andamento acelerado. Seu primeiro exemplar a alcançar sucesso discográfico foi "Brasileirinho", de Waldir Azevedo, por ele interpretado em solo de cavaquinho e lançado em 1949. Segundo alguns entendimentos, o chorinho seria uma modalidade de samba eminentemente instrumental, o que é rechaçado por teóricos que reivindicam para todo choro a condição de gênero, em vez de estilo interpretativo. E isso porque ele, lento ou acelerado, caracterizar-se-ia por possuir estrutura formal específica, expressa no desenvolvimento de três partes melódicas distintas. Observemos que, segundo Houaiss e Villar (2001), o choro é uma forma musical "passível de ser executada em vários ritmos", como polca, xote etc. Daí podermos inferir que o objeto deste verbete seria, quando menos, um choro interpretado em ritmo de samba. Já Mário de Andrade (1989: 136) chamava atenção para peças "choronas" tão rápidas que parecem concebidas apenas para execução instrumental virtuosística. E cita "Urubu", do repertório de Pixinguinha, mencionada na *Enciclopédia da música brasileira* (1977: 1144), como "samba". Ressalte-se que na mesma obra, logo a seguir, é relacionada, como choro, "Urubu malandro", de autoria atribuída a João de Barro e Louro e gravada em 1943. Ouvindo-se a gravação da primeira, instrumental, feita na época dos Oito Batutas, percebe-se a melodia da versão mais conhecida, com letra. E essa letra parece ser a mesma, levemente alterada, de um samba folclórico baiano, recolhido na cidade de Sobradinho em 1949, referido com o texto seguinte: "Urubu foi pra Bahia/ com fama de dançadô/ Quando chegou na Bahia/ urubu nunca dançô/ Dança, dança, urubu/ Eu não sei, sinhô" (cf. Souza, 1980 II: 242). Persiste, então, a dúvida sobre o significado do vocábulo "chorinho". Apenas um diminutivo para expressar o choro em andamento acelerado? Ou um estilo de samba, essencialmente instrumental, eventualmente com letra? Acrescente-se que, na década de 1920, o emergente samba enriqueceu-se com a incorporação de instrumentos e harmonizações dos conjuntos de choro, da mesma forma como logo incorporaria instrumentos e outros elementos do jazz.

CHULA. Espécie de samba baiano à base de solo e coro, de melodia, entretanto, mais completa e extensa que a do samba de roda. O termo designa, também, a parte solada desse samba, bem como diversas espécies de cânticos tradicionais, como as cantigas de capoeira. A origem do vocábulo parece estar no quicongo *tiula*, "sapo", a exemplo de vários nomes de danças afro-brasileiras relacionadas ao mundo animal. **Chula-raiada** – Variedade de chula na qual se entremeiam versos improvisados ou tradicionais. De "raiar", traçar riscos, riscar; provavelmente dentro da ideia de que os versos interpostos são "riscos, raias" no todo da letra cantada.

CHURRASCO. A partir, provavelmente, da década de 1980, difundiu-se no ambiente do samba o hábito das reuniões sociais com preparo e degustação de churrasco. Mais prático e barato em relação a pratos como a feijoada, o churrasco costuma ser associado ao pagode, no estilo "fundo de quintal" ou "de mesa", inclusive mercadologicamente. Na edição de 1º de dezembro de 2013 da *Revista O Globo*, circulante na cidade do Rio, na página 99, era publicado um sugestivo anúncio de uma rede se supermercados. Na ilustração, encimando uma foto em que se viam, em oferta, cervejas, linguiça "para churrasco", costela suína etc. e feijão, ao lado de um pandeiro, estampava--se o título da peça publicitária: "Amanhã é o Dia Nacional do Samba." *Ver* CERVEJA; CULINÁRIA E GASTRONOMIA; PUBLICIDADE E PROPAGANDA.

CIDADÃO-SAMBA. Titulação outrora conferida anualmente, pelas escolas de samba do Rio de Janeiro, ao sambista destacado nas artes características do samba, como dança, canto, composição, execução de instrumentos e oratória. Uma das láureas mais importantes, sua conquista reafirmava, para o laureado, o conceito de artista talentoso, versátil e inteligente. **Eleições e concursos** – De 1936 a 1950 a eleição foi feita pelo voto popular, pelos jornais que patrocinavam o concurso. Nesse período e sob esse critério, foram eleitos: Mano Elói (Deixa Malhar, da Tijuca); Paulo da Portela; Antenor Gargalhada (Azul e Branco do Salgueiro); Seu Alfredo Costa (Serrinha); Getúlio Marinho, o Amor, (mencionado em algumas fontes como participante do samba no subúrbio de Bento Ribeiro, reduto da antiga escola Paz e Amor); Caxinê (Depois Eu Digo, do Salgueiro); Paulo Brasão (Vila Isabel); e Cartola (Mangueira). Entre 1958 e 1964, a escolha passou a ser feita pelo maior número de votos vendidos, destacando-se nessa fase o sambista e jornalista João Paiva dos Santos, o Paivinha (Paraíso do Tuiuti). A partir de 1965, passou a ser eleito o candidato que, diante de um júri especializado, mostrasse maior talento ao cantar (sendo julgado por dicção, interpretação e ritmo); sambar (nas formas tradicionais do miudinho e do machucadinho); tocar três instrumentos do samba, com ritmo; e falar, expondo suas ideias com clareza e expressividade. Foram eleitos nessa fase Tião Copeba (Vila Isabel);

Bidi (Imperatriz Leopoldinense); Tião do Salgueiro; Jorginho Pessanha (o primeiro Jorginho do Império); Zé Kéti (Portela) e Carlão Elegante (Unidos de Lucas). No ano de 2013, o jornal *Extra* reativou o concurso, que elegeu o sambista Zé Catimba, da Imperatriz Leopoldinense. Em 2014, o eleito foi o compositor Aluísio Machado. Em 2015, o prêmio foi concedido pela primeira vez a uma mulher, Tia Surica da Portela.

CIDADE DO SAMBA. Espaço, na zona portuária carioca, que concentra os barracões, nos quais são construídos os carros alegóricos e é confeccionada uma parcela das fantasias dos desfiles das escolas de samba do Grupo Especial do Rio de Janeiro. Foi inaugurado em fevereiro de 2006 e cedido à Liga Independente das Escolas de Samba do Rio de Janeiro (Liesa) por 25 anos.

CIGANOS. A denominação "cigano" aplica-se principalmente ao indivíduo integrante de um povo nômade tido como originário da Índia ou do Oriente Médio (Lopes, 2007: 56). A presença de ciganos no Brasil data do século XVI, quando se instalaram prioritariamente na Bahia e no Rio de Janeiro, dedicando-se ao comércio de escravos, à compra e venda de animais e outras atividades, como o artesanato em metais. (Delta Larousse, 1970), e também à música. Na cidade do Rio, nos séculos XIX e XX, foi notória sua presença no bairro do Catumbi, próximo à Cidade Nova e à Pequena África. Ary Vasconcelos, citado no artigo "Chegada dos ciganos ao Brasil", de Dara Cigana, aponta a existência de um "núcleo de samba" na cidade, no qual um grupo de compositores, cantores e músicos dessa procedência cultivava o samba "com grande maestria", tendo, segundo ele, trazido contribuição importante ao gênero. Orestes Barbosa (1978: 83-4) cita algumas letras apócrifas de samba atribuídas a ciganos do Catumbi. *Ver* SAMBA DE ALMOCREVE.

CINEMA. O advento do cinema falado, em 1929, contribuiu decisivamente para o prestígio das vozes do rádio e do disco, sendo importante fator de difusão do samba. A partir do sucesso do filme *A voz do carnaval*, de 1933, desencadeia-se no cinema brasileiro o ciclo da comédia musical, que vai redundar na chanchada, adiante repertoriada. Assim, participando da trilha sonora, servindo como pano de fundo às tramas, mostrado de forma documental ou aparecendo explicitamente em números musicais, o samba e seu mundo estão bastante presentes no cinema brasileiro. *Coisas nossas* (1931); *Alô, alô, Brasil* (1934); *Alô, alô, carnaval* (1935); *O samba da vida* (1937); *Banana da terra* (1939); *Céu azul* e *Laranja-da-china* (1940); *Samba em Berlim* (1943); *Berlim na batucada* (1944); *Pif-Paf* (1945); e *Carnaval no fogo* (1949) são alguns dos primeiros filmes musicais com números de samba. **Chanchadas** – Nessa sequência, vêm as célebres chanchadas, filmes populares, de grande voga na década de 1950 e difundidos principalmente a partir do Rio de Janeiro. Tendo como público-alvo as massas das grandes cidades e como objetivo comercial a divulgação de músicas carnavalescas, o gênero explorou bastante o repertório do samba. Dessa época são, entre outros, os filmes *Tudo azul* (1952); *Carnaval Atlântida* (1952); *Carnaval em Caxias* (1953); *Carnaval em lá maior* e *Carnaval em Marte* (1954); *Garotas e samba* (1956); *Metido a bacana* (1957); *Quem roubou meu samba* (1958); e *Samba em Brasília* (1960). Nesses filmes, além da presença repetida, em algumas fichas técnicas, de Herivelto Martins, Heitor dos Prazeres, Ataulfo Alves e Monsueto, com suas respectivas "escolas de samba", bem como do requisitado grupo Jupira Brasil e suas Cabrochas, registre-se a participação do Império Serrano em *Tudo azul* e da Mangueira em *Carnaval em Marte* e *Metido a bacana*. **Ficção dramática** – Dos filmes de ficção dramática ambientados no mundo do samba, destacam-se: *Favela dos meus amores* (1935); *Rio, 40 graus* (1956, com a participação da Unidos do Cabuçu e filmado em parte na comunidade da escola); *Rio zona norte* (1957); *Orfeu negro* (1958); *Escola de samba alegria de viver* (1962); *Natal da Portela* (1988); e *Orfeu* (1999). **Documentários** – Entre os documentários sobre o samba, contam-se: *Nossa escola de samba* (1966); *Nelson Cavaquinho* (1971); *Conversa de botequim* (1972); *Mestre Ismael* (1973); *Noitada de samba* e *Partideiros* (1978); *O samba da criação do mundo* (1979); *Chega de demanda* (1980); *Samba não se aprende no colégio* (1981); *Partido-alto* e *Fala Mangueira* (1982); *Okê Jumbeba* (1985); *O cantor de samba* (1994); *Nelson Sargento* (1997); *O rei do samba* (1999); *Meu compadre Zé Kéti* (2001); *Onde a coruja dorme* (sobre

Bezerra da Silva, 2001); *Imperatriz do Carnaval* (2000); *Ensaio geral* (sobre a Mocidade Independente, 1999); *Paulinho da Viola – meu tempo é hoje* (2003); *O jaqueirão do Zeca* (2004); *O dia em que o bambu quebrou no meio* (sobre Bezerra da Silva, 2005); *O samba é meu dom* (sobre Wilson das Neves, 2006); *Vou vender meu samba* (2007); *O mistério do samba* (2008); *Cartola, música para os olhos* (2009); *O samba que mora em mim* (2010); *As batidas do samba* (2011); *Coração do samba* (sobre a bateria da Mangueira, 2012). **A dança do samba** – Numa tentativa de listar filmes em longa-metragem, inclusive chanchadas, contendo números musicais com performances coreográficas executadas por sambistas, chegamos ao seguinte repertório: *Carnaval barra limpa,* 1967, J. B. Tanko: Trio Fluminense (históricos passistas da Acadêmicos do Salgueiro); *Carnaval em Marte,* 1955, Watson Macedo: G.R.E.S. Estação Primeira de Mangueira; *Com água na boca*, 1956, J. B. Tanko: Jupira e suas Cabrochas; *É de chuá*, 1958, Victor Lima: número musical com o cantor Jamelão (1913-2008); *Eu quero é movimento*, 1949, Luís de Barros: Henricão e sua Escola de Samba; *Guerra ao samba*, 1954, Carlos Manga: Herivelto Martins e sua Escola de Samba; *Laranja-da-china*, 1940, Rui Costa: números musicais com artistas do Cassino da Urca; *Metido a bacana,* 1957, J. B. Tanko: G.R.E.S. Estação Primeira de Mangueira; *Mulheres à vista*, 1959, J. B. Tanko: Jupira e suas cabrochas; *Pif-Paf*, 1945, Adhemar Gonzaga: baianas de Herivelto Martins e pastoras de Ataulfo Alves; *Quando o carnaval chegar*, 1972, Cacá Diegues: ritmistas do Salgueiro; *Quem roubou meu samba?*, 1958, José Carlos Burle: número musical com o cantor Germano Mathias; *Rio, 40 graus*, 1956, Nelson Pereira dos Santos: S.E.R.E.S. Unidos do Cabuçu e G.R.E.S. Portela (cena antológica que mostra um costume antigo: o das visitas de delegações musicais entre escolas, geralmente para "batismo", conforme descrito no verbete respectivo); *Samba em Berlim*, 1943, Luís de Barros: Trio de Ouro canta o samba "Praça Onze"; *Samba em Brasília*, 1960, Watson Macedo: na trilha sonora, vários sambas dos Acadêmicos do Salgueiro, provavelmente sonorizando cenas de dança; *O samba na Vila*, 1957, Luís de Barros: Herivelto Martins e sua escola de samba; *Samba sexy*, 1963, Sonia Shaw: sambistas de Herivelto Martins; *Samba*, 1965, Rafael Gil (produção mista Brasil/Espanha, com Sarita Montiel): o G.R.E.S. Acadêmicos do Salgueiro reconstitui, em cenas gravadas nas proximidades do Ministério da Fazenda, no Centro do Rio, o desfile de 1963; *Sangue na madrugada*, 1964, Jacy Campos: Trio Samba e Mulatas de Ouro; *Sinfonia carioca*, 1955, Watson Macedo: Grupo Brasileiro de Arte Popular; *Treze cadeiras*, 1957, Franz Eicchorn: Monsueto e escola de samba; *Tudo azul*, 1951, Moacyr Fenelon: G.R.E.S. Império Serrano; *Vou te contá*, 1958, Alfredo Palácios: Escola de samba de Herivelto Martins e o cantor Henricão. **Fichas técnicas** – As fichas técnicas de boa parte desses filmes constam, principalmente, dos livros *O negro brasileiro e o cinema*, de João Carlos Rodrigues (2001); *Este mundo é um pandeiro*, de Sérgio Augusto (1989) e *Dicionário de filmes brasileiros – longa-metragem*, de Antônio Leão da Silva Neto (2009). *Ver* ORFEU DA CONCEIÇÃO; RADIODIFUSÃO.

CLUBE DO SAMBA. Movimento associativo criado em torno e sob a liderança do compositor João Nogueira, em 1979. Inicialmente com sede na casa de Nogueira, no bairro do Méier, reuniu em sua diretoria, entre outros, o músico Wilson das Neves, o compositor Nei Lopes, o jornalista José Carlos Rego, o jornalista Antônio Carlos Athayde e Francisco dos Santos, o Chiquinho, ex-presidente do G.R.E.S. Em Cima da Hora. Logo após sua fundação, promoveu animadas rodas de samba no terreiro da sede e foi palco de reportagens musicais exibidas no programa *Fantástico*, da TV Globo, inclusive na ocasião da entrega do título de sócio benemérito ao compositor Cartola. Paralelamente, promoveu animados bailes em uma das sedes do Clube de Regatas do Flamengo, com uma orquestra exclusiva, comandada por Wilson das Neves, trazendo à frente (e não atrás, como de hábito) um vigoroso naipe de percussão composto, inclusive, por festejados ritmistas da famosa bateria do G.R.E.S. Mocidade Independente de Padre Miguel. Numa segunda fase, o Clube do Samba teve sede na Barra da Tijuca, onde foram promovidos festividades e shows importantes. Registre-se que, na década de 1950, a Rádio Nacional mantinha em sua grade um programa intitulado Clube do Samba. Nele, a cantora Dolores Duran lançou, em 1957, o samba "Pano legal", de autoria de Billy Blanco (Faour, 2012: 164).

COMIDAS. *Ver* CULINÁRIA E GASTRONOMIA.

COMISSÃO DE FRENTE. Grupamento que, à frente do abre-alas, tem no desfile a função de apresentar a escola de samba ao público e ao corpo de jurados. Os concursos de ranchos carnavalescos já apresentavam em regulamento, no início do século XX, a exigência da comissão. Em relação às escolas remanescentes dos primeiros tempos, o pioneirismo na apresentação desse tipo de conjunto devidamente uniformizado é reivindicado pela Portela. De acordo com um dos primeiros diretores da escola, no carnaval de 1932 alguns jovens integrantes de um time de futebol de Oswaldo Cruz – num tempo em que não havia rigidez na composição das vestimentas carnavalescas – teriam comparecido ao desfile da escola uniformemente trajados, com camisas brancas de golas azuis, além de calças e sapatos brancos. Ao vê-los assim uniformizados, Paulo da Portela teria sugerido que formassem uma "linha de frente" e apresentassem a escola, o que ocorreu. Um pouco depois disso, a tendência de se abrir o desfile com uma comissão de frente se consolidou. Foi Seu Antônio Candeia, pai do compositor Candeia, que passou a organizar todos os anos, para apresentar a Portela, uma comissão formada por fundadores e portelenses destacados (Silva e Maciel, 1989: 60). Sistematizava-se, dessa forma, mais uma contribuição da escola de Oswaldo Cruz aos desfiles. Tradicionalmente, seguindo esse modelo, as comissões de frente eram formadas por fundadores, baluartes e membros das velhas-guardas das agremiações, os quais atravessavam a avenida em trajes de cerimônia e empunhando signos de sua importância, como cartolas e bastões. No carnaval de 1965, porém, o G.R.E.S. Acadêmicos do Salgueiro quebrou o paradigma, apresentando no enredo "História do carnaval carioca" uma comissão de frente composta por vinte rapazes dentro de burrinhas de vime, confeccionadas e ricamente ornamentadas pelo então aderecista Joãosinho Trinta. **Comissões coreografadas** – A partir do acelerado processo de diluição das tradições vivenciado pelas escolas nas duas últimas décadas do século XX, as comissões de frente tradicionais foram perdendo espaço para grupos ensaiados por coreógrafos profissionais. Inseridas no enredo, mas formadas, muitas vezes, por dançarinos remunerados, sem laços comunitários com as agremiações, as comissões apresentam as escolas de forma espetacular e, não raro, surpreendente. Em 1994, a da Imperatriz Leopoldinense executou complexa coreografia, tendo como elementos de cena vistosos leques amarelos; em 2010, a Unidos da Tijuca, com o enredo "É segredo", apresentou um show de ilusionismo ao estilo dos espetáculos da Broadway. O sucesso da apresentação fez com que a comissão fosse convidada para se apresentar, ao longo do ano, em espetáculos pagos, sem ligação com o mundo do samba, inclusive em festas de rodeios. Espetáculos à parte, desvinculada da tradição, a instituição comissão de frente perdeu sua função original: a de apresentar as agremiações a partir do aval da presença das figuras mais dignas das respectivas comunidades. Mesmo porque as escolas, na atualidade, prescindem desse tipo de legitimação, sendo mais notadas pela presença de personalidades que lhe deem retorno de mídia.

COMPONENTE. Designação usada, na escola de samba, em relação ao participante comum do desfile, sem atribuição específica – como é o caso dos integrantes das alas técnicas.

COMPOSITORES, ala de. Na escola de samba, grupamento responsável pela criação e interpretação musical, principalmente do samba de enredo escolhido para o desfile carnavalesco. **História** – As primeiras agremiações do samba foram fundadas, quase sem exceção, por compositores. É assim que vemos, à frente da legendária e controversa Deixa Falar, a figura de Ismael Silva e seus companheiros do Estácio; na Mangueira, destacou-se, em especial, Cartola; na Serrinha, Mano Elói e Seu Delfino; no Salgueiro, Antenor Gargalhada (1909-1941), parceiro de Noel Rosa (1910-1937); em Oswaldo Cruz, Paulo da Portela. Candeia e Isnard (1978: 45) chamam atenção para o fato de que os primeiros dirigentes da Portela eram todos compositores. Já na Mangueira, em janeiro de 1939, os principais compositores da Estação Primeira, entre eles Cartola, Carlos Cachaça, Aloízio Dias e Saturnino Gonçalves, também presidente da escola, fundavam aquela que é considerada a primeira ala de compositores organizada entre as escolas de samba cariocas (http://www.galeriadosamba.com.br). Em seu clássico estudo sobre a Estação Primeira, publicado em 1975, a antropóloga Maria Julia Goldwasser assim se expressava: "A ala de Compositores constitui uma espécie de elite dentro da Escola." Acrescentando que, naquele momento, a admissão de um novo membro no conjunto envolvia todo um processo de aprovação. Dizia a autora que isso era "publicamente entendido como um apuramento de qualidade". Observemos que, nos tempos românticos, anteriores a essa decisiva década de 1970, o grande troféu do compositor de escola de samba era ser admirado por seus pares e pelo mundo do samba como um todo. Além do orgulho de sua condição, o compositor era também motivado por seus laços comunitários e pelo amor à sua bandeira. Uma ala de compositores, naqueles tempos, representava, realmente, a elite intelectual de uma agremiação, embora muitas vezes seus membros fossem iletrados e até analfabetos. Havia, inclusive, um código de ética nas escolhas de samba de enredo, que fazia que se renunciasse à disputa diante de um concorrente nitidamente superior. Com a absorção das escolas pela sociedade de consumo e a transformação das composições em produtos pela indústria fonográfica, a condição de compositor foi perdendo o caráter amador (de "arte pela arte") e espontâneo para ser cada vez mais uma atividade semiprofissional. Nesse quadro, a influência de empresas editoras, ligadas às gravadoras de discos, foi notória, o que em determinado momento chegou mesmo a quebrar a impenetrabilidade de algumas alas, nas quais os critérios para ingresso passavam, antes de tudo, pelo mérito artístico. No carnaval de 1974, a participação vitoriosa de compositores profissionais – estranhos ao mundo do samba – no concurso de sambas de enredo da Portela causou grande polêmica. A partir daí, as regras para o pertencimento ao grupo de compositores de uma escola foram se tornando cada vez mais flexíveis. O extremo da situação foi a instituição, na década de 2000, das chamadas alas abertas, nas quais, para participar da disputa pelo samba de enredo, basta pagar as lucrativas taxas cobradas pelas escolas. **Samba de escritório** – A expressão "samba de escritório" designa, modernamente, o samba de enredo supostamente criado por grupos de compositores hábeis e vendido a colegas concorrentes nas escolas. Esse tipo de negócio teria gerado um modelo de feitura industrial, baseado numa fórmula padronizada. Em contundente artigo publicado na edição de *O Globo* de 11 de dezembro de 2011, os portelenses Luiz Carlos Máximo e Toninho Nascimento denunciavam esse tipo de prática, atribuindo-a à transformação de muitas alas em balcões de negócios. "Na medida em que uma escola de samba substitui a ala de compositores tradicional pela ala aberta", escreviam, "transforma o segmento num balcão de negócios onde são cobradas taxas de inscrição para quem quiser se inscrever, concomitantemente com as taxas de inscrição do samba de enredo. Note-se que a última disputa numa dessas escolas que adotaram a ala aberta", prosseguiam, "envolveu cerca de 130 composições. Considerando-se que cada compositor concorrente pagou 80 reais pela inscrição na ala e outros 80 reais pela inscrição do samba, e que cada parceria é composta, em média, por cinco pessoas, conclui-se que o negócio foi altamente rentável para o caixa da escola, mas contribuiu para a perda de sua identidade histórica." Segundo consenso, a crise das alas de compositores verificou-se a partir do momento em que as agremiações deixaram de estimular o samba de terreiro, concentrando toda a sua ação na busca do campeonato no carnaval.

COMUNIDADE. Grupo de indivíduos que vivem num mesmo lugar, compartilhando interesses comuns. Nas escolas de samba, com a participação cada vez maior de pessoas estranhas ao universo das agremiações, num fenômeno iniciado ainda na década de 1950, a participação de moradores ou componentes oriundos dos núcleos de origem dita a prevalência maior ou menor de elementos característicos. *Ver* CHÃO.

CONDIÇÃO FEMININA. No universo do samba, que compreende tanto as agremiações carnavalescas quanto outros ambientes e ocasiões em que a cultura sambística se manifesta, a presença feminina é determinante. Ela se impõe como reflexo da experiência histórica da mulher na sociedade brasileira; em especial daquela vivida pelas afrodescendentes. **Nas escolas**

de samba – Desde os primórdios, a atuação das mulheres nas escolas foi decisiva em termos musicais e coreográficos, constituindo-se elas – como pastoras (damas) ou baianas – no grande suporte do canto coral, da evolução e da harmonia. Em face dessa importância, até meados da década de 1970, aproximadamente, dançar nos terreiros (quadras) das escolas era privilégio e obrigação das pastoras, tal como ocorre com as iniciadas nos terreiros de culto aos orixás. Outro segmento em que as mulheres garantiram participação foi no de ritmistas. Assim, já em 1938, segundo o site http://www.gresportela.org.br, a legendária Dagmar, mulher de Nozinho, irmão de Natal da Portela (1905-1975), destacava-se como a primeira mulher a participar de uma bateria, tocando surdo no desfile de sua escola. No terreno da criação musical, em 1933, a Unidos da Tijuca tinha em seus quadros a compositora Amélia Pires (Cabral, 1996: 74). Mais tarde revelaram-se as primeiras mulheres compositoras de sambas de enredo propriamente ditos. O pioneirismo, segundo os registros históricos, cabe a Carmelita Brasil, fundadora e primeira presidente do G.R.E.S. Unidos da Ponte, de São João de Meriti. Assinando, sozinha ou em parceria, os sambas de 1958 a 1961 e o de 1964, Dona Carmelita foi também a criadora de vários dos temas desenvolvidos por sua escola nas décadas de 1950 e 1960 (Araújo e Jório, 1969: 190-91). Carmelita Brasil teria sido também a primeira mulher a dirigir uma escola de samba na região metropolitana do Rio, tendo exercido a presidência da Ponte de 1957 até 1979. No carnaval de 1965, ainda mencionada como Ivone dos Santos, a mais tarde consagrada Dona Ivone Lara assinava, com Silas de Oliveira (1916-1972) e Bacalhau, o samba de enredo do Império Serrano "Cinco bailes da história do Rio". Como intérpretes no desfile principal, a primazia parece caber à cantora Carmem Silvana, que, na década de 1960, gravou um LP intitulado *O rouxinol do Império* (Discobrás – LPM– 2014). A ela coube, em 1964, a função de puxadora do samba de enredo "Aquarela brasileira", de Silas de Oliveira. Dois anos depois, em 1966, Surica da Portela ajudou a puxar o samba "Memórias de um sargento de milícias", da Portela, de autoria de Paulinho da Viola. As profissionais Marlene, Elza Soares, Clara Nunes e Simone foram outras intérpretes que exerceram a função. Já como presidentes de agremiações, depois de Carmelita Brasil, registram-se os exemplos de Terezinha Monte (Unidos do Cabuçu, 1984); Elizabeth Nunes (Acadêmicos do Salgueiro, 1986); Neide Coimbra (Império Serrano, 2004); Vera Lúcia Corrêa (Império Serrano, 2010); e Regina Céli (Salgueiro, 2008). Convém destacar, ainda, nas escolas, a participação das mulheres como porta-bandeiras e passistas, temas desenvolvidos em verbetes específicos. **No disco** – Talvez a primeira participação feminina na gravação de um samba tenha sido a da cantora Izaltina, que, em 1920, gravou em dupla com Baiano, o intérprete criador do samba de Donga "Pelo telefone" (Severiano e Melo, 1997 a: 58), o samba carnavalesco "Quem vem atrás fecha a porta", de Caninha (disco da Odeon nº 127.929). Ainda naquela década, o mesmo cantor trazia à cena Maria Marzulo, dividindo com ela a interpretação de "O casaco da mulata" (disco da Odeon nº 122.369, *ibid.*, p. 68). Em 1927, a cantora e atriz Rosa Negra, projetada a partir da Companhia Negra de Revistas, grava em dupla com Francisco Alves o samba "Não quero saber mais dela", de autoria de Sinhô (1888-1930). Dois anos depois, Aracy Cortes (1906-1985) grava o célebre "Jura", do mesmo autor; e a década seguinte vê surgirem, no cenário do samba gravado, as vozes de Carmen Miranda (1909--1955), Araci de Almeida (1914-1988), Marília Batista (1918-1990) e outras. Importante registrar a atuação, no ambiente dos estúdios de gravação e shows, do marcante grupo vocal As Gatas, formado em 1967 pelas cantoras Afonsina Pires – a criadora e líder, de nome artístico Dinorah –, Eurídice, Zélia e Zenilda, além de outras eventuais componentes. *Ver* A DANÇA DO SAMBA; EROTIZAÇÃO; PASSISTAS.

CONGRESSO NACIONAL DO SAMBA, Primeiro. *Ver* CARTA DO SAMBA; DIA NACIONAL DO SAMBA.

CONJUNTOS VOCAIS-INSTRUMENTAIS. Ao longo da história do samba, a formação de grupos musicais de sambistas para apresentações públicas é uma constante. Tais foram os casos de conjuntos masculinos ou mistos que se apresentavam tocando, cantando e dançando samba; dos que apenas cantavam; e de outros especializados na execução de malabarismos ao som de instrumentos, como na tradição africana. A forma mais frequente desses conjuntos parece ter sido mesmo a de compositores e cantores apresentando-se em conjunto ou funcionando como grupos de acompanhamento. Nesse caso, podemos destacar, entre outros, os seguintes: **Mensageiros do Samba** – Grupo fundado pelo compositor e cantor Candeia no início da década de 1960 e que fez parte do Movimento de Revitalização do Samba de Raiz, promovido pelo Centro Popular de Cultura (CPC) em parceria com a União Nacional dos Estudantes (UNE). Formado por Candeia, Casquinha, Picolino, Arlindo Cruz (pai) e Jorge do Violão, gravou apenas um disco, no início da década de 1960, o LP *Mensageiros do samba*, pela gravadora Philips. **A Voz do Morro** – Grupo formado no início da década de 1960 por Zé Kéti, fez parte do elenco original da primeira temporada do show *Rosa de Ouro* e era integrado por Zé Kéti, Elton Medeiros, Anescarzinho do Salgueiro, Paulinho da Viola, Nelson Sargento, Zé Cruz e Oscar Bigode. Antes dessa formação, em 1962, Zé Kéti, Cartola, Nelson Cavaquinho, Joacir Santana, Armando Santos e Ventura se apresentaram em um programa na TV Rio, em apresentação única, que foi considerada o embrião do conjunto. A ideia de formar um grupo fixo para cantar profissionalmente amadureceu depois dessa exibição na TV, a partir dos encontros e shows no restaurante Zicartola, já com os membros que participariam do *Rosa de Ouro* e lançariam, pela gravadora Musidisc, três LPs entre 1965 e 1967: *Roda de samba*, *Roda de samba 2* e *Os sambistas*. **Os Cinco Crioulos** – Formado em 1967, no contexto do histórico espetáculo *Rosa de Ouro*, era integrado por Anescarzinho do Salgueiro, Elton Medeiros, Nelson Sargento, Jair do Cavaquinho e Paulinho da Viola, mais tarde substituído por Mauro Duarte. Lançou, pela gravadora Odeon, três LPs entre 1967 e 1969. O sucesso do grupo motivou o surgimento de outros grupos vocais-instrumentais integrados efetivamente por sambistas, ou seja, por músicos direta ou indiretamente ligados à tradição das escolas. Destaque-se que, antes dele, o grupo A Voz do Morro, criado por Zé Kéti no contexto do famoso restaurante Zicartola, constituiria a base do elenco original do *Rosa de Ouro*. **Originais do Samba** – Conjunto vocal-instrumental formado no Rio de Janeiro, na década de 1960. Congregando sambistas do Salgueiro, da Mangueira e da Imperatriz Leopoldinense, o Originais do Samba também pertence à linhagem de A Voz do Morro. Alcançou grande sucesso no disco, na televisão e em shows, inclusive no exterior – e, nos anos de 1960 e 1970, inspirou a criação de vários grupos semelhantes. Sua primeira formação incluía os sambistas cariocas Mussum (1941-1994), depois famoso ator cômico; Arlindo Bigode, passista do Salgueiro; Rubão (1933-1977); Bidi (1932- f. após 1980), importante compositor da Imperatriz Leopoldinense; Chiquinho (1943-1996), irmão do compositor Almir Guineto; e Lelei. No fim dos anos de 1990, o grupo permanecia em atividade, restando, da primitiva formação, apenas o líder Bigode. **Os Cinco Só** – Grupo fundado em 1968, na esteira do sucesso de Os Cinco Crioulos. Gravou pela CBS um LP, em 1971, sob a liderança de Zuzuca, vitorioso compositor do Salgueiro. Depois, seu núcleo deu origem a outros grupos de sambistas, para atender a objetivos da indústria fonográfica. **Conjunto Nosso Samba** – Grupo formado na região da zona portuária carioca, no fim da década de 1960. Um dos mais perfeitos grupos de samba de todos os tempos, o Nosso Samba, liderado por Genaro Soalheiro e integrado, além dele, por Carlinhos do Cavaco, Barbosa, Stênio, Nô e Gordinho, tornou-se mais conhecido como o grupo acompanhante da cantora Clara Nunes. Os músicos se reuniram, em 1969, para tocar na gravação de um disco. Depois, o Nosso Samba lançou o compositor Luiz Carlos da Vila (1949-2008) e gravou alguns dos primeiros sambas dos então iniciantes Martinho da Vila e João Nogueira. Sua principal característica era o personalíssimo cavaquinho de Carlinhos, afinado como bandolim. A potência e a beleza de suas vozes também marcaram época. **Brasil Ritmo 67** – Conjunto formado, entre outros, por Beterlau (agogô); Neném da Cuíca, mais tarde destacado no grupo acompanhante de Jorge Ben Jor; Pelado (pandeiro); Orvalho (tamborim); Baldo (surdo) e Arthur (tambora ou tantã). Participou do LP *Nem todo crioulo é doido*, com Martinho da Vila, em 1978. **Os Batuqueiros** – Grupo contratado da gravadora RCA na década de 1970. Tinha como destaques o cavaquinista Puã e o carismático ritmista Neném Macaco. Gravou LPs e participou de shows importantes.

Exporta-samba – Fundado em 1969, teve em sua formação inicial os músicos Ratinho (cavaquinho e voz), Beijoca (reco-reco), Leo Silva (cavaquinho), Evandro (tantã), Betão (surdo) e Jards do Pandeiro. Nas décadas de 1970 e 1980, destacou-se nas noitadas de samba do Teatro Opinião, gravou LPs e participou de festivais, fazendo sucesso com os sambas "Reunião de bacana" (Ary do Cavaco e Bebeto Di São João) e "Mordomia" (Ary do Cavaco e Gracinha), ao lado de Almir Guineto. **Samba Som Sete** – Grupo surgido no bairro do Estácio entre as décadas de 1960 e 1970, tendo como componentes de sua formação original os músicos Ailton (cuíca), Betão (agogô), Baiano (surdo), Beloba (tantã), Índio (reco-reco), Getúlio (pandeiro), Carlinhos Pepé e depois Paulinho Galeto (cavaquinho). Gravou LPs e foi bastante requisitado como acompanhante. Em 1979, foi o conjunto base do show *Tendinha*, de Martinho da Vila, cantor que o tinha como grupo fixo de acompanhamento. **Grupo Fundo de Quintal** – Surgido profissionalmente no Rio de Janeiro, na passagem da década de 1970 para a de 1980, tornou-se o mais importante e influente em seu campo de atuação. Integrado inicialmente pelos sambistas Bira Presidente, Ubirani, Sereno, Neoci Dias, Jorge Aragão e Almir Guineto, todos ligados ao Bloco Carnavalesco Cacique de Ramos, o grupo vestiu o samba tradicional com uma nova roupagem rítmica, introduzindo, na execução, instrumentos como banjo, tantã e repique de mão (espécies de tambores) em lugar dos instrumentos convencionais. A nova instrumentação trouxe dinâmica diferente ao velho ritmo. O tipo de reunião musical informal que propiciou seu nascimento e deu nome ao grupo (nos fundos de um velho quintal suburbano) passou a designar uma forma muito procurada de diversão popular, os "pagodes de fundo de quintal" ou, simplesmente, os "fundos de quintal". Foi o grande responsável pelo estilo pagode, abordado no verbete respectivo. **Quinteto em Branco e Preto** – Formado em 1997 por jovens instrumentistas, cantores e compositores pertencentes a dois núcleos familiares da periferia de São Paulo, o "Quinteto", como é conhecido, colocou-se na contracorrente da onda do "pagode romântico" da década de 1990. Nascido sob inspiração do Grupo Fundo de Quintal, destacou-se pela excelência de suas interpretações e também por seu repertório politicamente firme na defesa das tradições do samba, sem deixar de ser moderno. Em 2000, estreou em disco com o CD *Riqueza do Brasil*, lançado pela gravadora CPC-UMES. Seguiram-se *Sentimento popular* (CPC, 2003); *Patrimônio da humanidade* (Trama, 2008) e *Quinteto* (Radar Records, 2012). Como acompanhante da cantora Beth Carvalho, o grupo exibiu-se em várias cidades do Brasil e do exterior.

CONSCIÊNCIA NEGRA. Sentimento ou conhecimento que permite ao ser humano africano ou afrodescendente compreender as especificidades de sua condição etnorracial, aplicando esse conhecimento na condução de seu destino e de seus semelhantes, em harmonia com a sociedade abrangente. **Militância** – O autoconhecimento e a autoestima do indivíduo afrodescendente em relação à sua circunstância etnorracial não é, no Brasil, um fenômeno dos tempos atuais. No fim da década de 1940, por exemplo, atuava, inclusive no mundo do samba, a União dos Homens de Cor, entidade surgida no vácuo da Frente Negra Brasileira, dissolvida em 1937 pelo Estado Novo. Nesse momento, o compositor Sinval Silva (1911-1994), autor de sucessos gravados pela cantora Carmen Miranda (1909-1955), era responsável, na comunidade do G.R.E.S.E. Império da Tijuca, por um dos núcleos da União. Do ponto de vista do repertório, já na década de 1950, era conhecida no ambiente das escolas uma composição intitulada "Sou preto sim", de autoria atribuída ao sambista Caxambu, da Escola de Samba Filhos do Deserto, do morro da Cachoeirinha, em Lins de Vasconcelos. Trata-se de um samba em que o autor afirma sua condição etnorracial, provavelmente motivado por alguma circunstância discriminatória. A tese *Voices of Samba: Music and the Brazilian Racial Imaginary, 1955-1988* – com que o norte-americano Stephen A. Bocskay obteve em 2012 o grau de doutor em filosofia, Ph.D, junto ao Departamento de Estudos Portugueses e Brasileiros da Brown University – é dedicada ao assunto. Nela, são discutidas em quatro capítulos específicos a consciência negra nas obras dos sambistas Zé Kéti, Candeia, Nei Lopes e Martinho da Vila. **Pela cidadania** – O engajamento de Zé Kéti se deu na arena mais ampla da luta de classes e pela cidadania, por sua proximidade com a militância de esquerda na década de 1960, expressa em sambas como "Acender as velas" e "Opinião", por exemplo. Nei Lopes é focalizado principalmente pelas letras de teor antirracista, contidas principalmente em seus álbuns *A arte negra*, com Wilson Moreira, *Negro mesmo* e *Canto banto*. Martinho da Vila, que conquistou o respeito da comunidade afro-brasileira por seu posicionamento sobre a questão negra e principalmente pelas ligações que estabeleceu entre a cultura brasileira e as africanas de expressão portuguesa, tem também sua atuação resenhada e discutida. **Candeia e o Quilombo** – O mais expressivo militante negro do mundo do samba no século XX, Antônio Candeia Filho, o Candeia, tem também sua atuação focalizada na tese de Bocskay. Em 1975, afastado da Portela, escola da qual era um dos principais compositores, funda o Grêmio Recreativo de Arte Negra e Escola de Samba Quilombo, importante núcleo de resistência e uma das entidades do movimento negro no Rio de Janeiro. Pouco depois, em 1977, publica o livro *Escola de samba, árvore que esqueceu a raiz*, em coautoria com Isnard Araújo. Sempre articulado com outras entidades negras, Candeia produziu e gravou discos de samba, jongo e cânticos rituais, organizou shows e, sobretudo, compôs e interpretou sambas hoje antológicos, afirmando, em todas essas iniciativas, a força e a clareza de sua consciência. No G.R.A.N.E.S. Quilombo destacaram-se também, entre outros, os compositores Luiz Carlos da Vila (1949-2008) e Zé Luiz do Império. O primeiro, parceiro póstumo de Candeia, teve gravados, por importantes intérpretes, diversos sambas tematizando a questão negra; com o segundo, integrou parceria com Nei Lopes, inclusive em um samba sobre o poeta e militante Solano Trindade. Em 2013, o compositor Moacyr Luz lançava o samba "Estranhou o quê?", no qual critica a estranheza causada, em alguns ambientes, pela recente ascensão do povo negro a alguns itens de consumo. "Estranhou o quê? Preto pode ter o mesmo que você", sintetiza o refrão do samba. *Ver* QUILOMBO; GRÊMIO RECREATIVO DE ARTE NEGRA E ESCOLA DE SAMBA; RELAÇÕES RACIAIS; SAMBA-REGGAE.

CONSTITUIÇÃO FEDERAL, Garantias da. *Ver* CULTURA.

CONTEMPORANEIZAÇÃO. Neologismo que designa o ato ou efeito de tornar algo novo, atual, moderno. Foi usado em arranjos feitos para o CD *Gilbertos samba*, lançado pelo músico Gilberto Gil em 2004 (Lichote, 2014 b: 1). Nele, em declarado tributo ao cantor e violonista João Gilberto, o artista interpreta sambas como *Aos pés da cruz* (Marino Pinto e Zé da Zilda), *O pato* (Jaime Silva e Neuza Teixeira), *Tintim por tintim* (Haroldo Barbosa e Geraldo Jaques) e outros, mantendo-lhes a essência sambística. Essa ação estética tem sido permanentemente experimentada com resultados variáveis, por inúmeros artistas contemporâneos, o que comprova a perenidade do samba e suas infinitas possibilidades como gênero matriz da música brasileira. *Ver* BOSSA NOVA.

CONTRAVENÇÃO. No âmbito do direito penal, ilícito menos grave que o crime, como, por exemplo, a prática de jogo de azar. O termo é, por metonímia, comumente usado como sinônimo de jogo do bicho. *Ver* DITADURA MILITAR – Colaboracionismo; VIOLÊNCIA.

CONTROLE ESTATAL. *Ver* DEIXA FALAR; SUBVENÇÃO.

CORDA. Um dos elementos indispensáveis nos desfiles do samba até a década de 1950, a grossa corda – espécie de cerca móvel – isolava a escola do público. Era sustentada e retesada pelo esforço de vários homens fortes e muitas vezes truculentos que caminhavam com ela. A crônica do samba registra um episódio trágico em que a corda do G.R.E.S. Paz e Amor, ao fim de um desfile na Praça Onze, sendo recolhida para o transporte de volta à sede da agremiação, na estação de Bento Ribeiro, teria se enrolado no eixo de transmissão do caminhão e enforcado o sambista conhecido como Caquera. No desfile de 1969, o Salgueiro, num gesto ousado, dispensou o isolamento para que o povo se confundisse com a escola, que se sagrou campeã.

CORDÃO. Folguedo em forma processional do antigo carnaval carioca, surgido por volta de 1885. Ao lado do rancho carnavalesco, o cordão é uma das manifestações antecessoras das escolas de samba, as quais, até pelo menos a década de 1950, conservaram alguns de seus elementos, como os grupos de "índios" – com arcos, flechas e carregando animais empalhados –, desfilando em algumas agremiações, independentemente do enredo apresentado.

CORDEL, literatura de. Gênero literário difundido a partir do Nordeste brasileiro, a literatura de cordel costuma tematizar, entre outros assuntos, fatos, fenômenos, vultos históricos e ídolos populares. Assim, o cordelista carioca Victor Alvim, também conhecido pelo cognome Lobisomem, vem, no momento da produção deste dicionário, criando e publicando folhetos com versos sobre sambistas, como os seguintes: "A fantástica história de Zeca Pagodinho, o disco voador e o extraterrestre" (2010); "A chegada de Bezerra da Silva no céu" (2011); "Jovelina Pérola Negra e a confusão na feirinha da Pavuna" (2012). Essas publicações dão a exata medida da popularidade do samba. O cordel, por sua vez, já foi também objeto de enredo de agremiações carnavalescas, com destaque para "O saber poético da literatura de cordel" (Em Cima da Hora, 1973) e "Cordel branco e encarnado" (Salgueiro, 2012).

CORES SIMBÓLICAS. Seguindo uma praxe da vida associativa, todas as agremiações do samba têm suas cores distintivas, expressas antes de tudo em suas bandeiras e muitas vezes cantadas em sambas de autoexaltação. Até certo momento, essas cores eram mostradas também nos trajes e nas fantasias dos desfiles. Entretanto, com a supervalorização dos aspectos visuais nas competições, o que ocorreu acentuadamente a partir da década de 1970, as cores simbólicas passaram a ser menos importantes que os efeitos conseguidos com trajes e adereços multicoloridos.

CORTA-JACA. Figuração coreográfica do samba de roda, em que o dançarino se movimenta torcendo o pé, como se cortasse a fruta a que a expressão alude. A partir do passo, a expressão estendeu-se à denominação de uma dança autônoma que deu título a uma composição da célebre musicista Chiquinha Gonzaga (1847-1935), lançada em 1901. *Ver* PRECONCEITO.

CRIANÇAS. A participação de crianças em agremiações do samba carioca é um dos traços assinaladores das origens comunitárias dessas associações, e remonta aos ranchos carnavalescos. No livro *Ameno Resedá, o rancho que foi escola* (Jota Efegê, 1965), o álbum fotográfico encartado nas páginas 56 e 57 reproduz uma foto posada, de 1911, na qual aparecem catorze crianças identificadas pelos prenomes ou apelidos. São integrantes da agremiação que dá nome ao livro, a qual, no ano da foto, apresentou o enredo *Corte de Belzebu*. Entre elas, as identificadas como Pequenina, Bilu e Sinhá Velha são, quase certamente, integrantes ou agregadas da família da legendária Tia Ciata. **Controle judicial** – O Primeiro Juizado de Menores no Rio de Janeiro foi criado em 1927, o que pode ter inibido a participação infantil nos desfiles carnavalescos institucionalizados na década seguinte. Entretanto, na década de 1950, essa participação era comum a partir dos 14 anos e condicionada a uma licença concedida pelas autoridades. **O Jovem Diz o Samba** – Uma iniciativa de grande mérito, mas de curta duração, posta em prática pelo Departamento de Cultura da Secretaria Municipal de Educação do Rio de Janeiro, no fim da década de 1970, ainda na era dos festivais, foi o torneio O Jovem Diz o Samba. Na competição, que mobilizou as escolas de ensino fundamental da rede pública do município, alunos e alunas eram incentivados a compor sambas e inscrevê-los no concurso. Selecionados em etapas realizadas por distritos, esses sambas chegavam a uma grande final, na qual era proclamado o vencedor. Méritos pedagógicos à parte, dita programação chegou a revelar alguns talentos notáveis. **Educação** – O ensino da história do samba para crianças, em seus aspectos sociais e culturais, nas escolas de ensino fundamental e médio das redes públicas e privadas, ganhou impulso com a Lei 10.639/03, que tornou obrigatório o ensino da cultura e história africana e afro-brasileira no Brasil. Ainda assim, a maioria dos livros didáticos de História continua privilegiando uma visão centrada na clássica perspectiva eurocêntrica dos processos históricos. O samba, não raro, é tratado como algo pitoresco ou apenas a partir das políticas que o Estado adotou para interferir em suas bases e em sua circulação na sociedade de consumo. **Escolas mirins** – Surgidas em 1983, a partir da fundação do Império do Futuro, as escolas de samba mirins foram, de início, objeto de interesse. Com o tempo, entretanto, e por reproduzirem em grau muito elevado práticas vigentes no ambiente geral das agremiações dos adultos, foram perdendo a atenção. No momento deste texto, por exemplo, essas escolas também se dividem em grupos de desfile, sendo igualmente filiadas a duas entidades gestoras diferentes. Registre-se que em Araújo e Jório (1969: 117) está consignada a fundação, em janeiro de 1949, no morro do Salgueiro, da primeira escola de samba formada exclusivamente por "menores de idade", a Independente da Ladeira. **Enredos –** Nas escolas de adultos, o universo infantil foi, não raro, retratado em enredos. Temos, como exemplos mais marcantes, os seguintes enredos: "O mundo encantado de Monteiro Lobato" (Mangueira, 1967); "O fabuloso mundo do circo" (Jacarezinho, 1970); "Meu pé de laranja-lima" (Mocidade Independente de Padre Miguel, 1970); "Cazuza" (Unidos de Padre Miguel, 1973); "Emília no país da gramática" (Unidos de Bangu, 1975); "Sonho infantil" (Arranco do Engenho de Dentro, 1978); "Vamos brincar de ser criança" (Imperatriz Leopoldinense, 1978); "Hoje tem marmelada" (Portela, 1980); "Quem quiser que conte outra: o casamento da Dona Baratinha" (Unidos da Ponte, 1982); "De alegria cantei, de alegria pulei" (Vila Isabel, 1986); "O mundo mágico dos Trapalhões" (Unidos do Cabuçu, 1988); "A visita do Jacarezinho ao reino encantado de Maria Clara Machado" (Unidos do Jacarezinho, 1992); "Uni, duni, tê, a Beija-Flor escolheu, é você" (Beija-Flor, 1993); "A viagem fantástica de Zé Carioca à Disney" (Acadêmicos da Rocinha, 1997); "Maria Clara Machado" (União da Ilha do Governador, 2003); "Xuxa" (Caprichosos de Pilares, 2004); "Uma delirante confusão fabulística" (Imperatriz Leopoldinense, 2005); "É brinquedo, é brincadeira" (União da Ilha do Governador, 2014). Destaque-se o enredo de 1987 da São Clemente, "Capitães do asfalto", que abordou a infância a partir da ótica dos menores abandonados. (*Ver* ENREDOS) **Registros fonográficos –** No ano de 2003, a gravadora Biscoito Fino lançou o CD *Samba pras crianças*, com gravações de alguns clássicos do samba voltadas para o público infantil. Produzido pelo músico Zé Renato e contando com o apoio de um coral de crianças escolhido pelo maestro Leandro Braga, o trabalho teve a participação de nomes como Dona Ivone Lara, Nei Lopes, Mart'nália, Dudu Nobre e Pedro Miranda. Esse CD foi, inclusive, citado pelo Portal do Professor, do Ministério da Educação, como um material de recurso didático recomendado para se trabalhar com crianças do ensino fundamental em processo de alfabetização.

CRIMINALIDADE E DELINQUÊNCIA. *Ver* VIOLÊNCIA.

CRIOULO DOIDO. *Ver* HISTRIONISMO; SAMBA DO CRIOULO DOIDO.

CRISES. O termo "crise", do ponto de vista sociológico, designa toda interrupção do curso regular e previsível dos acontecimentos, ocorrida quando esse fluxo chegou a um ponto em que a mudança, positiva ou negativa, é iminente. Em Soares (1966: 364-374) chama-se atenção para o fato de que, na evolução da música popular, à época do texto, as crises eram constantes. Afirma-se também que nos Estados Unidos essas crises eram provocadas pelas grandes corporações; o que não ocorria no Brasil, onde, então, os interesses envolvidos na indústria da música apenas tiravam proveito das situações de transformação geradas naturalmente. Muito sintomaticamente denominado *A nova geração do samba*, o citado texto de Soares analisa a crise (na acepção sociológica) que gerara a bossa nova, cerca de seis anos antes, e o surgimento da chamada "corrente nacionalista" do moderno samba. Tipificada por Carlos Lyra, Sergio Ricardo, Nara Leão (1942-1989), Edu Lobo, Dori Caymmi (ainda mencionado como Dorival Caymmi Filho) etc., essa corrente abrigava uma nova fornada de músicos engajados, entre os quais o crítico incluía Caetano Veloso, Gilberto Gil e "Francisco Buarque de Hollanda", além de nomes hoje desaparecidos ou em outros caminhos, como os de Sidney Miller, Paulo Thiago, Luís Carlos Sá. Mas a crise desencadeada pelo advento da bossa nova não foi a primeira nem a última dentro da vertente principal da música brasileira. Antes dessa, houve pelo menos duas outras. **A crise fundadora** – Em 1916, quando Donga declarou a autoria de "Pelo telefone", deflagrava-se a primeira tensão no universo do samba.

Como a autoria do protossamba começou a ser contestada, J. B. da Silva, o Sinhô (1888-1930), criou outra letra, em resposta à registrada. Surgia então, no seio da incipiente comunidade sambista do Rio, uma grande polêmica, que acabou por opor baianos e cariocas e projetar o nome de Sinhô. Desse momento até a década seguinte, Sinhô foi o Rei do Samba, numa hegemonia só ameaçada pelo talento de Caninha (José Luiz de Moraes, 1883-1961), agraciado pelo jornal *A Pátria* com o título de Imperador. Ocorre, entretanto, que os "sambas" compostos por ambos eram, estruturalmente, maxixes. E o maxixe é até hoje reconhecido como um híbrido da *habanera* cubana com a polca europeia, ao qual apenas se acrescentou um tempero afro-brasileiro. De qualquer forma, boa parte da década foi das composições de Sinhô, interpretadas principalmente por Francisco Alves e Mário Reis (1907-1981), cantores de grande prestígio. **A malandragem** – Em 1927, porém, a gravadora Odeon lançava "A malandragem", de Alcebíades Barcelos (o Bide), considerado o primeiro exemplar gravado do "novo samba" que estava sendo criado pelos compositores do bairro do Estácio. Por essa época, o jovem Noel Rosa (1910-1937) iniciava carreira compondo emboladas nordestinas e outras canções nos estilos rurais então em voga. Admirador confesso de Sinhô, o poeta já tinha notícia de que um novo tipo de samba estava sendo feito e cantado no Rio de então. Enquanto o samba de Sinhô vinha da década anterior e era oriundo da Cidade Nova, o novo samba surgia no Estácio e dali se espalhava pelos morros próximos do Centro, seguindo pelas linhas de trem até os subúrbios, conforme anotaram Máximo e Didier (1990: 118). Ocorria, então, a segunda grande crise, em 1930, quando Noel Rosa encetou amizade e parcerias com sambistas como Canuto e Antenor Gargalhada, do Salgueiro; Ismael Silva, do Estácio; Cartola, da Mangueira; e outros bambas. A partir desse ponto de ruptura, o samba efetivamente experimentou grandes transformações, num processo que durou, pelo menos, até a crise da bossa nova, em que foi despojado de sua excitante polirritmia para que se tornasse mais compreensível aos ouvidos estrangeiros, o que felizmente deu certo. Entretanto, no desdobramento dessa nova ruptura eclodiu outra variante, a chamada "corrente nacionalista" do novo estilo, abordando temas de oposição à realidade político-social inaugurada pelo golpe de estado de 1º de abril de 1964. **Dependência internacional** – Na segunda metade da década de 1960, com a mudança do polo irradiador das novidades mundiais de Paris para Londres, chegavam até o Brasil as ondas da deliberação feminina, da revolução hippie, do esoterismo indiano, do estruturalismo etc., no bojo dos quais surgia a música dos Beatles. Em terra brasileira isso se traduzia na era dos festivais, no advento da "Sociedade Alternativa" de Raul Seixas, no Tropicalismo e no fortalecimento da Jovem Guarda, nas paradas de sucesso desde 1965, com Roberto Carlos. No mesmo contexto, o "orgulho gay" trouxe para as escolas de samba uma nova estética; e, na imprensa, o jornalismo "de cultura" iria sofrer a influência, acentuadamente internacionalizada, de novas correntes do pensamento acadêmico, para as quais o samba passava a ser cada vez mais uma música "regional", não cosmopolita. **Morro e cidade** – Ao longo desse tempo histórico, mesmo com todas as transformações e conquistas, o samba continuava sendo visto dentro da dicotomia "cidade" e "morro". Forte o bastante para romper mais essa barreira, surgia, na passagem para a década de 1980, o pagode de fundo de quintal, um estilo que, além de incorporar novos instrumentos ou modos de executá-los, servia-se das infindáveis possibilidades harmônicas desenvolvidas nas magistrais interpretações de João Gilberto, Tom Jobim etc. Redesenhava-se, então, a polirritmia; e o cavaquinho saía da limitação dos acordes fundamentais para visitar as infinitas possibilidades e alterações das "sétimas" e "diminutas". **Pagode pop** – Na década de 1990, porém, em meio à desorganização da economia, a indústria ajudava a criar uma nova crise para o samba: durante o governo Collor de Mello, André Midani, influente produtor francês de origem síria, foi promovido a vice-presidente da Warner latina, com sede em Nova York. Convidado por Midani, Nelson Motta assumiu a direção artística da Warner, "com salário de diretor de multinacional", segundo suas próprias palavras (cf. Motta, 2000: 449). A empresa cria, então, duas divisões: as de música sertaneja e música pop, esta última sob a responsabilidade de Motta. Nesse mesmo contexto, mais precisamente em 1998, é lançado o derradeiro registro do cantor João Nogueira em disco (*João de todos os sambas*, BMG).

Levando a assinatura dos produtores musicais egressos da Jovem Guarda, o disco consignava autorias não usuais nos trabalhos de João Nogueira e letras concebidas no padrão de erotização característico do pagode pop então nascente. Rumores da época davam conta de que esse repertório teria sido imposto pela gravadora (Vianna, 2012: 234-35). Em novembro de 1999, a mídia anunciava que o grupo mineiro de "pagode" Só Pra Contrariar começava a consolidar sua posição de destaque no mercado latino. Tempos depois, a assertiva se confirmava em parte, já que o sucesso de vendas ficaria por conta apenas do solista Alexandre Pires, lançado no mercado hispânico, a partir de Miami, cantando baladas românticas em espanhol. O anseio de internacionalização ficou patente quando outros grupos de estilo similar passaram a negar sua vinculação ao samba. A despeito disso, o samba venceu mais essa crise e se apresenta, no momento da produção deste dicionário, com toda a sua múltipla vitalidade, embora muitas vezes tendo que dividir sua centralidade com o funk e derivados nascidos nas chamadas periferias.

CRONISTAS DO SAMBA. *Ver* MÍDIA.

CROONER. Cantor popular, solista de orquestra ou conjunto de baile (do inglês *croon*, sussurrar). *Ver* BOATE; CANTO POPULAR – Puxadores de samba.

CUÍCA. Pequeno tambor de fricção da percussão do samba, evoluído a partir da *mpwita* dos ambundos e da *khwíta* dos quiocos, ambos povos da atual República de Angola. No Brasil, em suas formas mais antigas, instrumento idêntico recebe também os nomes de fungador-onça, puíta e tambor-onça. **Transformação** – Nos primeiros tempos do samba, a cuíca, ainda artesanalmente construída, a partir de barrica ou tonel de madeira, era instrumento essencial na marcação do ritmo, explorando mais os sons graves. Entretanto, já na década de 1960, era instrumento de som agudo, emitindo desenhos sonoros repicados, batucados, similares aos do tamborim.

CULINÁRIA E GASTRONOMIA. O vocábulo "gastronomia" designa, em sua acepção mais particular, o prazer de apreciar os produtos da arte de cozinhar, da culinária, enfim. No mundo do samba, os dois conceitos, quase sinônimos, são tradicionalmente representados por aqueles pratos característicos das festas da maior parte da população dos subúrbios e das antigas zonas rurais da hinterlândia carioca. Destacam-se, por exemplo, a dobradinha, a tripa lombeira, o mocotó, o angu à baiana e a feijoada. Observe-se que as festas tradicionais do samba duravam, em geral, um dia inteiro. Daí, talvez, a opção por essa culinária tão forte, tanto apreciada quanto propiciadora de boa imagem para as agremiações anfitriãs. No cotidiano, algumas escolas de samba eram notórias por oferecerem alimentação simples (em geral, sopas) aos ritmistas de suas baterias no intervalo ou no fim dos ensaios. Quase sempre a confecção dos pratos esteve a cargo de componentes das alas de baianas; ou então às "tias" especialmente dedicadas a esse mister, como foi a célebre Tia Vicentina da Portela, eternizada em "No pagode do Vavá" ("Provei do famoso feijão da Vicentina"), samba de Paulinho da Viola. A esses pratos somavam-se também os tira-gostos, como a "linguiça com farofa", mencionada em Candeia e Isnard (1978: 68) no capítulo intitulado "Cultura própria da escola do samba". *Ver* CHURRASCO; FEIJOADA.

CULTURA. O vocábulo "cultura" tem muitas definições. Para as finalidades desta obra, tomemos uma das sintetizadas pela antropologia cultural, segundo a qual a cultura é o modo de vida de um conjunto de indivíduos organizados em sociedade. Dentro dessa ideia, esta obra afirma o samba como fenômeno cultural de relevância insofismável, que ultrapassa as fronteiras de gênero musical e dança, para mostrar-se em ramificações muito mais amplas. Assim, a folclorização, mercantilização ou carnavalização do samba, bem como sua percepção como mero item de entretenimento, contribuem para ocultar sua dimensão cultural mais profunda. **Garantias constitucionais** – Um dos grandes avanços da Constituição Federal brasileira de 1988 foi a introdução de proteção e garantias às culturas dos diversos segmentos que compõem a nacionalidade do país. Antes, a ideia de cultura, tal como acima definida, não tinha sido acolhida por nenhuma das constituições republicanas. Mesmo porque o conceito de "cultura" estava atrelado às formas eruditas de manifestações artísticas, literárias ou técnicas. E o samba estava fora desse espectro. Ressalte-se que, à época do surgimento do samba urbano carioca e da instituição Escola de Samba, a elite econômica brasileira e o poder por ela legitimado ainda viviam o sonho supostamente eugênico da europeização da sociedade nacional. Assim, as manifestações menos ou mais africanizadas, por suas origens, eram, quando muito, toleradas ou estudadas como "folclore". Até 1985, ano da criação do Ministério da Cultura (extinto em 1990, no governo Collor, e renascido com o *impeachment* desse personagem, dois anos depois), a pasta da Cultura era acoplada à da Educação. A Constituição de 1988, em vigor no momento deste texto, estabelece: "O Estado protegerá as manifestações das culturas populares, indígenas e afro-brasileiras, e das de outros grupos participantes do processo civilizatório nacional" [art. 215, § 1º]; "Constituem patrimônio cultural brasileiro os bens de natureza material e imaterial [...] portadores de referência à identidade, à ação, à memória dos diferentes grupos formadores da sociedade brasileira, nos quais se incluem: I – as formas de expressão [...]" [art. 216]. O samba inclui-se perfeitamente nas especificações desses dispositivos constitucionais. *Ver* PATRIMÔNIO CULTURAL.

D

DAMA. Nos antigos desfiles de escolas de samba, notadamente nas décadas de 1950-1960, as pastoras geralmente desfilavam fantasiadas de "damas antigas" ou "sinhazinhas", à moda do século XIX, com chapéu e sombrinha, como os enredos, baseados em temas da história oficial, ensejavam. *Ver* PASTORA.

DANÇA-JAZZ (*jazz dance*). Modalidade de dança contemporânea desenvolvida no âmbito do outrora chamado "balé moderno". No Brasil, na década de 1960, seu contexto abrigou uma tentativa de incorporação do samba, com base no estilo rítmico característico da bossa nova. A iniciativa partiu do bailarino ítalo-americano Lennie Dale (Leonardo La Ponzina, 1934-1994), e teve como colaboradora a bailarina brasileira Marly Tavares. Participação decisiva no projeto tiveram também os grupos instrumentais Bossa Três – formado pelos músicos Luis Carlos Vinhas (piano), Tião Neto (baixo) e Edison Machado (bateria); e Sambalanço Trio, liderado pelo pianista César Camargo Mariano e contando com Humberto Claiber e Airto Moreira na primeira formação. A sistematização dos passos da dança foi, muito provavelmente, baseada nas performances do sambista conhecido como Gaguinho, oriundo de São Paulo e efusivamente citado como ótimo passista e pandeirista em Miele (2004: 33); Motta (2000: 59) e Mello (2003: 53).

DANÇAS DO SAMBA. A coreografia do samba urbano, desenvolvida e difundida a partir do Rio de Janeiro, compreende, na atualidade, as seguintes modalidades básicas: a) samba de salão, de par enlaçado, originado da dança do maxixe (gênero musical bastante popular no início do século XX) e incorporando, ao longo do tempo, figurações do tango argentino e de outras danças internacionais; b) samba de rua, dançado em cortejo, de início com os braços flexionados e em movimento alternado (com as mãos fechadas) na altura do peito, à moda africana: é a "evolução" das antigas escolas de samba, na qual as mulheres caminhavam rodopiando; c) o bailado de mestre-sala e porta-bandeira, remotamente originário de danças da aristocracia europeia, com rodopios, enlaçamentos e ocasionais sapateados do cavalheiro; d) o desempenho livre dos passistas solistas, desenvolvido a partir da dança do samba de roda baiano. No livro *Dança do samba, exercício do prazer*, o jornalista José Carlos Rego deixou listados e descritos nada menos que 165 passos da coreografia sambística, em depoimentos de cerca de uma centena de passistas das escolas cariocas. Além disso, o livro registra um dado histórico fundamental: a origem da performance coreográfica masculina nos terreiros e nos desfiles. Segundo Rego, o nascimento da figura do passista de samba remonta à década de 1940, quando o compositor Herivelto Martins resolveu levar ao palco o que chamava de "miniescola de samba", conjunto formado por um coro feminino e um pequeno grupo de percussionistas. A ideia de incluir a dança nos números do conjunto não foi, todavia, pacificamente aceita pelos homens. Até então, o samba dançado em solo, no meio da roda, era "coisa de mulher", como vimos no verbete *samba de roda*, ou então de sapateadores exímios, como foi o legendário Claudionor Marcelino dos Santos – parceiro de Paulo da Portela (1901-1949) –, falecido provavelmente no início da década de 1960. Como contou Herivelto, a ideia foi muito mal recebida entre seus sambistas. "Claudionor da Portela se aborreceu, parou de bater o pandeiro e se afastou do ensaio", narrava ele; "Buci Moreira, de muita liderança no grupo, ficou pensativo, mas não disse nada. Mas, no terceiro espetáculo, veio a surpresa: o ritmista Tibelo, no meio da apresentação, deixou o tambor e arriscou umas invenções com os pés. O público, apanhado de surpresa, primeiro começou a rir, mas aos pouquinhos soltou os aplausos. Incentivado, Tibelo ampliou a variedade de passos e o público veio abaixo" (cf. Rego, 1996: 22). Na década seguinte, três jovens sambistas da Portela, os compositores Candeia e Valdir 59 e o sambista Mazinho Nascimento, filho do célebre Natal (1905-1975), foram um dia convocados pelo empresário e diretor Carlos Machado para o show *The million dollar baby*, no palco da boate Night and Day. Seus passos eram, porém, convencionais e comportados. Diante disso, Valdir 59 levou um sambista, também portelense, tão inventivo que era tido como "maluco" – o legendário Tijolo (1931-2001), de nome civil Alexandre de Jesus. A partir do sucesso e da criatividade de Tijolo no palco, a figura do passista foi institucionalizada, descendo do *music hall* para a avenida, num inusitado percurso, como também mostra o livro de José Carlos Rego. Depois de Tijolo, brilharam, pela criatividade de seus passos, Vitamina do Salgueiro, Gargalhada da Mangueira e muitos outros, cada um com seu estilo, frequentemente acrobáticos. Entre as mulheres, depois da pioneira Paula do Salgueiro, tantas foram as solistas que a arte da dança feminina do samba acabou por gerar a figura da "mulata show", ancestral das modernas rainhas de bateria. Apesar da coreografia muitas vezes espetaculosa a que assistimos em tempos recentes, os passos do samba de roda, associados ao elegante sapateado masculino, permanecem vivos nas apresentações dos sambistas das velhas-guardas. Cabe ressaltar, nos carnavais do século atual, o protagonismo de rapazes assumidamente gays nas alas de passistas de algumas escolas, o que sinaliza mais um aspecto da inclusão desse segmento na sociedade brasileira. *Ver* DANÇA-JAZZ.

DANCING. Estabelecimento onde se dança mediante pagamento proporcional ao tempo usufruído, o que não ocorre na gafieira. Foi comum em algumas cidades brasileiras, principalmente nas décadas de 1950 a 1970. No Rio, destacaram-se o Dancing Avenida e o Brasil Danças, contíguos no subsolo do Edifício São Borja, no final da avenida Rio Branco. A denominação provém do inglês *dancing club* ou *dancing house.*

DEIXA FALAR. Paradigmática agremiação carnavalesca, tida por alguns autores como a primeira escola de samba. Nasceu no bairro do Estácio, como simples e espontâneo bloco carnavalesco, por volta de 1926, assim como os vizinhos Vê se Pode e União Faz a Força. Efetivamente organizado como entidade em 12 de agosto de 1928, segundo afirmação do fundador Ismael Silva, herdou as cores, vermelho e branco, do União, tendo existido até 1932, ano em que se apresentou como rancho carnavalesco. Segundo Humberto M. Franceschi, o fim do Deixa Falar deveu-se fundamentalmente à intervenção estatal e ao peleguismo. Historia ele que a influência de elementos estranhos ao ambiente e ao espírito que norteava a atuação do grupo de sambistas celebrizado como os Bambas do Estácio selou o fim da agremiação. Traindo os objetos iniciais, meramente recreativos, os infiltrados, tendo à frente um motorista da presidência da República que se apresentava como editor de um boletim do Ministério da Guerra, fez que o bloco se organizasse com cores distintivas e corda de isolamento em suas apresentações. Daí ter desfilado no carnaval de 1932 como rancho carnavalesco, apresentando o enredo "Homenagem à revolução brasileira", com o qual, não obstante a subvenção recebida, experimentou um retumbante fracasso, o que levou ao seu fim (Franceschi, 2010: 174-6).

DENÚNCIA. Nascido em ambiente de exclusão e adversidade, o samba muitas vezes assumiu o discurso da denúncia. Assim, no pioneiro "Urubu malandro", um tema folclórico (gravado por Pixinguinha em 1914 e relançado em 1943 em versão assinada por João de Barro e Louro, *Enciclopédia da música brasileira*, 1977: 1144), a verve popular apontava o "urubu" enganador, que "veio lá de cima, com fama de dançador" e quando entrou na roda apenas mostrou que não sabia dançar. Depois, em "Pelo telefone", sua certidão de batismo, o nosso gênero-mãe praguejava: "Tomara que tu apanhes pra não voltar a fazer isso: tomar amores dos outros e depois fazer feitiço." Mais tarde, em 1928, diante da ameaça de demolição do atual morro da Providência pelo prefeito Prado Júnior, Sinhô botava o dedo na chaga social em "A favela vai abaixo". Logo depois veio Noel Rosa, para, em 1931, ante um Brasil que via "de tanga, pobre e maltrapilho", glosar a situação no "Com que roupa?". Enquanto isso, os negros do Estácio, menos de quarenta anos depois da Lei Áurea, glorificavam a malandragem, o tamanco arrastado e a navalha no bolso como atitude rebelde diante da falta de oportunidades e da opressão capitalista. Aí, com o morro descendo e as escolas já nas ruas, o samba foi-se fazendo, ora lamentoso, ora crítico. Como em "trabalho não tenho nada, não saio do miserê" ("Tenha pena de mim", Ciro de Souza e Babaú, 1937); em "sapato de pobre é tamanco" e "lata d'água na cabeça, lá vai Maria" ("Sapato de pobre" e "Lata d'água", ambos da dupla Jota Júnior e Luís Antônio, lançados respectivamente em 1951 e 1952); em "barracão de zinco pedindo socorro à cidade aos seus pés" ("Barracão", Luís Antônio e Oldemar Magalhães, 1953) etc. Até chegar a Aluísio Machado, Bezerra da Silva e finalmente a Barbeirinho, Luiz Grande e Marquinho Diniz, do Trio Calafrio, autores de sambas tão hilariantes quanto cáusticos, do repertório de Zeca Pagodinho. O fato, então, é que o samba, pelo viés da ironia ou não, jamais deixou de assumir o discurso da denúncia. E não deve ser visto como expressão artística alienada ou passiva. Em 2006, o carioca Leandro Sapucahy lançava o CD "Cotidiano", no qual apresentava sambas de títulos inequívocos como "Bala perdida", "Favela", "Lados paralelos" etc.

DEPARTAMENTO DE IMPRENSA E PROPAGANDA (DIP). Órgão público criado durante o período do Estado Novo para difundir os princípios norteadores do regime, promover a imagem do líder Getúlio Vargas e as realizações de seu governo. Funcionando de 1939 a 1945, o DIP interferiu diretamente no samba urbano carioca, "aconselhando" autores a evitar letras que romantizassem a malandragem e preconizando a exaltação do trabalho e o louvor ufanista da natureza brasileira. O caso mais conhecido de uma provável interferência, cercado até de certa mitificação, deu-se com a letra de "O bonde São Januário", de Wilson Batista e Ataulfo Alves, samba cuja segunda parte expressa uma espécie de testemunho de um personagem que "não tinha juízo", mas renunciou à boemia e passou a viver bem. Observe-se, entretanto, que, embora Wilson Batista (1913-1968), principalmente a partir da célebre polêmica com Noel Rosa, seja tipificado como "malandro", o parceiro Ataulfo, elegante e de boas maneiras, parece inclusive ter-se identificado com o ideário estado-novista, o que transparece em outro samba seu, "O negócio é casar": "E quem for pai de três filhos/ o presidente manda premiar/ O negócio é casar", diz a letra (cf. Cabral, 2009: 58). Então, queremos crer que, com relação ao samba, a censura do DIP não tenha se revestido da truculência daquela exercida pela ditadura militar de 1964, por exemplo.

DESAFRICANIZAÇÃO. Processo por meio do qual se tira ou procura tirar de um tema ou de um indivíduo os conteúdos que o identificam como de origem africana. *Ver* AFROSSAMBA; BOSSA NOVA; SAMBA-REGGAE.

DESFILES. Desfile é a marcha em fila ou a exibição em forma de cortejo de uma agremiação. Este é mais um dos vocábulos provavelmente oriundos do ambiente castrense, abordados no verbete *militarização*. Antes dele foram mais utilizados, para definir o cortejo de uma escola de samba, os termos "concurso" e "certame" – na imprensa – e "saída", entre os sambistas (ex: "Fulano sairá na Mangueira no próximo carnaval."). **Competição** – Os primeiros concursos entre as agremiações, iniciados no carnaval de 1932, com a vitória da Estação Primeira de Mangueira, foram realizados sem participação direta do poder público. Em 1933, quando a Mangueira venceu novamente, os quesitos de avaliação eram: a "poesia do samba", valendo cinco pontos; enredo, valendo três; originalidade e conjunto, três pontos (Silva e Maciel, 1989: 63). Em 1935, foram considerados: originalidade, harmonia, bateria e bandeira (Silva e Maciel, 1989: p. 75). A partir de 1935 (vitória da Portela, após um carnaval sem desfile), a prefeitura do Distrito Federal, por intermédio de sua repartição de Turismo e Propaganda, passou a intervir diretamente na organização do carnaval. E isso se dava por conta da disposição governamental de promover, patrocinar e dirigir as formas de divertimento popular, incorporando-as à sua ação cultural. Na década de 1950, com inúmeras inovações já incorporadas ao evento, o desfile, realizado sucessivamente na Praça Onze, na avenida Rio Branco e finalmente na avenida Presidente Vargas, consolidou-se como a grande atração do carnaval carioca. Confirma isso um texto publicado na edição de 12 de março de 1955 da importante revista *O Cruzeiro*, assinado por um certo Álvares da Silva, no qual se afirmava: "O Desfile das Escolas de Samba é o mais puro espetáculo do nosso carnaval. Deixa, é fato, impressão de deslumbramento (pela vivacidade do espírito associativo aplicado a fins artísticos e recreativos) mesclada à de desgosto (pela enfatuada e insuficiente colaboração do poder público, pois, no Brasil, a iniciativa governamental só se manifesta, e nem sempre, quando compelida pela exuberância da iniciativa particular, não raro, para sufocá--lo de inveja). Mas a grande Parada dos Sambistas, que celebrizou a Praça Onze (presentemente um estado de espírito) e dá valor ao tosco tablado da avenida Presidente Vargas, está predestinada a transformar-se em Festival das Escolas de Samba. Não é difícil prefigurar essa gente dos morros e subúrbios – de muita boa bossa e muitos com comportamento – evoluindo sob o foco dos refletores acesos, no imenso palco que lhes pertence – o Maracanã – perante grande público confortavelmente sentado (e que pagou entrada), como também perante turistas de notoriedade internacional, 'estrelas' e 'astros' do cinema, personalidades famosas do *café-society*. É fácil imaginar cartazes pregados nas principais cidades da América e da Europa, convidando: 'Visite o Brasil durante o carnaval. Dance nos famosos bailes do Theatro Municipal, Glória e Copa's. Assista ao Festival das Escolas de Samba no maior estádio do mundo. Música. Alegria. Conforto. É um capital para dar lucro.'" (cf. Silva, 1955: 14). **Fatos marcantes** – No verbete *enredo* deste dicionário, listamos as importantes ocorrências que, a partir do fim da década de 1950, determinaram a transformação dos desfiles das escolas nos espetáculos suntuosos encenados à época deste texto. Cabe registrar alguns fatos dignos de nota nessa sequência de episódios: Em 1958, a Acadêmicos do Salgueiro, com um enredo sobre os sesquicentenário do Corpo de Fuzileiros Navais, recebeu apoio da corporação, que inclusive cedeu o pátio do seu quartel da Ilha das Cobras para os ensaios da bateria. No carnaval seguinte, encenando tema do casal de artistas plásticos Dirceu e Marie Louise Nery, "Viagem pitoresca e histórica ao Brasil", sobre a obra do pintor Debret, a mesma escola, numa atitude pioneira e ousada, eliminou a corda que isolava os desfilantes dos espectadores. Ainda o Salgueiro, na década de 1960, levou para a avenida dos desfiles, além das alas tradicionais, grandes contingentes executando o que então se chamou de "coreografias bastardas", inclusive um minueto, sob a direção artística da bailarina Mercedes Batista (1921-2014). Como uma espécie de resposta, em 1963, a Portela incorporava um naipe de violinos à sua "Valsa do Imperador", solfejada no samba em que cantava "O segundo casamento de Dom Pedro I". Em 1968, com o enredo "Dona Beja, a feiticeira de Araxá" – pelo qual a municipalidade da cidade mineira teria oferecido mimos e lembranças à protagonista da personagem-título, Isabel Valença (1927-1990) –, o Salgueiro parece ter antecipado a voga dos enredos de incentivo ao turismo, com apoio de cidades e estados, recorrentes a partir da década de 1990. No desfile de 1972, a nota triste foi dada pelo fato de o Salgueiro literalmente dissolver-se na pista, por causa do samba "Minha madrinha, Mangueira querida", de autoria de Zuzuca, mesmo compositor do "Pega no ganzê", sucesso absoluto no ano anterior. Na composição, centrada em dois refrões seguidos, a volta para a curtíssima primeira parte ocorreria em dois momentos distintos. Devido ao precário sistema de som, e com a plateia cantando empolgada o samba, amplamente divulgado, os desfilantes se confundiram, sem saber exatamente que parte cantar, protagonizando, segundo Haroldo Costa, o maior fiasco até então observado nos desfiles, recebido com vaias pela enorme plateia (Costa, 1984: 206). A década de 1970 foi marcada pela verticalização dos desfiles, com a valorização de alegorias imensas e repletas de componentes, marca registrada da Beija-Flor de Nilópolis sob a batuta do carnavalesco Joãosinho Trinta. Tal tendência, que estabelece a supremacia do visual em detrimento dos quesitos mais tradicionais, permanece, até o momento de elaboração deste trabalho, como característica mais forte dos desfiles, sobretudo os do Grupo Especial. **Inclusão do negro** – Para que se relembre a composição étnica das escolas, nos primeiros desfiles, e se avalie sua real importância como fator de inclusão do povo negro no espaço do carnaval, leia-se o seguinte depoimento, transcrito em Pereira (1967: 229-30): "Eu participei do primeiro desfile de escola de samba realizado no Rio. Foi feito lá na Praça Onze pelo jornal *Mundo Sportivo*. Na 'cabeça' do desfile estavam os compositores brancos. Neste desfile nossa escola foi a vencedora. No ano seguinte, foi a consagração de nossa escola e da música do negro, do samba. O jornal *O Globo* fez o desfile. Quando eu vi aquele desfile de pretos, o povo aplaudindo o nosso samba, foi que percebi como o negro era importante para o Brasil." Na década de 1960, no sábado seguinte ao "superdesfile" carioca, a escola campeã apresentava-se na avenida Atlântica, em Copacabana, como provável estratégia de sedução da classe média da zona sul e de turistas pelo samba das escolas. **Influências** – À época da elaboração deste dicionário, a influência estética dos desfiles de escolas de samba carioca, principalmente nos figurinos e adereços, já era notória em outras manifestações, como o boi-bumbá de Parintins, na Amazônia, e as "quadrilhas" das festas juninas, na periferia carioca e em outras regiões. *Ver* PATROCÍNIO; SUBVENÇÃO.

DESQUALIFICAÇÃO. Desqualificar é imputar a algo ou alguém a falta parcial ou total de qualidades, predicados ou atributos positivos. Segundo Velloso (1988: 17-18), no Rio de Janeiro das primeiras décadas do século XX, a partir desse tipo de imputação, criou-se, com relação a africanos e descendentes, uma ideologia de desqualificação. Na prática, desenvolveu-se todo um conjunto de procedimentos para caracterizar como incivilizadas, retrógradas, arcaicas e até nocivas as práticas culturais dos afrodescendentes e mesmo sua presença na sociedade brasileira. Assim, no ideário da *belle époque* carioca, transcorrida entre o início do século XX e a Primeira Guerra Mundial (Velloso, 1988: 8), o elemento negro é uma presença incômoda, "fora do lugar", fatalmente associada a periculosidade e crime. Consoante Muller (2008: 47), desde meados do século anterior, influenciadas pelas teorias racistas europeias e norte-americanas, as elites procuravam uma solução para o "problema" da presença negra na sociedade brasileira. A solução encontrada foi o fortalecimento da imigração europeia, capaz de promover o branqueamento físico e cultural da população brasileira. **O samba** – Nesse ambiente, o surgimento do samba urbano e da instituição Escola de Samba veio representar não só um canal de expressão para boa parte dos negros no antigo Distrito Federal, como uma proteção contra o racismo, inclusive o embutido nas políticas públicas, travestido de medidas eugênicas. O preconceito desqualificatório, todavia, não foi totalmente eliminado. Em muitos aspectos e momentos, a cultura do samba continua a ser quase sempre vista como expressão de atraso, em comparação com a modernidade e o progresso, almejados pelas elites, sendo tolerada, quando muito, pelo viés do exotismo e do folclore. **Desqualificação e "cultização"** – A década de 1970, crucial na história da cultura brasileira, assistiu ao desmonte de todo o arcabouço cultural erigido no país desde a Era Vargas, inclusive em termos do fomento à produção artística nacional. Viu também o acelerado processo de transformação das escolas de samba, inseridas no contexto da cultura de massas. No momento da elaboração deste dicionário, imaginando-se que o universo da produção cultural envolva indivíduos com média de idade em torno de 35 ou mesmo 40 anos, vamos concluir que a maioria dessas pessoas não conheceu outra realidade além da instaurada na década citada. Nesse quadro, a avaliação do que seja o samba passa quase sempre pela "cultização" (neologismo que retrata a transformação de algo em objeto *cult*, *i.e.*, venerado nos meios intelectuais e artísticos) ou pela desqualificação manifestada em relação a ele pela maioria das pessoas do universo referido. Esse menosprezo cultural opera no mesmo registro do preconceito social e etnorracial. **Leis de incentivo** – O fato de que raramente projetos culturais cujo objeto é o samba conseguem os benefícios das principais leis de incentivo fiscal em vigor parece refletir esse tipo de percepção. Dentro dos mecanismos de patrocínio a projetos culturais, as grandes empresas, naturalmente, associam seus nomes a produtos relacionados à sua esfera de atuação e ao seu universo estético. Considerando-se também a atuação, o perfil social e o provável gosto estético dos captadores de recursos, temos um panorama que talvez explique a dificuldade de o samba, a não ser no universo mais específico das escolas, obter, para os referidos projetos, patrocínios ao menos equivalentes aos de outras manifestações culturais normalmente aquinhoadas. *Ver* INDÚSTRIA FONOGRÁFICA; MÍDIA; PATROCÍNIO; TOMBAMENTO.

DESTAQUE. Redução de "figura de destaque". A denominação se aplica, na escola de samba, ao desfilante, masculino ou feminino, que representa um dos personagens mais importantes do enredo. Segundo Araújo e Jório (1969: 78), a pioneira nesse tipo de apresentação foi, na década de 1950, Olegária dos Anjos (1933-2012), em solteira Olegária da Silva Santos, integrante do Império Serrano. A ela seguiram-se Ilazir Miranda, a "Zinha", na Mangueira; Isabel Valença (1927-1990), no Salgueiro; Odila de Assis, na Portela; Pildes Pereira, na Vila Isabel, entre outras. Tempos atrás, muitas vezes, a responsabilidade de personificar, com luxo e riqueza, a principal personagem feminina dos desfiles recaiu sobre a mulher do presidente ou patrono da agremiação. Foi o caso da citada Isabel Valença, mulher afrodescendente que, ao personificar a Xica da Silva no desfile salgueirense de 1963, tornou-se ela própria uma figura legendária, quebrando no carnaval seguinte um paradigma, ao ser a primeira componente de escola de samba a participar, mesmo sob algumas manifestações de protesto, do concurso de fantasias do Theatro Municipal carioca. Na atualidade, os destaques representativos de personagens do enredo são colocados no alto de carros alegóricos, ficando, em geral, o desfile no chão para as beldades referidas como "madrinhas", "musas", "rainhas" etc. *Ver* RAINHA DE BATERIA.

DIA NACIONAL DO SAMBA. Criado a partir do 1º Congresso Nacional do Samba, realizado em 1962, no Rio de Janeiro, sob a inspiração do etnólogo Edison Carneiro, o Dia do Samba foi oficializado a partir da Lei Estadual nº 554, de 28 de julho de 1964. A data da efeméride, 2 de dezembro, faz referência à assinatura do documento final do congresso, a importante Carta do Samba. Mais tarde, por força de lei ou consagrada pelo costume, a efeméride ganhou âmbito nacional. *Ver* CARTA DO SAMBA; CHURRASCO.

DIP. *Ver* DEPARTAMENTO DE IMPRENSA E PROPAGANDA.

DIREITO AUTORAL. A primeira inserção do samba no mercado fonográfico se dá em 1916, com "Pelo telefone", de Donga. A partir daí, cria-se um fato jurídico novo: a entrada de uma nova categoria de música e músicos no universo autoral. Tal acontecimento vai motivar a criação, em 1939, da primeira sociedade brasileira gestora de direitos musicais, a Associação Brasileira de Compositores e Autores (ABCA). Ressalte-se que, até então, a cobrança de direitos autorais sobre execução de obras musicais, os chamados "pequenos direitos" (em relação aos literários, dos textos teatrais) cabia à Sociedade Brasileira de Autores Teatrais (SBAT), agremiação formada principalmente por escritores, dramaturgos. Acontece, entretanto, que, apesar de toda a intelectualidade formal dos membros da SBAT, a música das camadas menos favorecidas, consubstanciada no samba, passou a render dinheiro. Consoante Didier (2010: 42), no carnaval de 1931, o primeiro após a revolução varguista, o estrondoso sucesso do samba "Com que roupa?", de Noel Rosa, fez que a música popular passasse a ser vista como uma efetiva oportunidade profissional. E como os teatrólogos, alguns inclusive com cadeiras na Academia Brasileira de Letras, pareciam incomodados com os novos frequentadores do seu ambiente, o mal-estar foi capitalizado por argutos compositores profissionais, que compunham sambas mas não eram sambistas. Nascia, assim, a citada ABCA. Segundo Morelli (2000: 162), nesse momento, na década de 1930, os dirigentes autorais pioneiros, como Ary Barroso (SBAT e SBACEM) e Almirante (ABCA e UBC), teriam sido "investidos da condição de representantes máximos da música popular brasileira, em detrimento dos 'malandros', ativos no início da profissionalização do samba". Desde então, a história do direito autoral no Brasil, do ponto de vista do compositor "de morro", é quase sempre uma crônica de prejuízos, em geral decorrente da ingenuidade ou da ignorância. É assim que vamos ver cantores de sucesso comprando sambas de autores como Cartola, Ismael Silva e sua Turma do Estácio, ou entrando como parceiros em suas criações. Esse misto de ignorância e ingenuidade (o conceito de propriedade intelectual era difícil de entender e aceitar, daí a máxima "música é, como passarinho, de quem pegar primeiro") gerou a figura do "compositor" que, desprovido de maior talento, conhecia as calçadas do Café Nice e da Praça Tiradentes. Fazendo uso de boas relações, ele se tornava uma espécie de porta-voz dos verdadeiros poetas dos barracos e das tendinhas, afirmando-se como o "maioral" de seu morro e sua escola. **Sambas de enredo** – Em 1971, com o "Pega no ganzê" do salgueirense Zuzuca, ocorre a primeira grande explosão, em termos de arrecadação autoral, de um samba nascido em uma escola de samba e feito especialmente para a avenida. Em 1984, no primeiro carnaval do Sambódromo, a Riotur, empresa estatal de turismo, condicionava o pagamento de direitos autorais sobre os sambas de enredo executados no grande desfile à comprovação, pelas agremiações filiadas à Liesa, de sua titularidade sobre as obras. Tratava-se de uma discussão sem precedentes, na qual a Riotur, empresa exploradora do evento e usuária das obras executadas em seu recinto de festas, transferia para as escolas a responsabilidade do pagamento dos direitos. Foi a partir desse fato que a Liesa se estruturou, também, como editora musical e cessionária obrigatória de todos os sambas vencedores nas escolas – pelo que, já nas rodadas finais dos concursos, os compositores concorrentes passaram a assinar compulsoriamente contratos de cessão de direitos autorais. *Ver* INDÚSTRIA FONOGRÁFICA – Paradas de sucesso; JABÁ; MALANDRO; RELAÇÕES RACIAIS; SAMBISTA.

DISCO, indústria do. *Ver* INDÚSTRIA FONOGRÁFICA.

DITADURA MILITAR. Denominação do período da história brasileira iniciado com o golpe de estado que depôs o presidente João Goulart, em 1964, e se estendeu até o início de 1985. A historiografia sobre o assunto considera, em geral, que o período pode ser dividido em quatro fases: 1964-1967: Fase de estruturação do regime autoritário; 1968-1974: Período de endurecimento do regime, iniciado com o lançamento, em 13 de dezembro de 1968, do Ato Institucional nº 5; 1975-1979: Início da abertura lenta e gradual, após forte censura aos meios de comunicação e propaganda; 1979-1985: Desmonte do regime. Nesse período, o Brasil paga 100 bilhões de dólares da dívida externa, o que gera um contingente de seis milhões de desempregados e treze milhões de subempregados (*Enciclopédia do mundo contemporâneo*, 2000: 164). Do ponto de vista da música popular, a época a princípio se caracteriza pela relativa abertura de espaços, graças à popularização da televisão e da difusão das transmissões radiofônicas em AM e FM. Mas é também o momento em que, em contraponto à resistência do Opinião e do Zicartola, por exemplo, convalida-se, a partir de 1965, o escapismo internacionalizado da chamada Jovem Guarda. Na sequência, o advento da era dos festivais propicia a divulgação de novos nomes, embora sem protagonismo relevante, para os artistas ligados ao universo do samba. Na esfera das escolas de samba, contudo, assiste-se à consolidação das agremiações do Grupo Especial do Rio como atração maior do carnaval e principal sustentáculo econômico da festa. Em contrapartida, o samba de enredo, dominando o espaço antes ocupado pelas marchinhas e pelos sambas carnavalescos, passa a sofrer a diluição que costuma esvaziar todos os produtos intensamente massificados (Moura, 1986: 13). **O milagre brasileiro** – Sobre os enredos das escolas nesse período, houve o interesse da ditadura em que as escolas de samba cantassem o chamado milagre brasileiro. Diversas agremiações apostaram em temas desenvolvimentistas, de exaltação nacional e celebração do crescimento. Temos, entre outros, os seguintes exemplos: "Brasil, berço de riquezas" (União de Centenário, 1970); "Modernos bandeirantes" (Mangueira, 1971); "Brasil das duzentas milhas" (Unidos de Lucas, 1972); "Martim Cererê" (Imperatriz Leopoldinense, 1972); "Laços de amizade" (Cabuçu, 1972); "Brasil, a flor que desabrocha" (Caprichosos de Pilares, 1972); "Brasil, explosão do progresso" (Império da Tijuca, 1973); "Educação para o desenvolvimento" (Beija-Flor, 1973); "Brasil ano dois mil" (Beija-Flor, 1974); "O grande decênio" (Beija-Flor, 1975); "Brasil, glórias e integração" (Tupi de Brás de Pina, 1975); "Riquezas áureas da nossa bandeira" (Tupi de Brás de Pina, 1976). Alguns sambas de enredo nessa linha costumavam citar slogans de propaganda do regime, como é o caso dos citados "Modernos bandeirantes" (Ninguém segura mais esse país/ E caminhando vai meu Brasil pra frente.); "Brasil ano dois mil" (Quem viver verá/ nossa terra diferente/ a ordem do progresso empurra o Brasil pra frente.); e de "Martim Cererê" (Gigante pra frente a evoluir/ milhões de gigantes a construir.). Este último, entretanto, é um dos poucos sambas dessa safra que têm qualidades sempre ressaltadas; os demais acabaram relativamente esquecidos. Outros sambas de enredo, porém, fizeram alusões importantes à liberdade, que poderiam ser interpretadas como pequenas provocações ao regime. Exemplos marcantes foram "História da liberdade no Brasil" (Salgueiro, 1967), "Heróis da liberdade" (Império Serrano, 1969) e "Rapsódia folclórica" (Unidos de Lucas, 1969). Este último, menos conhecido que os dois outros, trazia uma letra que, sem ligação aparente com o enredo e o resto do samba, dizia com contundência no refrão: "Esclarecendo em alto som/ Que a liberdade é o lado bom." Episódio ainda mais exemplar, nesse contexto, envolveu a Vila Isabel, nos preparativos para o carnaval de 1974. O enredo, "Aruanã Açu", era sobre a nação indígena Carajá; e o compositor Martinho da Vila concorria com um samba cuja letra, ao final, dizia: "E o índio cantou/ O seu canto de guerra/ Não se escravizou/ Mas está sumindo da face da Terra." Segundo relato em Martinho da Vila (1992: 183), a escola foi pressionada não só a cortar o samba, depois lançado em disco com o título "Tribo dos Carajás", como a mudar o desenvolvimento do enredo, que passou a ser uma louvação à construção da rodovia Transamazônica. **Cronologia do período** – Após o golpe militar, quando o regime ainda não atingira o perfil vigorosamente repressivo que o caracterizará a partir de 1968, estreava no teatro de um shopping center em Copacabana, no final de 1964, um espetáculo juntando Nara Leão, o sambista Zé Kéti e o nordestino João do Vale (1934-1996). O sucesso da iniciativa, que catalisava toda a insatisfação em face do regime instaurado, acabou por fazer que a casa de espetáculos ganhasse o nome do show: Teatro Opinião. Paralelamente, no ambiente do restaurante Zicartola, o compositor e produtor Hermínio Bello de Carvalho concebia o show *Rosa de Ouro*. O espetáculo, estreado em março de 1965 no Teatro Jovem, em Botafogo, também na zona sul carioca, lançava para o grande público a cantora Clementina de Jesus (1901-1987), apoiada por um grupo composto por Paulinho da Viola, Elton Medeiros, Anescarzinho do Salgueiro, Jair do Cavaquinho e, depois, Nelson Sargento. Nascia aí a carreira artística profissional de Clementina, celebrada como uma das mais eloquentes vozes do samba em todos os tempos. Em 1966 destacou-se o show *O samba pede passagem*, reunindo Ismael Silva, Araci de Almeida (1914-1988), Baden Powell e os novos Sidney Miller e MPB4, entre outros. Segue-se a ele o *Telecoteco Opus nº 1*, no Teatro

Opinião, com Cyro Monteiro (1913-1973) e Dilermando Pinheiro (1917-1975), cantor e virtuose na utilização rítmica do chapéu de palha. Em 1967, Martinho da Vila concorre a um festival com o samba "Menina-moça" e firma sua posição no cenário da música brasileira. Segundo Souza (2003: 17), Martinho foi um divisor de águas, pois além de popularizar o partido-alto, compactou o samba de enredo, ampliando suas possibilidades de mercado. Em 1968, ano da promulgação do Ato Institucional nº 5, surge a Bienal do Samba. Ao longo da década de 1970, ocorrem significativos lançamentos, conforme mencionado no verbete *indústria fonográfica*. Em agosto de 1977 começa a circular pelo país o Projeto Pixinguinha, uma proposta da entidade civil Sombrás encampada pela Funarte, vinculada ao então Ministério da Educação e Cultura (MEC). Buscando aumentar o mercado da música nacional em tempos de disco music, o elenco desse primeiro ano de Projeto Pixinguinha era exclusivamente formado por artistas da música popular brasileira, especialmente do samba em suas diversas vertentes, como Cartola, João Nogueira, Nelson Cavaquinho, Beth Carvalho, Clementina de Jesus e Zé Kéti. No início de 1979, revogado o AI-5 e aprovada a Lei de Anistia, temos a consolidação da abertura política, que possibilita a volta de exilados políticos e abre espaço para o lançamento de sambas como, "Tô voltando" (Paulo Cesar Pinheiro e Maurício Tapajós), "Senhora liberdade" (Wilson Moreira e Nei Lopes) e "O bêbado e a equilibrista" (João Bosco e Aldir Blanc). Entretanto, das três obras citadas, a última é a única realmente motivada pela anistia. **Resistência à ditadura** – Comumente acusado de alienado ou não engajado nas questões sociais, o samba também se fez presente no protesto e na resistência contra a ditadura. O compositor Zé Kéti foi um exemplo, com composições como "Acender as velas" e "Opinião". Na mesma linha, Aluísio Machado compôs, no fim dos anos 1960, a música "A humanidade". Censurado em virtude de seus versos considerados subversivos ("Quem tem muito quer ter mais/ Quem não tem resta sonhar/ Quem não estudou é escravo/ De quem pôde estudar/ Os direitos humanos são iguais/ Mas existem as classes sociais."), o samba de Machado só foi gravado em 2006, no CD *Império Serrano, um show de Velha Guarda*. Na mesma linha de crítica social, temos composições de Elton Medeiros e Mauro Duarte ("Maioria sem nenhum", cuja letra dizia "Uns com tanto, outros tantos com algum/ Mas a maioria sem nenhum"), Candeia ("Dia de graça"), Noca da Portela ("Virada") e outros. **Colaboracionismo** – Em outubro de 2013, sob o título "Nos porões da contravenção", o jornal *O Globo* publicava uma série de reportagens de autoria dos jornalistas Chico Otávio e Aloy Jupiara denunciando correlações, inclusive políticas, de contraventores do jogo do bicho com a ditadura militar de 1964. A série mencionava, inclusive, relacionamentos estreitos de agremiações do mundo do samba, por meio de dirigentes contraventores, com pessoas incluídas nas listas de torturadores elaborada pelo projeto Brasil Nunca Mais. Além disso, associava a ascensão e o tricampeonato da Beija-Flor de Nilópolis (1976-1978) e, em parte, a primeira vitória da Mocidade Independente de Padre Miguel, em 1979, às relações das respectivas lideranças com a ditadura militar. Veja-se ainda que, entre 1981 e 1984, a Divisão de Censura e Diversões Públicas do governo federal exerceu forte cerceamento à livre criação de letras do cancioneiro popular, inclusive do samba. *Ver* CRISES; ENREDO; ESCOLA DE SAMBA; INDÚSTRIA FONOGRÁFICA; "OS IPANEMAS"; PLANOS ECONÔMICOS; SAMBA; SAMBA DE ENREDO.

DRAMATURGIA TEATRAL. A ocorrência de textos teatrais encenados tendo por tema o samba e seu universo é rarefeita. Entre os poucos exemplos, pode-se citar *Gimba, o presidente dos valentes,* de Gianfranceso Guarnieri, lançado em 1959. A obra descreve a realidade dos morros cariocas, em seu tempo, apresentando cenas de samba e gafieira. Outro dos raros exemplos é *Dr. Getúlio, sua vida e sua glória*, de Dias Gomes e Ferreira Gullar, lançado em 1968 e logo censurado. Aqui a saga do presidente Vargas é contada pelo enredo de uma escola de samba, na qual os principais integrantes vivem acontecimentos similares a algumas ocorrências da vida política brasileira naquele momento. O fio condutor da trama é a luta pelo poder. O samba de enredo que é a trilha da peça tem melodia de Silas de Oliveira e letra de Ferreira Gullar. Outro texto lembrado poderia ser a *Ópera do malandro*, de Chico Buarque, a qual, entretanto, apesar da sugestão do título, não tem o samba em seu foco de interesse. Em 1979, de autoria de Dias Gomes, era encenada a peça *O rei de Ramos*, retratando a rivalidade entre dois banqueiros do bicho, Mirandão e Brilhantina. Com trilha sonora de Francis Hime e Chico Buarque de Hollanda, a peça retrata o universo do subúrbio carioca e das escolas de samba. Em março de 1998, era encenado o espetáculo *Noel, feitiço da Vila*, com texto e direção de Andréia Fernandes. No final desse ano, estreava *Ary Barroso, Mister Samba*, de Teresa Frota; em 2000, *Crioula, a dama do suingue*, de Stella Miranda, sobre Elza Soares. Em 2005, Gustavo Gasparani apresentou *Otelo da Mangueira*, que transfere a trama da consagrada peça de Shakespeare para o universo do morro da Mangueira e da Estação Primeira na década de 1940, com trilha sonora baseada nos sambas de Cartola. A montagem foi considerada pela crítica de teatro Barbara Heliodora uma das mais bem-sucedidas adaptações da obra shakespeariana no Brasil. No fim de 2008, aparecia *É samba na veia, é Candeia*, de Eduardo Rieche; dois anos depois, estreava *Obrigado, Cartola*, de Sandra Louzada; em 2010, *O samba carioca de Wilson Batista, de* Rodrigo Alzuguir. No mesmo ano, foi encenado o musical *É com esse que eu vou: o samba de carnaval na rua e no salão* (de Rosa Maria Araújo e Sérgio Cabral), tendo no repertório 80 sambas carnavalescos. Acrescente-se que, em 2013, estreava no Rio de Janeiro, com boa cobertura da imprensa, o musical infantojuvenil *Sambinha*, de Ana Velloso. O texto conta a história da amizade entre uma menina da zona sul carioca, sempre conectada à internet, com um menino do subúrbio, que vive para o samba (*O Globo*, suplemento Globinho, 22/6/2013). Ainda em 2013, também no Rio de Janeiro, no Teatro da Casa de Cultura Laura Alvim, em Ipanema, foi montado o espetáculo *Clementina, cadê você?*, com texto de Pedro Murad e direção de Duda Maia. A atriz Ana Carbatti interpretou Clementina de Jesus (1901-1987) e a encenação, bastante elogiada pela crítica especializada, destacou o impacto causado pela cantora no ambiente da música brasileira. No mesmo ano, subia à cena *Clara Nunes, o musical*, de Márcia Zanelatto. Em março de 2015 estreou no Teatro Vivo Rio o musical *SamBRA – 100 anos de samba*, escrito e dirigido por Gustavo Gasparani, com elenco liderado pelo cantor e compositor Diogo Nogueira. *Ver* ORFEU DA CONCEIÇÃO; TEATRO DE REVISTA; TELEVISÃO – Teledramaturgia.

DROGAS. Segundo a *Larousse* (1996: 239), as drogas ilícitas são onipresentes na canção mundial. Consoante a publicação, que trata especificamente do período que se desenvolve a partir da Segunda Guerra Mundial, elas estariam em muitos textos, tanto apologéticos quanto denunciadores do uso e da venda desses alucinógenos ou entorpecentes. O texto sublinha que a droga seria presença habitual na intimidade de astros e estrelas, relacionando-se, mesmo, ao exercício de suas respectivas artes. No mundo do samba, em 1950 era lançada a composição "Chico Brito", de Wilson Batista e Afonso Teixeira, que tem como tema um malandro que "fuma uma erva do Norte", em inusitada referência à maconha. Roberto Silva gravou em 1961 "Jornal da morte", de Miguel Gustavo, que também aludia à maconha. Em 1981, o samba "Bebeto Loteria", de Gelcy do Cavaco e Pedrinho da Flor, gravado pelo Grupo Fundo de Quintal, faz uma provável referência de duplo sentido à cocaína: a letra fala do perfume do organizador de uma comemoração festiva na qual "até quem não é de cheirar cheirou". Em 1990, no samba "Malandragem dá um tempo", de Adelzonilton, Popular P. e Moacyr Bombeiro, o intérprete Bezerra da Silva (1927-2005) avisa e adverte explicitamente: "Vou apertar, mas não vou acender agora/ Se segura, malandro/ pra fazer a cabeça tem hora." Ressalte-se que a abordagem do assunto como tema de canções não representa, necessariamente, apologia ou confissão de ato ilícito.

ECOLOGIA. *Ver* NATUREZA.

EMBAIXADAS. *Ver* VISITAS.

ENFUSADO. *Ver* LUNDU.

ENREDO. Tema desenvolvido pela escola de samba nos desfiles competitivos de carnaval, o enredo é um dos quesitos ou itens em julgamento. A primazia no desenvolvimento de um tema no desfile é reivindicada pelos sambistas de Oswaldo Cruz, segundo os quais a Vai Como Pode, que deu origem à Portela, teria apresentado "Sua majestade, o samba", no carnaval de 1931, ano em que a legendária Deixa Falar se assumia como um rancho carnavalesco. Observe-se, com o exemplo citado, que nesses primeiros tempos os enredos eram mais ou menos aleatórios, abordando, por exemplo, aspectos da natureza ou procurando afirmar, como no caso da Vai Como Pode, a importância do samba. Após a oficialização dos desfiles, com o poder público auxiliando as escolas de samba, a temática passou a ser dirigida para a exaltação, em tons de ufanismo, das grandes efemérides do Brasil e dos heróis da história oficial. **Mudanças estéticas** – A decisiva mudança de abordagem começou em 1959 (tempo em que, popularmente, a palavra "enredo" ainda era usada também como sinônimo de "alegoria"), quando o Salgueiro apresentou, com um enredo sobre a obra do desenhista francês Jean-Baptiste Debret, e com grande efeito visual, o cotidiano dos negros no Brasil na transição entre a

Colônia e o Império. No ano seguinte, a escola trazia o enredo "Palmares". A simples, porém decisiva, inovação residia no fato de que os figurantes negros da escola desfilavam representando homens e mulheres negros do povo, e não os costumeiros heróis da classe dominante. Na sequência, vieram os enredos "Chica da Silva", "Aleijadinho" e "Chico rei", igualmente descompromissados com a costumeira louvação dos grandes vultos históricos, edulcorados pela historiografia conservadora. Entretanto, a partir daí, substituindo, na concepção e na realização dos enredos, a colaboração dos antigos artistas "carnavalescos" das próprias comunidades por artistas profissionais e de renome, as escolas começariam a sofrer a forte influência da cenografia e confecção de figurinos de base erudita ou oriunda do teatro musicado. Essa estética imprimiu ao carnaval das escolas a feição com que ele chegou ao século XXI. **Temas nacionais** – Na historiografia sobre as escolas, a abordagem de temas patrióticos nos desfiles, a partir de 1938, costuma ser atribuída a uma exigência do DIP. Em Mussa e Simas (2010: 51-52), no entanto, é sugerido que resultaria, muito mais, de uma decisão das próprias agremiações do que de uma imposição do Estado Novo. Segundo a obra, o regulamento daquele ano, proposto pela União das Escolas de Samba (UES), estabelecia: "De acordo com a música nacional, as escolas não poderão apresentar os seus enredos no carnaval, por ocasião dos préstitos, com carros alegóricos ou carretas, assim como não serão permitidas histórias internacionais em sonhos ou imaginação." É evidente, como lembra a obra citada, que a decisão dos dirigentes do samba afinava-se com o "ufanismo patriótico" do discurso governamental; e a afinidade era natural, num momento em que o mundo do samba buscava mobilidade e reconhecimento e o governo precisava do apoio das massas para levar avante seu projeto. A cláusula regulamentar levou à desclassificação da A.R.E.S. Vizinha Faladeira, do bairro de Santo Cristo, que desfilou naquele ano com o enredo "Branca de Neve", baseado no desenho animado de Walt Disney. E, a partir daí, a festa do samba ganhou mais atenção, principalmente pelo potencial, observado pelo poder público, de se tornar efetivo canal de promoção de certa pedagogia de exaltação aos valores patrióticos. Nesse ambiente foi que, em 1942, ainda segundo Mussa e Simas, o radialista Silvio Moreaux afirmava, sobre os enredos das escolas de samba, que poderiam ser "uma maneira inteligente de livrar o nosso povo das ideias africanistas que lhe são impingidas". Estabelecia-se, assim, um paradoxo: o samba, música de notórias origens africanas, usado para livrar o povo das ideias africanistas. A década de 1940, então, marcava o aprofundamento da intervenção estatal no samba. Os enredos e as composições musicais que os traduziam eram caracterizados como instrumentos civilizadores das massas. Por isso, em 1947 e 1948, mesmo já restabelecida a ordem democrática, essa perspectiva se mantinha, inclusive com a obrigatoriedade regulamentar de que os enredos não só versassem sobre temas nacionais como obedecessem a finalidades nacionalistas. Em tempos de Guerra Fria, como ficou conhecido o confronto que vinculou o Brasil ao bloco capitalista liderado pelos Estados Unidos, em oposição ao socialismo soviético, não bastava, portanto, que o enredo fosse nacional. Era necessário que obedecesse aos interesses da elite dirigente do país. A partir, também, dos regulamentos da década de 1940, as escolas de samba não teriam mais a liberdade de se exibir cantando mais de um samba, com temática livre, durante o desfile. A proposta que se afirmava – a de um carnaval com finalidades pedagógicas – estabelecia que os enredos nacionalistas fossem devidamente ilustrados com sambas adequados. Com pequenas variações, a exigência de temas nacionais permaneceu até a década de 1990, sendo abolida em 1997, quando a Acadêmicos da Rocinha apresentou o enredo "A viagem fantástica de Zé Carioca à Disney". Curiosamente, esse enredo, ao mesmo tempo que remete ao causador da desclassificação da Vizinha Faladeira na década de 1930, aborda um dos ícones da atual sociedade de consumo, que é o fabuloso parque de diversões norte-americano. Na sinopse de apresentação do enredo, a agremiação afirmava: "O carnaval do Rio de Janeiro terá pela primeira vez em sua história uma escola de samba desfilando com um motivo internacional" (cf. Mussa e Simas, 2010: 52). **Tipificação** – No livro *Acadêmicos, Unidos e tantas mais: entendendo os desfiles e como tudo começou*, o autor João Bastos, baseado em *O enredo de escola de samba* (Farias, 2007), tenta uma classificação dos tipos apresentados, que podemos resumir da seguinte forma: enredos históricos ou épicos; geográficos; biográficos; literários (*ver* LITERATURA); étnicos – principalmente sobre temas afro (*ver* ÁFRICA) – e indígenas; folclóricos, sobre tradições populares; satíricos, muitas vezes com críticas políticas e sociais; metalinguísticos – sobre o carnaval e o samba etc. Mais recentemente, em situação que vem despertando forte polêmica, as escolas de samba têm, normalmente, submetido seus enredos aos interesses de marcas comerciais, cidades, estados ou países que veem as agremiações como, prioritariamente, veículos de propaganda. *Ver* GUERRA MUNDIAL; PATROCÍNIO.

ENSAIO TÉCNICO. Tradicionalmente, as escolas de samba preparavam o canto e a dança de suas performances carnavalescas no terreiro, depois chamado "quadra". Com a afluência de público externo a esses ensaios, geralmente semanais, as agremiações passaram a utilizá-los também como fontes de renda, com a venda de ingressos, bebidas e comidinhas. Principalmente com o advento dos palácios do samba, os ensaios tornavam-se, cada vez mais, uma espécie de bailes pré-carnavalescos, voltados para a diversão do público pagante, em vez de treinamento e preparação dos componentes. Então, o aperfeiçoamento das performances de conjunto foi levado para ruas próximas às sedes, ganhando a denominação de "ensaios técnicos". No início da década de 2000, os ensaios técnicos começaram a ser realizados no Sambódromo, atraindo numeroso público. No momento da elaboração deste dicionário, multidões acorrem à rua Marquês de Sapucaí para assistir gratuitamente a esses animados preparativos, com as escolas quase completas, embora sem fantasias e alegorias.

ENTIDADES DE REPRESENTAÇÃO DAS ESCOLAS DE SAMBA. A primeira entidade de representação foi a União das Escolas de Samba (UES), fundada em 1934. Seu objetivo declarado era ajudar a organizar os desfiles e conseguir maior apoio do poder público para as agremiações. A ata de fundação foi assinada por representantes de 28 escolas. No ano seguinte à fundação, a UES sofria sua primeira crise, sendo a partir daí dirigida por cinco presidentes diferentes em menos de quatro anos. Em 1939, a entidade mudava o nome para União

Geral das Escolas de Samba (Uges). Certamente por influência do clima político então reinante, uma rotina de perseguições instaurava-se em sua gestão, do que foi prova a cassação de Paulo da Portela do cargo de membro do Conselho Fiscal. Em 1946, institucionalizando a proibição regulamentar dos instrumentos musicais de sopro (característicos dos ranchos) nos desfiles, a Uges resolve estabelecer a instrumentação típica dos conjuntos musicais das escolas de samba: violão, cavaquinho, pandeiro, tamborim, surdo, cuíca, reco--reco, tarol e cabaças. No ano seguinte, o jornal *Tribuna Popular*, órgão do Partido Comunista do Brasil, organiza o concurso para escolha do Cidadão Samba. Preocupado com essa aproximação, o poder público teria resolvido influir, fomentando cisões no seio da entidade representativa. É nesse momento que surge a Federação Brasileira das Escolas de Samba (FBES). O fim dos anos 1940 e o início da década seguinte são marcados por mais uma dissensão entre as entidades que reuniam as escolas, em decorrência do jogo político que envolvia a disputa pela subvenção pública anualmente concedida às agremiações. Portela e Mangueira rompem com a FBES, reconhecida pela prefeitura como representante legítima junto ao poder público, e se filiam à União Geral das Escolas de Samba do Brasil (Ugesb). Em 1950 foi criada a União Cívica das Escolas de Samba (Uces), que também passou a receber apoio oficial da prefeitura. Com a volta de Getúlio Vargas à presidência, em 1951, o desfile oficializado passou a ser o da Ugesb. O Império Serrano conquistou então o tetracampeonato dos desfiles da FBES com os enredos "Castro Alves" (1948), "Exaltação a Tiradentes" (1949), "Batalha naval do Riachuelo" (1950) e "61 anos de República" (1951). A Portela, por sua vez, após amargar três anos sem títulos, venceu o carnaval da Ugesb em 1951, com o enredo "A volta do filho pródigo", louvação a Getúlio Vargas por seu retorno ao poder. Essa ciranda envolvendo siglas e disputas por subvenção só acabou em 1952, quando a Ugesb e a FBES fundiram-se, dando origem à Associação das Escolas de Samba do Brasil. O tira-teima entre a Portela, a Mangueira e o Império Serrano, que não concorriam entre si desde 1949, seria, portanto, realizado naquele ano. Mas como o número de concorrentes, juntando-se as escolas filiadas à Uges e à FBES, era muito grande, criaram-se, então, dois grupos de escolas desfilantes, sendo o segundo composto por escolas de menor porte. No carnaval, entretanto, por força do mau tempo, apenas o segundo grupo desfilou. Entre 1960 e 1975, a entidade representativa autodenominou-se Associação das Escolas de Samba do Estado da Guanabara (Aeseg). Com a criação do estado do Rio de Janeiro, ela passou a ser conhecida pela sigla Aeserj, adotando mais tarde a denominação AESCRJ, em referência à cidade do Rio. Na década seguinte, dirigentes das dez principais escolas se separaram da entidade para fundar a Liesa. **A Liesa** – Fundada em 1984, resultou de dissidência na AESCRJ promovida por Salgueiro, Beija-Flor, Caprichosos de Pilares, Mangueira, Imperatriz Leopoldinense, Império Serrano, Mocidade, Portela, União da Ilha e Vila Isabel. Liderada pelos presidentes da Vila Isabel e da Mocidade, a nova entidade surgiu com o propósito declarado de investir na qualidade do desfile principal e "retirar da escuridão as maiores escolas de samba da cidade" (cf. http://liesa.globo.com). Em 1987, a Riotur transferiu para a Liesa a responsabilidade pelo julgamento dos desfiles. A partir daí, a nova entidade obteve o domínio quase completo da organização do espetáculo. As conhecidas ligações de alguns dirigentes das escolas com o jogo do bicho motivaram, desde então, repetidas polêmicas. Em 2006, a Liga consegue da prefeitura do Rio a cessão por 25 anos do espaço denominado Cidade do Samba. Em 2012, o governo do estado e a prefeitura carioca anunciaram a intenção de diminuir os poderes da Liesa e da Liga Independente das Escolas de Samba do Grupo de Acesso (Lesga), a entidade representativa do Grupo de Acesso. A prefeitura, na ocasião, estudava a abertura de licitação para escolher uma empresa para organizar os desfiles (*O Dia*, 23/2/2012, Fernando Molica, coluna "Informe do dia", p. 14). No ano seguinte, o governador cobrava profissionalização e transparência na organização dos desfiles e a criação de um calendário de eventos para todo o ano (*O Globo*, 12/2/2013 – "Sérgio Cabral cobra gestão profissional do samba: modelo atual depende de patrocínio de empresas e governos"). Em novembro desse ano, a imprensa anunciava a abertura de processo, pelo Ministério Público, contra o prefeito da cidade e o presidente da Riotur, pela entrega da gestão dos desfiles carnavalescos à Liesa supostamente sem a necessária licitação. A prefeitura se defendeu dizendo que a licitação teria sido feita, mas nenhum outro candidato se apresentara. *Ver* PATROCÍNIO; PATRONO; POLÍTICA; SUBVENÇÃO.

ENTIDADES GESTORAS. *Ver* ENTIDADES DE REPRESENTAÇÃO DAS ESCOLAS DE SAMBA.

ERA DO RÁDIO. No Brasil, período que se estende de 1932 até aproximadamente 1950, ano do advento da televisão no país. *Ver* RADIODIFUSÃO.

EROTIZAÇÃO. Erotizar é, em termos gerais, dar conteúdo ou conotação erótica a um fato, fenômeno ou à percepção de um indivíduo. No âmbito do samba, a erotização ocorre, mais diretamente, na exposição do corpo feminino como objeto de desejo sexual. **Shows e desfiles** – A partir de 1969, com shows montados nas casas noturnas Sambão, Sucata e Oba-Oba, o radialista, apresentador de televisão e empresário Oswaldo Sargentelli tornou-se o fixador da forma de espetáculo para turistas em que as dançarinas de samba se exibiam em trajes de vedetes, como as do anterior teatro de revista. Nascia aí, como uma espécie de segunda geração da jambete dos shows de boates, a figura da mulata-show. Transplantado para os desfiles de escola de samba, o modelo ganhou proeminência, acabando por gerar a figura da rainha de bateria. No momento de produção deste texto, esse papel é disputado por estrelas da televisão, quase nunca afrodescendentes, e candidatas ao estrelato em busca de visibilidade midiática. Outro aspecto da sexualização no desfile das escolas de samba foi a exibição de corpos nus em performances como a da modelo Enoli Lara, em 1988 e 1989. O excesso fez que a Liesa proibisse, nos desfiles, a "genitália desnuda", expressão erudita que acabou popularizada pelo noticiário jornalístico. **Cancioneiro** – No cancioneiro do samba, a ocorrência de canções sexualizadas é ocasional. Nas décadas de 1970 e 1980, algumas obras de compositores-cantores como, por exemplo, Agepê ("Deixa eu te amar") abordaram relacionamentos íntimos; como fez também Martinho da Vila, de modo bem mais ousado, em sambas como "Ex-amor", "Coisa louca",

"Manteiga de garrafa", "Me faz um dengo" etc. Em fevereiro de 2013, uma matéria assinada pelo jornalista Leonardo Lichote ("Pagode quente", *O Globo*, Segundo Caderno, capa, 28/02/2013) chamava atenção para letras recentes do estilo popularmente batizado como pagode. Nessas letras, a reboque do sucesso obtido por canções altamente sexualizadas criadas nos ambientes do funk e do pop sertanejo, o pagode chegava às paradas de sucesso com exemplares carregados de erotismo. *Ver* JAMBETE; MULATA-SHOW; PASSISTA.

ESCOLA DE SAMBA. Espécie de sociedade musical e recreativa que participa dos desfiles de carnaval, cantando e dançando a modalidade de samba tipificada como samba de enredo, apoiada por cenografia. A denominação parece ecoar o epíteto do rancho carnavalesco Ameno Resedá (1907-1943), chamado, no seu auge, de "rancho-escola", e que forneceu o modelo em que se inspiraram as primeiras escolas de samba em suas apresentações. Outra hipótese é a levantada pelo radialista, pesquisador e cantor Almirante, segundo o qual o termo teria sido adotado por conta da popularização do "tiro de guerra", modalidade de prestação do serviço militar que, em exercícios públicos, por volta de 1916, teria trazido para as ruas o brado de comando "Escola, sentido!" (Riotur, 1991: 183). O sambista Ismael Silva, por sua vez, reivindicava a autoria da expressão. Inspirado na escola de formação de normalistas outrora existente no bairro do Estácio, Ismael teria dado a denominação de "escola de samba" à agremiação Deixa Falar. **Origens** – As escolas de samba se formam a partir de um universo que engloba diversas referências: dos ranchos carnavalescos (antes, pastoris e natalinos); dos batuques, tanto profanos quanto religiosos; e da música popular da época. São frutos, portanto, da articulação dessas diversas influências e de uma série de interesses políticos e sociais que marcam a primeira metade do século XX no Distrito Federal. Nessas origens, apresentam três aspectos intermediários entre a disciplina dos ranchos e a desordem dos blocos de sujos (aqueles caracterizados pelo improviso nas fantasias, nos instrumentos utilizados e no repertório musical): a dança espontânea, que substitui a rígida coreografia dos ranchos; o canto das baianas, a exemplo do coro das pastoras; e a cadência do recém-nascido samba "batucado" carioca. Criadas e desenvolvidas a partir do Rio de Janeiro entre as décadas de 1920 e 1930, ainda dentro de um propósito de recreação e sociabilidade, as escolas de samba logo foram incentivadas a competir entre si. As agremiações pioneiras, integradas majoritariamente por negros, desciam dos morros próximos ao Centro do Rio de Janeiro e dos subúrbios para a Praça Onze. **Primeiros concursos** – O primeiro esboço de um concurso entre as escolas não ocorreu no dia de carnaval. A competição foi em 20 de janeiro de 1929, dia de São Sebastião, padroeiro do Rio de Janeiro e associado na umbanda ao orixá Oxóssi. O concurso foi organizado pelo sambista e pai de santo Zé Espinguela (José Gomes da Costa, c. 1890-1945) e recebeu apoio do jornal *A Vanguarda*. Conjuntos carnavalescos de Oswaldo Cruz, da Mangueira e do Estácio concorreram com dois sambas cada, para que o melhor fosse escolhido. A vitória foi do grupo de Oswaldo Cruz, com o samba "A tristeza me persegue", de Heitor dos Prazeres. A disputa organizada por Espinguela não se constituiu em um desfile, sendo apenas um embate entre os três conjuntos para que o melhor samba, com temática livre, fosse escolhido. Seria hoje comparável a um concurso de sambas de terreiro. Ao admitir que uma das características das escolas de samba é o desfile carnavalesco, não se pode considerar o concurso de Zé Espinguela o primeiro entre as agremiações. A primeira disputa com a ocorrência de um pequeno cortejo ocorreu no carnaval de 1932, patrocinada pelo jornal *Mundo Sportivo* e idealizada pelo jornalista Mário Filho, homem de imprensa que colaborou decisivamente para que o samba e o futebol conquistassem de vez a popularidade que hoje detêm. O concurso contou com a participação de dezenove agremiações, que se exibiram em frente a um coreto montado em uma Praça Onze apinhada de gente. Foram premiadas quatro escolas: Mangueira, Vai Como Pode (novo nome adotado pelo Conjunto Oswaldo Cruz, antes de denominar-se Portela), Para o Ano Sai Melhor e Unidos da Tijuca. As concorrentes não tinham, segundo o regulamento, nenhuma obrigação de apresentar sambas relacionados a um enredo. Cada escola poderia apresentar até três sambas, com temática livre. O concurso de 1933, organizado pelo jornal *O Globo*, apresentou um regulamento com quesitos que deveriam nortear o papel da comissão julgadora. O julgamento levaria em consideração a poesia do samba, o enredo, a originalidade e o conjunto. Esse foi, também, o primeiro carnaval em que houve auxílio do poder público ao desfile das escolas. Além de ter sido o primeiro concurso inscrito no programa oficial da folia, elaborado pelo Touring Club e pela prefeitura do Distrito Federal, o governo do prefeito Pedro Ernesto liberou uma verba, ainda que pequena, para auxiliar a realização da festa. Em 1934, o desfile aconteceu no Campo de Santana, no dia de São Sebastião, durante uma grande festa em homenagem ao prefeito Pedro Ernesto. A vitória, assim como no ano anterior, foi mangueirense. O primeiro concurso promovido diretamente pela prefeitura aconteceu em 1935, patrocinado pelo jornal *A Nação* e vencido pela Portela. Naquele ano, o regulamento estabelecia que fossem julgados apenas os quesitos originalidade, harmonia, bateria e bandeira (Silva e Maciel, 1989: 75). Não permaneceu, portanto, o regulamento de 1933, que previa o julgamento da poesia do samba. **Novos redutos** – Entre as décadas de 1940 e 1950, segundo observado em Spirito Santo (2011: 239), a cidade do Rio mais uma vez "se reconfigurava, ampliando os limites de sua periferia". Surgem aí os grandes conjuntos habitacionais e expandem-se os loteamentos; e esse fenômeno, no contexto da abertura da avenida Brasil, ligando a zona portuária à antiga zona rural, favorece o surgimento de novos redutos de samba, inclusive na Baixada Fluminense. Progressivamente, a expansão caminha em direção às fronteiras do estado, chegando a Minas Gerais, São Paulo, Espírito Santo etc. **Agremiações extintas** – No livro *A mudança* (2012: 11), um romance memorialístico, o escritor carioca Marques Rebelo (1907-1973), evocando um evento político ocorrido no ano de 1939, faz uma importante menção a 28 escolas de samba existentes naquele momento, a maioria hoje extinta. Numa tentativa de listagem das escolas cariocas e fluminenses desaparecidas ou transformadas da década de 1930 até a atualidade, chegamos à seguinte enumeração: Acadêmicos da Gávea; Acadêmicos de Bento Ribeiro; Acadêmicos de Bonsucesso; Acadêmicos de Marechal Hermes; Acadêmicos do Cachambi; Acadêmicos do Engenho de Dentro; Além do Horizonte

(Tanque, Jacarepaguá); Alunos da Penha Circular; Amigos do Tuiuti; Amizade de Realengo; Aprendizes da Boca do Mato; Aprendizes da Gávea; Aprendizes de Copacabana; Aprendizes de Lucas (fundiu-se com a Unidos da Capela para formar a Unidos de Lucas); Arrastão de São João (São João de Meriti); Aventureiros da Matriz (morro da Matriz, Engenho Novo); Azul e Branco do Salgueiro; Boa União de Coelho da Rocha; Boêmios de Vila Aliança (Bangu); Cada Ano Sai Melhor (Estácio); Capricho do Centenário (Duque de Caxias); Capricho do Engenho Novo; Cartolinhas de Caxias; Corações da Liberdade (Gávea); Corações Unidos da Favela (morro da Providência); Corações Unidos de Jacarepaguá (deu origem à União de Jacarepaguá); Corações Unidos do Engenho Novo; Deixa Malhar (Chácara do Vintém, na rua Aguiar, Tijuca); Diplomatas (São João de Meriti); Embaixadores de São João de Meriti; Escalão de Tupã (Bento Ribeiro); Estrela da Tijuca; Filhos do Deserto (fundiu-se com a Flor do Lins, dando origem à Lins Imperial); Flor da Infância de Brás de Pina; Flor do Cabuí (Guaratiba); Flor do Lins (mais tarde se fundiu com a Filhos do Deserto); Floresta do Andaraí; Foliões de Botafogo; Guarani do Realengo; Império da Praça Seca; Império de Bonsucesso; Império de Campo Grande; Império de Jacarepaguá; Império do Grotão (morro do Querosene, Catumbi); Império do Marangá (Praça Seca, Jacarepaguá); Independente da Praça da Bandeira (São João de Meriti); Independente de Mesquita; Independentes da Serra (Serrinha, Madureira); Independentes de Cordovil (antiga Independentes do Leblon); Independentes de Realengo; Independentes de Turiaçu; Independentes do Zumbi (Ilha do Governador); Índios do Acaú (Engenho Novo); Inferno Verde (Cachambi, sucedida pela Acadêmicos do Cachambi); Inocentes da Baixada (São João de Meriti); Irmãos Unidos do Catete; Lira do Amor (Bento Ribeiro); Mimosos de Quintino; Mocidade de Cachambi; Mocidade de um Paraíso (Santa Teresa); Mocidade de Vasconcelos (Senador Augusto Vasconcelos); Mocidade Louca de São Cristóvão; Modelo Unido do Riachuelo; Orgulho de Cordovil; Papagaio Linguarudo (morro do Pinto); Para o Ano Sai Melhor (depois, Segunda Linha do Estácio); Paraíso das Morenas (Estácio); Paraíso de Anchieta;

Paraíso do Grotão (Penha); Paz e Amor (Bento Ribeiro); Prazer da Serrinha (Madureira); Quem Quiser Pode Vir (São João de Meriti); Rainha das Pretas (Madureira); Recreio de Inhaúma; Recreio de Ramos; Recreio de Rocha Miranda; Recreio de São Carlos; Sem Amor Não Se Vive (Terra Nova, Pilares); Sem Você Eu Vivo Bem (Estácio); Três Mosqueteiros (Realengo); Trovadores do Maracanã; Última Hora (Humaitá); União de Cabuçu; União de Campo Grande; União de Colégio; União de Madureira; União de Parada de Lucas; União de Rocha Miranda; União do Barão da Gamboa; União do Barão de São Félix (Saúde); União do Cruzeiro (Penha); União do Catete; União do Centenário (Duque de Caxias); União do Jacarezinho; União do Realengo; União do Sampaio; União do Sapê (Rocha Miranda); União do Uruguai (Tijuca); União dos Topázios (Rocha Miranda); Unidos da Barão de Petrópolis (Rio Comprido); Unidos da Capela (que se fundiu com a Aprendizes de Lucas); Unidos da Congonha (Madureira); Unidos da Curitiba (Realengo); Unidos da Favela (morro da Providência); Unidos da Lagoa; Unidos da Mocidade (Bonsucesso); Unidos da Piedade; Unidos da Saúde; Unidos da Tamarineira (Vaz Lobo); Unidos da Vila Nova (Campo Grande); Unidos de Bento Ribeiro; Unidos de Brás de Pina; Unidos de Cavalcanti; Unidos de Cosmos; Unidos de Mangueira; Unidos de Nilópolis; Unidos de Rocha Miranda; Unidos de Santo Amaro (Catete); Unidos de Terra Nova (Pilares); Unidos de Tomás Coelho; Unidos de Turiaçu; Unidos de Vila São Luís (Duque de Caxias); Unidos do Arapá (Ramos); Unidos do Campinho; Unidos do Catete; Unidos do Coqueiro (São João de Meriti); Unidos do Éden (São João de Meriti); Unidos do Engenho Velho (Tijuca); Unidos da Galeria (São João de Meriti); Unidos do Grajaú; Unidos do Humaitá; Unidos do Indaiá (Marechal Hermes); Unidos do Irajá; Unidos do Itambi (Botafogo); Unidos do Jacaré; Unidos do Leme; Unidos do Morro Azul (Flamengo); Unidos do Outeiro (Glória); Unidos do Riachuelo; Unidos do Salgueiro; Unidos do Tuiuti; Unidos dos Telégrafos (Mangueira); Universitária de Honório Gurgel; Vai Se Quiser (ver Corações Unidos de Jacarepaguá); Vitória de Bento Ribeiro; Voz do Orion (rua Orion, Senador Camará). Há também o caso de agremiações que "enrolaram bandeira" (expressão utilizada no meio do samba para falar de escolas que encerraram suas atividades) e voltaram a se organizar depois de certo tempo. É o exemplo da Tupy de Brás de Pina, que, após ter deixado de desfilar em 1997, voltou a fazer parte do concurso no carnaval de 2015. **Transformações** – Ao longo do tempo, os elementos constitutivos das escolas de samba foram se transformando, como examinamos em verbetes específicos deste dicionário. O auge dessas transformações ocorre por volta da década de 1970, quando as escolas começam a perder o caráter de expressão de arte negra para se transformarem em expressão artística mais descompromissada, eclética e universal; em espetáculo, enfim, no qual apenas alguns poucos elementos remetem ao seu significado original. **Expansão do modelo** – A partir da experiência carioca, o fenômeno escola de samba disseminou-se pelo Brasil. Então, algumas modalidades de folguedos em cortejo já praticadas (cordões, ranchos, blocos) passaram a receber a denominação consagrada na Capital Federal. Em Minas Gerais, já em 1937, a capital, Belo Horizonte, teria visto nascer a Escola de Samba Pedreira Unida. Três anos antes, segundo alguns registros, já havia sido criada, na cidade de Juiz de Fora, mais próxima do Rio, a Turunas do Riachuelo. Na cidade de São Paulo, na década de 1940, no tradicional bairro do Bixiga, o antigo cordão Vai-Vai transformava-se em escola de samba. Logo depois, o mesmo ocorria com a Nenê da Vila Matilde e a Lavapés, na Baixada do Glicério. Além da capital, o estado de São Paulo viu nascerem escolas de samba nas cidades de Santos, Bauru, Ribeirão Preto, Piracicaba, Guaratinguetá, São Bernardo do Campo, Diadema, Jacareí, Tietê, Sorocaba e Jundiaí, entre outras. Em Porto Alegre, já em 1940, nascia a Bambas da Orgia. Em Florianópolis, importantes agremiações do samba são as escolas Protegidos da Princesa, fundada em 1948, a Embaixada Copa Lord e a Coloninha. Na Copa Lord, destacou-se Juventino João dos Santos, exímio cuiqueiro, cujo apelido, Nego Querido, batizou a passarela de desfiles de samba na capital catarinense. Em Curitiba, a primazia fica com a escola de samba Colorado, fundada em 1946. Em São Luís do Maranhão, segundo o historiador Matthias R. Assunção, o primeiro grupamento surgido por influência carioca foi a Turma da

Mangueira, fundada em 1929 (cf. Assunção, 2000: 164). Entretanto, esse grupo não seguia fielmente o modelo carioca nem se intitula "escola", e, sim, "turma", como outros depois surgidos. Em 1950, já identificada como "escola", nascia na capital maranhense a Favela do Samba. A ela vieram somar-se, entre outras: Acadêmicos do Túnel do Sacavém, Marambaia, Mocidade Independente de Fátima e Turma da Mangueira. Em Belém do Pará, em 1951, era fundada a Maracatu do Subúrbio; a ela vieram juntar-se a Quem São Eles, campeã em 1952, e a Boêmios da Campina, campeã de 1953 a 1960. Em Salvador, brilharam, na década de 1960, entre outras escolas, a Diplomatas de Amaralina e a Juventude do Garcia, mais tarde absorvidas pelos blocos de índios, antecessores dos atuais blocos afro. Em Recife, as escolas de samba do grupo principal desfilam na segunda-feira, na avenida Dantas Barreto. Em Belém, nos anos 1980, mais de 25 escolas de samba se apresentavam na Passarela da Doca, na avenida Souza Franco. Em Macapá, depois da Boêmios do Laguinho, fundada em 1954, surgiam Maracatu da Favela, Piratas da Batucada, Emissário da Cegonha, Jardim Felicidade, Império do Samba e Solidariedade. Em Corumbá, Mato Grosso do Sul, entre as forças do samba estão, na atualidade, entre outras, a Império do Morro, Mocidade Independente de Nova Corumbá, a Pesada e a Unidos da Vila Mamona. Em Brasília, no carnaval de 2011, entre as principais escolas estavam a Associação Recreativa Unidos do Cruzeiro (ARUC), a Acadêmicos da Asa Norte, a Acadêmicos do Riacho Fundo II, a Gigantes da Colina etc. É importante dizer que, em todas as cidades e localidades mencionadas, seja no âmbito das escolas ou em redutos independentes, a cultura do samba se faz sempre presente, em forma de pagodes, rodas de samba e outras modalidades e expressões de arte e socialização. **Gestão empresarial** – Na segunda metade da década de 1980, algumas escolas de samba começavam a adotar um estilo empresarial de gestão em suas atividades e, assim, levavam nítida vantagem sobre as que continuavam trabalhando à base da improvisação. Por esse momento, as vendas de ingressos no Sambódromo e os cachês pagos pelas TVs brasileiras e estrangeiras já proporcionavam à Riotur arrecadação em torno de 58 bilhões de cruzeiros, numa margem de lucro de quase 15% (Auler, 1986: 51). E isso foi o ponto crucial da grande transformação, tanto do perfil das escolas quanto do desfile, agora um espetáculo efetivamente profissional. *Ver* ALA; ALEGORIAS; BAIANAS; BATERIA; COMISSÃO DE FRENTE; COMPOSITORES, alas de; ENREDO; INERNACIONALIZAÇÃO; LIESA; PATRONO; PROFISSIONALIZAÇÃO; SAMBA DE ENREDO; VELHA-GUARDA.

ESCRAVIDÃO. Forma extrema de trabalho forçado na qual os direitos da pessoa e sua força de trabalho são propriedade de outrem, a escravidão (que se estendeu no Brasil da primeira metade do século XVI até o final do XIX) deixou marcas profundas na cultura brasileira. O repertório do samba tradicional, tanto no ambiente rural quanto no meio urbano, guarda inúmeras reminiscências desse tempo. As menções aos senhores e senhoras ("sinhô", "sinhá", "ioiô", "iaiá") são algumas delas. Em Carneiro (1981: 208-9) são transcritos fragmentos de cantigas que dispensam maiores explicações, como os seguintes: "Nega Lourença, quem te deu esse cordão? [...] Foi um moço branco, lá no Tabuão [...] Meu senhor, meu senhor, não me dê bolo, não. Eu roubei seu ouro/ Foi por precisão", "Sinhá mandou eu vendê/ Mas não quer que eu merque, não [...] Olha a negra cativa/ Que vai em função." Do repertório do célebre João da Baiana, o samba "Batuque na cozinha" é um exemplo eloquente. Como também o conhecido "Patrão, prenda seu gado", em que o sujeito do discurso diz que veio preso da Bahia porque se relacionou amorosamente com a senhora, mulher ou filha do patrão: "Só porque fui namorado da dona de eu/ Doná!"; e por isso recomenda ao patrão que tenha cuidado com seu "gado", *i.e.*, com as mulheres de sua casa. *Ver* BAHIA; BANTOS; BATUQUE.

ESCRITÓRIO, samba de. *Ver* COMPOSITORES, ala de.

ESTÁCIO. Forma reduzida pela qual é mais conhecido o bairro do Estácio de Sá, na cidade do Rio de Janeiro. No princípio do século XX, como acentua *Franceschi* (2010:15), era centro de convergência do transporte urbano, especialmente dos *bondes* que serviam à zona norte. Assim, acabou por atrair moradores das classes baixas que vieram somar-se aos expulsos do centro da cidade pelas obras da gestão do prefeito Pereira Passos. Localizado próximo à Praça Onze e abrigando o morro de São Carlos, é tido como um dos berços do samba carioca. No bairro, em 1927, foi fundada a Deixa Falar, sociedade carnavalesca criada por Ismael Silva, Nílton Bastos e outros sambistas, tendo como sede o terreno de uma das casas de cômodos da rua Estácio de Sá, esquina com a rua Maia Lacerda. Geralmente considerada a primeira agremiação carnavalesca do gênero escola de samba, tem, entretanto, contra essa alegada primazia, a fundação do núcleo que originou a Portela, em abril de 1923, no subúrbio de Oswaldo Cruz, e os relatos de que teria sido, a rigor, um rancho carnavalesco. **Os Bambas** – Além de Ismael Silva e Nílton Bastos, incluem-se, entre os chamados Bambas do Estácio, os nomes de: Alcebíades Barcelos, o Bide, e seu irmão Rubem Barcelos (este, morto prematuramente, c. 1927, de tuberculose); Edgar Marcelino dos Passos, o Mano Edgar; Francelino Ferreira Godinho; Oswaldo Caetano Vasques, o Baiaco; Tibélio dos Santos; e Sylvio Fernandes, o Brancura, cujo apelido é alusão irônica à pretidão de sua pele. Costumavam reunir-se no Café do Compadre, no número 26 da rua Santos Rodrigues, de propriedade do português José Domingues; ou então no Apollo, mais para o Largo do Estácio. Ou ainda em qualquer parte onde se pudesse improvisar música e versos (Francisco Duarte, "Deixa Falar", *Jornal do Brasil*, 12/2/1979). **A música** – A partir de 1926, a música feita por esses compositores para os desfiles de seus blocos carnavalescos criou um novo padrão de samba. Agora, o andamento era mais rápido, as notas, mais longas, a cadência ia além daquela das simples palmas tradicionais; e os versos abordavam inclusive os problemas cotidianos (Franceschi, 2010: 52-53). Em Máximo e Didier (1990: 138), destaca-se que, no início da década de 1930, o samba da comunidade baiana da Pequena África já contava com uma rede de proteção formada por figuras importantes da sociedade; enquanto o do Estácio, por ser "coisa de malandro", era perseguido. Assim, o apoio de artistas como Noel Rosa (1910-1937) foi decisivo para sua desestigmatização. *Ver* BAMBA.

ESTADO NOVO. Denominação do período da história do Brasil compreendido entre 1937 e 1945. Caracterizou-se por um governo ditatorial amparado por uma Constituição forte e um projeto nacionalista, voltado para o desenvolvimento industrial e a autonomia do país diante dos grupos econômicos internacionais. Numa conjuntura em que educação e cultura se confundiam e na qual o alinhamento aos Estados Unidos dava a tônica, o Brasil foi um dos parceiros na controversa Política da Boa Vizinhança, no âmbito da qual, entre outros fatos, deu-se a ida da cantora Carmen Miranda (1909-1955) para os Estados Unidos. Em dezembro de 1937, logo depois do golpe que instaurou a ditadura, Paulo da Portela e Heitor dos Prazeres viajam a Montevidéu, integrando a caravana de artistas brasileiros que se exibiu na Gran Exposición Feria Internacional del Uruguay. Em 1938, é lançado o samba "Se acaso você chegasse", primeiro sucesso do compositor gaúcho Lupicínio Rodrigues (nesse samba, parceiro de Felisberto Martins) e do carioca Cyro Monteiro (1913-1973), que se tornaria um dos maiores cantores de samba. Em 1939, faz grande sucesso o samba "O que é que a baiana tem?" (Dorival Caymmi), lançado por Carmen Miranda no filme norte-americano *Banana da terra* (Wallace Downey). No ano seguinte, em plena era dos cassinos, Cartola e o Conjunto da Mangueira (Geraldo Pereira e Aluísio Dias nos violões, Neuma no coro etc.) se apresentam, em temporada de um mês, no requintado Cassino Atlântico, em acontecimento inédito para o mundo do samba. Em agosto, Cartola, Zé Com Fome (depois, Zé da Zilda), Zé Espinguela, Pixinguinha, Donga, João da Baiana e outros gravam no navio Uruguai, na célebre visita que o maestro americano Leopold Stokowsky fez ao Brasil para pesquisas de campo. Nesse mesmo ano foi ao ar, na Rádio Cruzeiro do Sul, o programa *A Voz do Morro*, comandado por Paulo da Portela e Cartola. Em 1941, o grupo vocal Anjos do Inferno lança o samba-exaltação "Brasil pandeiro", de Assis Valente. Na véspera do carnaval, Paulo da Portela, Cartola e Heitor dos Prazeres apresentam-se em São Paulo com o Conjunto Carioca, num evento promovido pelo Centro Paulista de Cronistas Carnavalescos e pela Rádio Cosmos. Em agosto, o famoso desenhista norte-americano Walt Disney visita a Portela. Sua equipe desenhava tudo o que via, nascendo aí a hipótese de que o personagem Zé Carioca, criado por Disney, tenha sido inspirado pela figura do líder portelense. Em 1943 e 1945, as escolas de samba desfilaram no Estádio de São Januário, do Clube de Regatas Vasco da Gama, então o grande palco dos encontros do Estado Novo com as massas. Nesse último desfile, ocorre a briga que resultou no assassinato do sambista Matinada, da Depois eu Digo, do Salgueiro, o qual serviu de pretexto para uma violenta campanha da imprensa contra as escolas, apontadas como antros de vagabundos, malandros e assassinos, acusações firmemente refutadas por Paulo da Portela. Fecha-se o período do Estado Novo, no ano que também marca o fim da Segunda Guerra Mundial, com o lançamento de "Boogie-woogie na favela", samba de Denis Brean (Augusto Duarte Ribeiro, 1917-1969), um dos preferidos de João Gilberto, o grande porta-voz da bossa nova. Esse samba aproxima o samba do boogie-woogie, estilo pianístico do jazz, com um resultado extremamente dançante, expresso na letra que apresenta "a nova dança que faz parte da política da boa vizinhança" (Malta, 2010). *Ver* ENREDO; ESCOLA DE SAMBA; RADIOFUSÃO; SAMBA DE ENREDO.

ESTIVADORES. *Ver* CAIS DO PORTO.

ESTUDANTES, alas de. Nas escolas de samba, a partir do fim da década de 1960, surgiram grupamentos organizados, em maioria, por estudantes universitários e profissionais de formação escolar em nível superior. Segundo Santos e França (2012: 86), a primeira dessas alas teria sido a ala dos universitários da G.R.E.S. Acadêmicos do Cubango, que estreou no carnaval de Niterói em 1968. Segundo os autores, era formada por militantes do movimento estudantil, que talvez buscassem, em plenos anos de chumbo, um canal de expressão, ou mesmo de ativismo político, no mundo do samba ou através dele. Mas a experiência, pelo menos em algumas escolas cariocas, resultou em uma infiltração muitas vezes prejudicial, quando alguns desses adventícios foram ocupando cargos nas diretorias ou mesmo tornando-se donos de alas comerciais, com fins lucrativos. Daí, talvez, a seguinte observação consignada em Candeia e Isnard (1978: 91): "Os intelectuais que estão vinculados às escolas de samba e que vieram junto com a classe média precisam conhecer os problemas do sambista, respeitar suas características, conhecer suas origens, a fim de que sua contribuição esteja integrada ao meio sem ferir a nossa cultura." *Ver* ALA.

ESTUDOS sobre o samba. Ao longo dos anos, desde os pioneiros estudos de Mário de Andrade e Edison Carneiro, o samba tem sido observado e analisado, algumas vezes por sociólogos e antropólogos, sob o viés acadêmico, outras por simples aficionados que buscam escrever para um público mais amplo. A bibliografia deste dicionário apresenta extensa lista com as obras mais significativas sobre o samba. *Ver* TESES ACADÊMICAS.

EVANGÉLICOS. *Ver* IGREJAS EVANGÉLICAS.

EVOLUÇÃO. Designação de uma sequência de movimentos desenvolvidos contínua e regularmente para completar um ciclo harmonioso (Houaiss e Villar, 2001); padrão de movimentação de soldados em batalha ou desfile. Trata-se de mais um termo trazido da linguagem militar para o universo das escolas de samba, no qual é um dos tradicionais quesitos de julgamento dos desfiles. No julgamento do quesito, os jurados avaliam a progressão da dança e observam se está de acordo com o ritmo do samba executado pela bateria; analisando a fluência da escola na avenida, a espontaneidade e a empolgação dos componentes. A correria, o buraco entre as alas, a interrupção do fluxo do cortejo e o retrocesso de alas são fatores que levam à perda de pontos no quesito. *Ver* MILITARISMO.

EXCLUSÃO. No momento da produção deste dicionário, a presença do samba no mercado fonográfico é pequena em relação a outros segmentos da música produzida no Brasil. Fruto de políticas mercadológicas baseadas em experiências externas, que partem de uma modernidade ilusória e equivocadamente cosmopolita, essa presença rarefeita traduz efetivamente uma exclusão, potencializada na década de 1990. Assim, entre os autores e intérpretes com carreiras consolidadas e economicamente bem-aquinhoados, são raríssimos os oriundos do mundo do samba. Essa realidade gera pouca ou nenhuma perspectiva de inclusão no seio das comunidades historicamente ligadas às origens do gênero fundador da música popular urbana do Brasil. *Ver* GLOBALIZAÇÃO; INDÚSTRIA FONOGRÁFICA.

FÁBRICA DO SAMBA. Iniciativa criada em 2009 pelo empresário José Maria Monteiro com o objetivo de produzir mostras, festivais e outros eventos de música para empresas públicas e privadas. É responsável pelo festival Exposamba, realizado a partir de 2013 com a finalidade de revelar novos valores musicais no ambiente do samba.

FAVELA, morro da. Nome pelo qual foi outrora popularizado o morro da Providência, localizado no bairro carioca da Gamboa. **História** – O termo "favela" (aglomerado de casebres erguidos de modo improvisado e desordenado em terreno invadido) surgiu na última década do século XIX, quando, finda a Guerra de Canudos, ex-combatentes e vivandeiras, de várias procedências, dirigiram-se, em grande número, à antiga capital federal para reivindicar a assistência do governo. Alojados precariamente no morro da Providência, próximo ao quartel-general do Exército, esses migrantes foram os responsáveis pelo apelido morro da Favela, pelo qual a localidade ficou conhecida durante largo tempo. O apelido veio de outro morro da Favela, existente no entorno do arraial de Canudos e mencionado por Euclides da Cunha em *Os Sertões*; ou por semelhança, segundo alguns, ou por ser o local de origem das vivandeiras, segundo outros. Desde então, em virtude do aspecto tosco das moradias improvisadas, o termo "favela" se estendeu para qualquer aglomeração do mesmo tipo. **Escolas de samba** – Um dos primeiros redutos do samba no Rio de Janeiro, o morro da Favela sediou as escolas de samba Fiquei Firme e Corações Unidos da Favela, e teve em suas vizinhanças a

União do Barão da Gamboa. A Fiquei Firme participou do carnaval de 1933, e em 1952 integrava o segundo grupo desfilante (Cabral, 1996: 389). A Corações Unidos da Favela aparece como filiada à FBES em 1951 (Bastos, 2010: 173). A União do Barão da Gamboa aparece nos registros dos desfiles de 1936 a 1940 (Bastos, 2010: 166-167). Observe-se que a menção ao nome da rua no masculino ("do Barão da Gamboa") era usual na época: o artigo definido concordava com o gênero do personagem que dava nome ao logradouro, como o autor Nei Lopes ouviu de moradores mais antigos. Exemplos: "Lá no Nabuco de Freitas"; "no Barão de Mesquita"; "na Baronesa de Uruguaiana".

FBES. *Ver* ENTIDADES DE REPRESENTAÇÃO DAS ESCOLAS DE SAMBA.

FEIJOADA. Prato essencial da culinária do mundo do samba, feito principalmente com feijão-preto, carnes e salgados; e servido com arroz e couve à mineira (cortada em fatias finas). Em junho de 2003, a escola de samba Portela inaugurou uma roda de samba mensal acompanhada de feijoada preparada por Tia Surica, pastora da velha-guarda da escola. A feijoada portelense remete à tradição e aos dotes culinários de Tia Vicentina, irmã de Natal (1905-1975), que fazia o famoso feijão cantado por Paulinho da Viola no samba "Pagode do Vavá". Em pouco tempo, em virtude do sucesso da iniciativa, o encontro perdeu a característica de uma roda de samba tradicional, transformando-se numa espécie de show musical – o que rendeu críticas dos que viram na massificação e monetarização do evento a perda do caráter comunitário que a feijoada ensejava – e passou a ser copiado por outras agremiações. Quase todas as escolas de samba do Grupo Especial, e algumas dos grupos secundários, de Acesso, passaram a produzir eventos similares, a ponto de se organizar um calendário mensal para evitar-se a concomitância de datas e a concorrência entre as feijoadas. Desde 2011, o evento Rio Gastronomia, promovido pelo jornal *O Globo*, realiza o concurso Feijoada Nota 10, para que o público frequentador das quadras escolha, pelo voto, a melhor feijoada preparada pelas agremiações. A Mangueira venceu o concurso de 2011, a Vila Isabel ficou em primeiro lugar em 2012 e a Portela foi vitoriosa em 2013.

FESTA DA PENHA. Festejo popular tradicional, nos domingos de outubro, em louvor a Nossa Senhora da Penha de França, em sua igreja, no bairro carioca da Penha. As origens da festa remontam ao século XVII. E, embora a santa seja de origem portuguesa, muito de seu brilhantismo é devido a africanos e descendentes, cuja presença se fez ainda mais significativa com a abolição e a chegada do século XX, quando o samba e o choro foram, aos poucos, predominando sobre os fados e as modinhas, da mesma forma que os cordões emulavam os ranchos de portugueses. Segundo matérias do *Jornal do Commercio* citadas em Soihet (1990: 15), a festa de 1906 parecia "uma festa de carnaval em que tomava parte a sociedade alegre, livre e perigosa da cidade", destacando-se a presença dos cordões "terríveis, ameaçadores, selvagens". Em 1914, ainda segundo Soihet (*op. cit.*: 23) a *Gazeta de Notícias* informava: "O vira e o fado foram destronados e agora o samba indígena e o maxixe requebrado do Brasil vai em pleno sucesso." O fenômeno é também salientado em Carvalho (1987: 41): "Assim, a festa portuguesa da Penha foi aos poucos sendo tomada por negros e por toda a população dos subúrbios, fazendo-se ouvir o samba ao lado dos fados e das modinhas." Observe-se aí a culminância de um processo de conquista no qual, mesmo depois de ser reprimido como fator de perturbação da ordem, o samba (dança e música) resiste até ser apreciado por sua graça e beleza, tornando-se então atrativo indispensável da festa. Perdendo em popularidade apenas para o carnaval, durante vários anos, desde 1920, a Penha foi o lugar onde eram lançadas as músicas para a folia carnavalesca, em concursos nos quais, por exemplo, os compositores Sinhô (1888-1930) e Caninha disputaram o título de Rei do Samba. Sobre Sinhô na festa, lê-se em Guimarães (1978: 62): "Parece [...] que o estou vendo no arraial da Penha numa festa dos barraqueiros, à frente de um grupo de umas quinhentas pessoas, cantando o samba do ano, para disputar uma linda taça". Em 1967, o G.R.E.S. Unidos de Lucas, que acabara de ser criado a partir da fusão entre o G.R.E.S. Unidos da Capela e o G.R.E.S. Aprendizes de Lucas, desfilou pela primeira vez em sua história, com o enredo "Festas tradicionais do Rio de Janeiro", destacando especialmente as festas da Penha e da Glória. Em 1974, o G.R.E.S. Unidos da Ponte apresentou o enredo "Rio em festa, tradição e folclore", destacando o festejo da Penha como um dos eventos mais marcantes da cidade. Mas aos poucos a festa foi-se esvaziando; até que, na década de 1980, o produtor de espetáculos Albino Pinheiro tentava revivê-la, promovendo um festival competitivo com um concurso de sambas. Depois de Albino, alguns sambistas da velha-guarda ainda procuravam manter a tradição, comparecendo à Penha em todos os domingos de outubro. Na entrada do século XXI, a Festa da Penha já perdera bastante brilho e frequência, principalmente por causa da violência imperante nas redondezas da igreja. A recente pacificação do Complexo do Alemão, no entorno da ermida, ainda não repercutiu, à época deste texto, em uma retomada do vigor da festividade.

FESTIVAIS DA CANÇÃO. Certames competitivos de música popular, muito difundidos no Brasil entre 1960 e 1980, período conhecido como era dos festivais. Transmitidos pela televisão com grandes audiências, nesses concursos, apesar da eclosão de sucessos como "Carolina" (Chico Buarque, 1967), "Reunião de bacana" (Ary do Cavaco, 1980) e "Mordomia" (Ary do Cavaco, 1981), o samba foi claramente excluído. Produzidos num contexto internacional caracterizado por certo tipo de rebeldia juvenil, esses certames foram decisivamente influenciados pela música que se fazia no exterior. Contestação ao *stablishment*; revolução sexual, Vietnã, crise da Igreja, conquistas tecnológicas etc. chegavam à música popular feita no Brasil. Os festivais, assim, privilegiavam um tipo de canção popular que ingenuamente abria os flancos para a estética desnacionalizante que mais tarde aqui se estabeleceria. Em 1965, a extinta TV Excelsior realizava, no balneário santista do Guarujá, no petropolitano Hotel Quitandinha e no Rio de Janeiro, o 1º Festival Nacional de Música Popular Brasileira. Venceu o concurso a conhecida canção "Arrastão", na voz de Elis Regina; o quarto lugar ficou com o samba "Queixa", de Sidney Miller, Zé Kéti e Paulo Thiago, interpretado por Cyro Monteiro (1913-1973). No Festival da TV Record, realizado em 1967, o sambista Martinho da Vila participa com o partido-alto estilizado "Menina-moça" e não é levado a sério. Entretanto, a partir dali, começa a firmar a trajetória de sua profissionalização, que repercutiu brilhantemente na avenida dos desfiles carnavalescos, como criação de enredo e de samba de enredo. No momento do lançamento de Martinho, ocorre, em 1968, no apogeu da era dos festivais, o primeiro e único grande certame inteiramente dedicado ao gênero, a Bienal do Samba. Do concurso, vencido por "Lapinha", de Baden Powell em parceria com o estreante Paulo César Pinheiro, curiosamente participa o samba de enredo "A feiticeira de Araxá", de Noel Rosa de Oliveira, Anescar e Ivan Salvador, cantado por Jorge Goulart. Tratava-se de samba derrotado na competição interna do Salgueiro no enredo sobre a legendária Dona Beja, que buscou melhor sorte no evento televisivo, sem, entretanto, lograr sucesso. **Críticas e reações** – A orientação internacionalizante dos festivais, que excluía o samba, gerou críticas consistentes. Assim, em 1969, no boletim *Samba e Cultura*, da Aeseg (ano I, nº 3, 1969, p. 6), o compositor Elton Medeiros reivindicava a inclusão da "verdadeira música brasileira" nos festivais, denunciando esses eventos como inúteis e acarretadores de prejuízo para a "preciosa fonte musical que possuímos, quebrando sua estrutura, deformando-a, apresentando um Brasil musical totalmente diferente daquele que todos nós conhecemos". Na década seguinte, no âmbito das rodas de samba, o sambista e produtor Jorge Garrido, então ligado ao G.R.E.S. Unidos de Vila Isabel, realizou, no formato dos festivais televisivos e como uma espécie de reação a eles, a série de eventos denominada Encontro Nacional do Compositor de Samba. Popularmente conhecida como "Festival do Garrido", teve cinco edições, três delas com registro em LPs dos sambas mais bem classificados. A segunda edição, em 1973, teve a iniciante Leci Brandão como vencedora, interpretando o samba "Quero sim", feito em parceria com Darci da Mangueira. E a última teve como um dos finalistas "Sonho de uma noite de verão", de Reginaldo Bessa e Nei Lopes, gravado em 1983 por João Nogueira. Além dela, o "Festival do Garrido" lançou inúmeros compositores que mais tarde seriam reconhecidos nacionalmente. O samba, todavia, nunca foi protagonista na história dos festivais. O destaque do gênero só vai efetivamente acontecer com o humor cáustico de "Reunião de bacana" (1980) e "Mordomia" (1981), apresentadas nos tardios festivais promovidos pela Rede Globo, ambas do portelense Ary do Cavaco com parceiros. O descompasso entre os festivais e o gênero só vai ser de fato rompido, extemporaneamente, no MPB Shell 82, em que, pela primeira vez, um samba se sagra vencedor de um certame dessa natureza. O samba é "Pelo amor de Deus", de Paulo Debétio e Paulinho Rezende, cantado por Emílio Santiago. *Ver* FÁBRICA DO SAMBA.

FONTE HISTÓRICA. Entende-se por fonte histórica qualquer registro que permita, mediante análise e interpretação, uma melhor compreensão do contexto em que foi produzido. O samba, nesse sentido, constitui-se como uma das referências importantes para o conhecimento de aspectos da história do Brasil republicano – espaço e tempo em que o gênero se codificou de forma mais precisa – e dos mecanismos de apreensão da realidade desenvolvidos por populações afrodescendentes. Em artigo publicado na *Revista de História da Biblioteca Nacional*, em outubro de 2013, o professor Marcos Alvito, da Universidade Federal Fluminense, sugere melhor utilização do samba em sala de aula, como fonte histórica. Recomenda, entretanto, que seja tratado efetivamente como documento, não "como mera ilustração, mas sim como parte da História" (cf. Alvito, 2013: 79-82).

FORMIGA, morro da. *Ver* BOREL, morro do.

FUSÕES. Ao longo dos anos, o samba, como gênero musical, tem sido objeto de experimentações, visando à criação de híbridos que tenham sua estrutura rítmica como base. Umas bem-sucedidas, outras não, essas experiências muitas vezes têm levado ao aparecimento de formas duradouras como o samba-canção e efêmeras como o *Sambolero*. No momento deste texto, por exemplo, estratégias mercadológicas tentam impor como gênero uma fusão que leva o rótulo "samba house" – juntando instrumentos do samba com bases e efeitos eletrônicos, da chamada "house music" das danceterias.

FUTEBOL. Introduzido no Brasil no fim do século XIX por imigrantes britânicos e por brasileiros que passaram temporadas na Europa, o futebol foi, a princípio, um esporte elitista que rapidamente se popularizou. A partir da década de 1930, com a implantação gradual do profissionalismo, a presença de pretos e mulatos como empregados nos clubes da elite burguesa mostrou--se cada vez mais frequente. Paralelamente ao processo de profissionalização nos clubes, o futebol amador praticado nos campos de várzea e nas praias do Rio de Janeiro consolidou-se como um elemento importante de integração comunitária das camadas populares urbanas. Nesse processo, podemos constatar que a relação entre o futebol e o samba se estreitou, a ponto de algumas escolas de samba terem se originado de times amadores. O Independente Futebol Clube, por exemplo, era na década de 1950 um dos principais times de futebol de várzea da zona oeste. Em 1955, alguns jogadores e torcedores do time resolveram criar um bloco para brincar o carnaval. A ideia foi adiante e o time da várzea deu origem a uma das escolas de samba mais populares do Rio de Janeiro, o G.R.E.S. Mocidade Independente de Padre Miguel. Na mesma década de 1950, alguns jovens moradores da Vila Gauhy, em Botafogo, fundaram um bloco carnavalesco na rua São Clemente e passaram a desfilar na região trajando as cores azul e branca. Os componentes do bloco tinham um time de futebol de praia. Em 1953, os jovens do bloco ganharam de presente de um político local um jogo de camisas com as cores do Peñarol do Uruguai para as disputas dos torneios praianos. A partir daí, o bloco, que em 1961 virou o G.R.E.S. São Clemente, adotou o amarelo e o preto do Peñarol como as cores oficiais, que mantém até hoje. O G.R.E.S. União da Ilha do Governador também foi resultado de um time de futebol. Na terça-feira gorda do carnaval de 1953, alguns amigos que participavam do time do União Futebol Clube resolveram criar uma escola de samba para, a princípio, desfilar no bairro Ilhéu. Do outro lado da Baía de Guanabara, temos como casos mais notórios o do G.R.E.S. Unidos do Porto da Pedra, escola de samba que se originou do Porto da Pedra Futebol Clube, time de várzea de São Gonçalo, e do G.R.E.S. Unidos do Viradouro, agremiação surgida em Niterói a partir da iniciativa dos jogadores do União, time composto por moradores do morro da Garganta que costumavam se reunir em um bar próximo ao bairro de Santa Rosa. O futebol foi também enredo de algumas escolas. Em 1986, a Beija-Flor desfilou com o enredo "O mundo é uma bola". Em 1995, a Estácio de Sá homenageou o centenário do Clube de Regatas do Flamengo. Em 1998, foi a vez de a Unidos da Tijuca cantar o centenário do Vasco da Gama. Em 2004, a Unidos da Ponte homenageou o América Futebol Clube. Jogadores de futebol também viraram enredo, como Nilton Santos (Vila Isabel, 2002), Ronaldo Fenômeno (Tradição, 2003) e Zico (Imperatriz Leopoldinense, 2014). No cancioneiro mais geral são inúmeros os sambas que têm o futebol como tema. O compositor Wilson Batista (1913-1968), flamenguista aguerrido, foi um dos prolíficos nesse sentido, em sambas como "E o juiz apitou" e "Samba rubro-negro". Em 1979, o cantor Neguinho da Beija-Flor lançava o samba "O campeão", de sua autoria, que viria a se tornar um grande sucesso de público; e isso principalmente pela oportunidade de se incluir na letra, em cada interpretação, o nome do time preferido. A partir da segunda metade do século XX, o futebol brasileiro orientou-se empresarialmente, no contexto da globalização. Assim, consolidou sua condição de veículo possível de ascensão social para as classes menos favorecidas. Entretanto, o samba, sua histórica e natural trilha sonora, só cumpriu esse papel em casos individuais e isolados. *Ver* INDÚSTRIA FONOGRÁFICA; PROFISSIONALIZAÇÃO.

GAFIEIRA. Espécie de casa noturna onde se realizam bailes com entrada paga e música orquestral. Outrora era frequentada basicamente por um público específico, amante da dança, mas de baixo poder aquisitivo, como os componentes das antigas escolas de samba. Era em gafieiras, em geral suburbanas, como a Elite do Méier, Cachopa de Madureira, Gafieira do Irajá ("Dancing Vitória") etc., que o mundo do samba, principalmente as alas das escolas, promovia bailes comemorativos ou de arrecadação de fundos para o carnaval. A partir da década de 1960, tornando-se um modismo, as gafieiras passaram a ter frequência mais eclética, incluindo pessoas da classe média alta. **Samba de gafieira** – A modalidade de dança popularmente mencionada como "samba de gafieira" é aquela em que o par dançante executa figurações semelhantes às do ancestral maxixe, interpoladas a outras como "bicicleta", "cruzado", "pião", "puladinho" etc., além de algumas mais, inclusive adaptadas do tango argentino. Apesar de dançado em salões, o samba de gafieira, por seus teóricos e sistematizadores, rejeita a denominação "samba de salão", a qual foi adotada pelo moderno "samba internacional de competição", que em nada lembra a forma historicamente dançada no Brasil (cf. Perna, 2002: 139-143).

GANZÁ. Espécie de chocalho cilíndrico da tradição afro-brasileira, também usado na percussão do samba, principalmente nas baterias das escolas de samba. O termo tem origem no quimbundo *nganza*, "cabaça", por aproximação com os chocalhos confeccionados com esse produto vegetal.

GASTRONOMIA. *Ver* CULINÁRIA E GASTRONOMIA.

GÊNERO. Categoria classificatória que agrupa espécies relacionadas em atenção à sua história evolutiva. Estendida das ciências naturais à música, esta definição nos autoriza a classificar o samba, enquanto obra ou composição musical ou literomusical, como um gênero, do qual se originaram subgêneros e estilos de composição e interpretação. Como expressão coreográfica (dança), o samba compreende diversas modalidades, isto é, aspectos ou feições diversos. *Ver* DANÇAS DO SAMBA.

GEOGRAFIA. O samba carioca, nascido no bairro do Estácio e logo estendido a Oswaldo Cruz, difundiu-se através dos caminhos da expansão da cidade, abertos ou alargados pelos trilhos dos bondes e dos quatro ramais ferroviários que partiam ou partem em direção às fronteiras com o antigo estado do Rio, como sejam: ramal da Central (o principal, da antiga E. F. Central do Brasil); Linha Auxiliar (da antiga E. F. Melhoramentos); ramal da E. F. Rio Douro e ramal da E. F. Leopoldina (outras antigas estradas de ferro). No livro *Do samba ao funk do Jorjão*, o músico e pesquisador Spirito Santo analisa algumas características das escolas de samba a partir de sua localização geográfica e a composição/origem de seus núcleos fundadores. Para tanto, as divide em escolas "da corte e cidade" (do Estácio e da Mangueira); "da roça" (de Madureira, Oswaldo Cruz e Vaz Lobo); "da serra" (do Salgueiro, Andaraí, São Carlos, Borel e morro dos Macacos); do "subúrbio" (de São Cristóvão, Brás de Pina, Padre Miguel, Cosmos, Santa Cruz, Bangu, Nilópolis, Jacarepaguá, Pilares e da Ilha do Governador). A análise de Spirito Santo concentra-se, essencialmente, na performance das baterias (cf. Spirito Santo, 2011: 145-273).

GLOBALIZAÇÃO. Denominação eufemística empregada no lugar de "transnacionalização", *i.e.*, "a expansão sem limites das corporações transnacionais na economia mundial", particularmente naquelas dos países subdesenvolvidos ou em desenvolvimento (Cf. *Enciclopédia do mundo contemporâneo*, 2000: 63).

Popularmente difundido com essa denominação a partir da década de 1990 e logo polemizado o fenômeno "globalizaçao" foi, no ano 2000, reconhecido e definido em seus aspectos tidos como positivos pelo Fundo Monetário Internacional. Um de seus maiores críticos, o filósofo italiano Antonio Negri, ressaltou o fato de que a globalização engendra relações de poder e dominação que se dão mais por vias culturais e econômicas do que pelo uso da coerção pela força. Segundo o eminente geógrafo brasileiro Milton Santos, que estudou o fenômeno em seus últimos livros e artigos (Santos, 2000), a globalização gera a uniformização dos padrões culturais e, como tal, inibe a produção de novos conhecimentos e técnicas, gerando a perda de identidade tanto no plano coletivo quanto no individual. No artigo "Globalização e identidade cultural brasileira na publicidade", a professora Tânia Márcia Hoff (disponível em: <http://encipecom.metodista.br/mediawiki/images/8/81/GT4_-_007.pdf>. Acesso em 14 jul. 2015) mostra como a globalização tem efeitos na representação da identidade cultural brasileira pela publicidade e de que maneira a propaganda transporta o mito da democracia racial brasileira para o mito da democracia econômica na sociedade de consumo. Nesse sentido, diversas marcas usam o samba, o carnaval e uma suposta alegria brasileira – pasteurizada pela estética uniforme da propaganda – como referências que buscam transformar essa mesma tradição em um elemento estimulador da inclusão pelo consumo de bens. Podemos concluir, portanto, que, no mundo globalizado – sobretudo em seu viés cultural/econômico –, o samba é, cada vez mais, instado pela indústria do entretenimento a se diluir em padrões uniformes da música pop, perdendo muitas vezes a vitalidade transformadora de suas características fundamentais e as especificidades dos ricos complexos culturais que se desenvolveram em torno de sua manifestação.

GRANDES SOCIEDADES. Associações carnavalescas hegemônicas no carnaval carioca entre as décadas de 1850 e 1950, aproximadamente. Agremiações como Fenianos, Pierrôs das Cavernas, Tenentes do Diabo, Turunas de Monte Alegre, Democráticos etc. forneceram alguns dos elementos que mais tarde iriam caracterizar o desfile das escolas de samba, principalmente os carros alegóricos. *Ver* ALEGORIA.

G.R.E.S. Sigla da expressão Grêmio Recreativo e Escola de Samba, que antecede o nome oficial de quase todas as escolas em todo o Brasil. São exceções a Unidos do Cabuçu, fundada em 1945 e campeã do Grupo de Acesso C em 2013, qualificada pela abreviatura S.E.R.E.S., de "Sociedade Esportiva Recreativa Escola de Samba", a Império da Tijuca, que acrescenta à expressão consagrada o adjetivo Educativa, tornando-se um G.R.E.S.E., e o Grêmio Recreativo de Arte Negra e Escola de Samba (G.R.A.N.E.S.) Quilombo.

GUERRA MUNDIAL, Segunda. Confronto ocorrido entre 1939 e 1945, envolvendo as potências aliadas aos Estados Unidos da América e o chamado Eixo, aliança liderada pela Alemanha nazista. O Brasil, apesar de viver os anos da ditadura do Estado Novo, entrou na guerra ao lado das democracias liberais do Ocidente. A conflagração mobilizou a sociedade brasileira e repercutiu no mundo do samba. Por iniciativa da Liga de Defesa Nacional e da UNE, as escolas de samba desfilaram em 1943 – no chamado primeiro carnaval de guerra – com enredos que deveriam, obrigatoriamente, abordar o conflito, exaltar a luta brasileira e estimular o alistamento militar. A renda dos desfiles, ocorridos no estádio de São Januário, do Clube de Regatas Vasco da Gama, foi revertida para a Cantina do Soldado Combatente. A Portela foi a campeã da disputa, com o samba "Brasil, terra da liberdade" (de Nilson e Alvaiade). Fora do âmbito dos desfiles das escolas, durante a guerra, vários outros sambas se referiram ao contexto do confronto e louvaram a luta brasileira, como "Dever de um brasileiro" (Henricão e Rubens Campos); "Desperta Brasil" (Grande Otelo); "Democracia" (Paulo da Portela); "Lá vem Mangueira" (Wilson Batista); "Cabo Laurindo" (Wilson Batista e Haroldo Lobo) e "Comício em Mangueira" (Wilson Batista e Germano Caetano). Os carnavais de 1943, 1944 e 1945 ficaram conhecidos como "carnavais de guerra"; e o de 1946 foi alegremente celebrado como o "carnaval da vitória". No de 1943, chegou-se a cogitar suspender o desfile das escolas (a marcha "Eu brinco" – composição de Pedro Caetano e Claudionor Cruz lançada em 1944 por Francisco Alves – seria uma resposta a essa possibilidade), mas ele enfim se realizou, organizado pela Liga de Defesa Nacional e pela UNE.

HARMONIA. Nos desfiles das escolas de samba, quesito de julgamento herdado dos antigos ranchos carnavalescos, significando o entrosamento entre o ritmo da bateria, o canto coral e a dança do conjunto da escola. O responsável por esse item é o diretor de harmonia, sucessor do antigo mestre de canto e do "ensaiador" dos ranchos.

HINO. Termo utilizado pela moderna imprensa carnavalesca para designar o samba de enredo. A denominação parece equivocada, pois o que se poderia classificar como "hinos" são os sambas de autoexaltação clássicos, como "Hino da Portela", de Chico Santana; "Torrão amado" (de Buguinho e Iraci Mendes, Salgueiro); "Exaltação à Mangueira" (Enéas Brites e Aluisio da Costa), "Menino de 47" (Nílton Campolino e Molequinho, Império Serrano) etc.

HISTÓRIA RECENTE (1985-2013). Entre a década de 1980 e o início da seguinte, o Brasil sofre os impactos de uma grande inflação, cujos efeitos, naturalmente, o samba também sente. Tentando conter o aumento dos preços, o presidente José Sarney, que assumiu o poder em 1985, lança sucessivos planos econômicos, inclusive com a adoção de nova moeda, o cruzado. Nesse cenário, em 1985, a indústria fonográfica coloca no mercado um produto simples e barato. Trata-se de um disco coletivo, no modelo conhecido como pau de sebo. Apresentando ao grande público nomes conhecidos apenas no mundo do samba ou por aficionados, como Jovelina Pérola Negra, Mauro

Diniz e Zeca Pagodinho, o LP *Raça brasileira* surpreendentemente atinge a marca de cem mil cópias vendidas. Na esteira, vêm os discos de Almir Guineto, Grupo Fundo de Quintal e Jorge Aragão; e o primeiro disco solo de Zeca Pagodinho, que vende um milhão de cópias. O breve governo Collor, com suas drásticas medidas econômicas, ficou também marcado, no campo da música de consumo, pela eclosão do estilo de canção popular rotulado como sertanejo, que viria a agigantar-se comercialmente. Com Itamar Franco (1992-1994), estabiliza-se a economia, a qual, entretanto, no governo seguinte é aberta ao capital estrangeiro e às privatizações de empresas estatais. No âmbito da indústria fonográfica, a década de 1990 é talvez uma daquelas em que, no Brasil, menos houve investimentos em novos valores. Assim, o mercado passou a ser dominado por artistas ou grupos que a ele chegavam, ou nele permaneciam, já associados a determinados segmentos econômicos, como o agronegócio (sertanejos), o turismo (axé music), ou relacionados à própria indústria transnacional do entretenimento (pop rock). Nessa quadra foi que o rótulo pagode – por força do sucesso quase espontâneo da década anterior – passou a ser usado para identificar "uma espécie de samba pop inspirado na balada romântica" (Souza, 2003: 18). Então, diante do êxito comercial da fórmula, que bafejou grupos como Art Popular, Negritude Jr., Raça Negra e Só Pra Contrariar (Souza, 2003), um número incalculável de grupos, menos ou mais próximos do modelo consagrado pelo Grupo Fundo de Quintal, foram surgindo por todo o país. Alguns desses grupos chegam mesmo a tangenciar a vertente mais pop do "sertanejo", o qual no fim de 2013 se estende ao estilo "ostentação", com letras que mencionam marcas de carros luxuosos, grifes da moda internacional etc. (Essinger, 2012: 1). Apesar de toda a pressão da sociedade de consumo, no momento da produção deste texto, os diversos subgêneros, estilos e vertentes do samba convivem e se recriam, comprovando a vitalidade do gênero principal da música popular brasileira. *Ver* ENREDO; SAMBA; SAMBA DE ENREDO.

HISTRIONISMO. Em agosto de 1974, no artigo "Por que artista crioulo tem que sempre ser engraçado?", publicado no Caderno B do *Jornal do Brasil*, o jornalista José Ramos Tinhorão, hoje historiador com vasta obra publicada em livro (ver Bibliografia), questionava o fato de, naquele momento, artistas do samba frequentemente cantarem rindo, até mesmo valendo-se de piruetas e gaiatices em suas interpretações. Citando nomes, o jornalista contrapunha essa atitude à sobriedade característica das décadas de 1930-1940. Sobriedade essa que, segundo ele, derivava da consciência que tinham os artistas populares de que sua ascensão ao estrelato correspondia ao reconhecimento de sua dignidade, a qual devia ser mostrada também na atitude e no modo de vestir (Tinhorão, 2001: 13-16). A observação do respeitado crítico nos leva a um dos exemplares da galeria de tipos criados, desde pelo menos o século XIX, para representar o indivíduo negro, nos palcos e nas telas: o do negro cômico, simpático, ingênuo e infantil, que no ambiente do samba seria o crioulo doido, tipificado na famosa composição do humorista Sérgio Porto (Rodrigues, 2011: 42-44). Muitos sambistas incorporaram o tipo, em busca de empatia com suas plateias, o que ocorreu até no ambiente do pagode pop da década de 1990. A propósito, observe-se o clichê do sambista sempre sorridente diante das câmeras fotográficas ou de televisão; e estabeleça-se o contraste entre, por exemplo, os artistas do segmento pop rock, quase sempre sisudos, supostamente aborrecidos ou reflexivos. O contraste talvez reforce a ideia preconcebida e inadmissível de que o mundo do samba seria não apenas alegre, mas irresponsável, incapaz, infantil.

I

IDENTIDADE. Conjunto de características que distinguem e individualizam um ser, um objeto, um grupo, uma coletividade etc. A identidade de uma escola de samba se traduz por suas cores ou por outras de suas características, como, por exemplo, a cadência de sua bateria.

IGREJAS EVANGÉLICAS. Expressão usada, no âmbito deste trabalho, para definir as congregações protestantes não "históricas", ou seja, institucionalizadas após o século XIX, notadamente as pentecostais, surgidas no Brasil a partir de 1910 e enormemente multiplicadas, em uma infinidade de denominações, a partir de 1953. Utilizando "um discurso de salvação, alicerçado em promessas de tempos melhores" após a vida terrena, no momento deste texto elas atuam de maneira avassaladora no seio das comunidades do samba. Demonizando o samba e o carnaval, "buscam matar exatamente o que, durante muito tempo" deu ao povo dos morros e das escolas "a noção de pertencimento", expressa na defesa da bandeira e das cores de suas agremiações (cf. Simas, 2013: 17). Como exemplo, observemos que, em 1986, Neuma Gonçalves, a Dona Neuma (1922-2000), então considerada a primeira-dama da Mangueira, denunciava à jornalista Mara Caballero que 60% da população do morro estaria se convertendo a seitas evangélicas, com grandes perdas para a escola de samba (Caballero, 1986). **Apropriação** – Num movimento inverso, no momento de produção desta obra, algumas igrejas buscam apropriar-se do samba e do carnaval em campanhas de proselitismo. Destaca-se nessa ação um ex-vocalista de um grupo de samba no estilo rotulado, na década de 1990, como "pagode romântico", o qual, a partir da Baixada Fluminense, procura massificar o que chama de "pagode gospel" ou "pragod". Em linha de atuação semelhante, registram-se, em vários pontos do país, por ocasião do carnaval, as saídas de "escolas de samba gospel", como a Unidos por Cristo, da Igreja Vida Cristã (disponível em: <http://www.edulisboapio.blogspot.com.br>. Acesso em 14 jul.2015.) e a Bateria de Samba Missão Evangélica Praia da Costa, de Vila Velha, Espírito Santo. Em 2013, boa parte dos 42,3 milhões de evangélicos existentes no Brasil, segundo o IBGE, se concentrava na classe C emergente, e sua influência se estendia, além da política, também ao consumo de cultura. Exemplo eloquente foi o boicote a uma telenovela da Rede Globo, cujo título, *Salve Jorge*, teria sido entendido como referência ao candomblé ("O exército de Felicianos", *Carta Capital*, edição 741). **Radiodifusão** – A enorme proliferação, por todo o território nacional, de emissoras de rádio FM e redes de TV autodenominadas gospel ou evangélicas (http://www.musikcity.mus.br/radiosevangelicas.html) também representa um entrave à execução pública e à consequente divulgação do samba. *Ver* PAGODE.

IMPERIALISMO. Uma das acepções do termo "imperialismo" é o controle de um Estado por outro. No jargão da militância comunista de meados do século XX, a palavra designava, por exemplo, a forte influência econômica exercida pelo capitalismo, principalmente de origem norte-americana, no Brasil. O samba se manifestou a esse respeito, notadamente nos anos que antecederam o golpe militar de 1964. Um dos mais significativos exemplos é a letra de "João da Silva", do compositor Billy Blanco (autor de "Viva meu samba", de 1958), lançada em disco compacto simples pelo Centro Popular de Cultura (CPC) da UNE, na qual são citadas diversas empresas e marcas de produtos estrangeiros que faziam parte do cotidiano do brasileiro das cidades: "João da Silva, cidadão sem compromisso/ Não manja disso que o francês chama *l'argent*/ Pagando *royalty*, dinheiro disfarçado/ É tapeado desde as cinco da manhã/ Com Palmolive ao chuveiro dá combate/ Usa Colgate e faz a barba com Gillette/ Põe Aqua Velva, paga *royalty* da fome/

Do pão que come ao leite em pó com Nescafé/ Movido a Esso vai em frente pro batente/ De elevador Ótis e outros sobe e desce/ Ele é nacionalista de um modo diferente/ Pois toma rum com Cola-Cola e tudo esquece [...].” *Ver* SOCIEDADE DE CONSUMO.

IMPRENSA. Na década de 1930, os primeiros desfiles competitivos das escolas de samba aconteceram por iniciativa dos jornais *O Mundo Sportivo* e *O Globo*. Desde então, as agremiações mantiveram com os órgãos da imprensa escrita (e mais tarde com o rádio e a televisão) uma relação de muito respeito, expressa outrora na frase padronizada nos abre-alas, com a qual saudavam a imprensa (“escrita, falada” e, mais tarde, “televisada”) depois de saudarem o povo. Na atualidade deste livro, as antigas boas relações, em sua essência, pouco mudaram. *Ver* MÍDIA – Cronistas carnavalescos.

INDÍGENA, contribuição. Após a Independência, na voga indigenista que se instaurou na cultura nacional, acabou-se por atribuir a participação do indígena na formação de música popular brasileira, consentânea com o mito fundador da nacionalidade. Essa merecida valorização da contribuição ameríndia foi, entretanto, muitas vezes utilizada para diminuir ou ocultar a participação de africanos e descendentes. O mesmo ocorreu, por exemplo, em Cuba. Sobre isso se insurgiu o etnólogo Fernando Ortiz, afirmando que, a partir da “invasão da música cubana por tambores”, não houve mais como esconder a marca africana (cf. Ortiz, 1993: 76). O mesmo se pode dizer com relação ao Brasil, onde inclusive se buscou atribuir ao samba origem ameríndia a partir da etimologia, em um livro de Baptista Siqueira, *Origem do termo samba*. Sobre essa ideia, observe-se que Teodoro Sampaio, em *O tupi na geografia nacional* (1987: 310) dá como étimo do vocábulo “samba” o tupi *çama* ou *camba*, significando *“corda ou cordão”*, sentido que estende, a partir de Batista Caetano, para *“cadeia feita de mãos dadas por pessoas em folguedo”*. No verbete *samba* deste dicionário, a etimologia do vocábulo é discutida em outro sentido. Convém notar que tal tentativa de vincular o samba a uma origem indígena chegou mesmo a repercutir no ambiente das escolas de samba. No desfile de 1942 da Portela, com o enredo "A vida do samba", a composição de Alvaiade e Chatim afirmava: "Samba foi uma festa de índios/ Nós o aperfeiçoamos mais."

ÍNDIOS. *Ver* CORDÕES.

INDÚSTRIA CULTURAL. A expressão "indústria cultural" designa o conjunto de processos utilizados para adequar a produção cultural a padrões comerciais, de modo a torná-la mais facilmente multiplicável e adequada ao consumo de massa. Assim, no âmbito dessa indústria, as manifestações de arte, por exemplo, interessam menos por sua beleza e qualidade intrínsecas e mais pelo seu valor como mercadoria. Então, o objetivo maior da indústria cultural não é promover conhecimento (porque conhecer levanta questionamentos e rompe paradigmas) e, sim, o consumo, que, por sua vez, leva a maior produção. Inserido no âmbito da indústria cultural através dos meios de comunicação e do espetáculo, o samba tem, nela, um tratamento ambíguo. A ânsia de conhecimento a seu respeito, despertada em vários momentos históricos, principalmente no seio da juventude escolarizada, tem levado a aquisições positivas, como as vogas da bossa nova nacionalista e do samba de raiz. Mas a indústria cultural, quando busca atender a esse tipo de interesse, muitas vezes o faz de maneira predatória, diluindo a essência do samba em produtos para consumo de massa. Em 2009 foi lançado o livro *Cadeia produtiva da economia do carnaval*, de Luiz Carlos Prestes Filho. Nele, o autor procura mostrar o desfile das escolas de samba do Grupo Especial do Rio de Janeiro como importante fator gerador de renda no âmbito da indústria cultural. *Ver* INDÚSTRIA FONOGRÁFICA; SOCIEDADE DE CONSUMO.

INDÚSTRIA FONOGRÁFICA. Ramo da indústria cultural dedicado, primordialmente, à produção e comercialização de suportes fonográficos e videofonográficos (discos, LPs, cassetes, CDs, DVDs). Esboçado no início do século XX, o processo de fixação e comercialização de obras do gênero samba em discos e outros suportes ganhou força com o advento das gravações elétricas, em 1927. Essa conquista, inserida no âmbito da era do rádio, além de alavancar a indústria, levou à profissionalização da música popular e à transformação e diversificação do samba. **Primórdios** – O marco inicial da indústria fonográfica no Brasil é a abertura da legendária Casa Edison, estabelecida no Rio de Janeiro, em 1902. Entretanto, o negócio musical, do ponto de vista do consumo em ampla escala, vinha já do século XIX, com as primeiras casas "impressoras de música", denominação que outrora definia o que hoje se conhece como editoras musicais. Antes do disco, do rádio e da televisão, era por meio de partituras, impressas e vendidas por essas casas, que o público tinha acesso a uma obra musical. No âmbito doméstico, num tempo em que, via de regra, toda residência de classe remediada ou alta tinha um piano, essas partituras ganhavam vida. Com o advento do disco e com a democratização e o aprimoramento dos aparelhos de reprodução sonora, o consumo foi se alargando. Então, as grandes editoras foram deixando de ser meras publicadoras e vendedoras de partituras para atuarem não só como procuradoras e intermediárias dos autores, mas também como legítimas titulares dos direitos cedidos por esses autores mediante contratos. Nessa prática, bastante lucrativa, se encerra uma das grandes questões atuais do direito autoral em todo o mundo; inclusive no mundo do samba. **Na Primeira República** – Em 1917 é gravado e lançado, em selo Odeon, o samba "Pelo telefone". Registre-se que essa gravação ocorre no mesmo ano em que, nos Estados Unidos, é feita pela RCA Records a primeira gravação de um tema jazzístico. Lá, a primazia coube à Dixieland Jazz Band, liderada por um músico ítalo-americano que negava o pioneirismo dos afro-americanos na invenção do jazz. No Brasil, após a referida gravação de "Pelo telefone", o samba aparece nos registros históricos, sobretudo por meio de gravações em que pontificam principalmente as autorias, além de Donga, de músicos populares oriundos das classes menos favorecidas, como Sinhô (José Barbosa da Silva, 1888-1930), Caninha (José Luiz de Morais, 1883-1961) e Careca (Francisco Antônio da Rocha, 1886-1953). Sobre esse momento fundador, lemos na prosa informal do legendário cronista Francisco Guimarães, o Vagalume (Guimarães, 1978: 31-33), que Donga foi o "precursor da indústria do samba"; que depois dele "apareceu o Sinhô, pondo-o logo *off-side*"; e que "Caninha sempre procurou seguir as pegadas de Sinhô, não logrando porém o mesmo sucesso". Em seu livro, publicado em 1933, Guimarães consignou mais as seguintes observações: "O samba é hoje uma das melhores indústrias pelos lucros que proporciona aos autores e editores." (p. 28); "Sinhô tinha porém um outro truque: era oferecer a produção a um clube carnavalesco e mandar fazer a instrumentação para as bandas de música que tocavam nos Fenianos, Tenentes e Democráticos, além de executá-las diariamente ao piano nas 'pensões alegres.'" (p. 32). **Na Era Vargas** – Com a vitória da Revolução de 1930, inicia-se a Era Vargas, período em que a valorização do que fosse considerado autenticamente nacional passava a ser um dos pontos-chave das propostas culturais oficiais; o samba, então, ganhou maior importância, como mostrado no verbete *Estado Novo*. Um pouco antes, entretanto, se esboçava o que se conheceu como samba do Estácio. Já em 1929, eram gravados "Amor de malandro", parceria de Ismael Silva com Francisco Alves; "O destino é Deus quem dá", de Nílton Bastos; e "Novo amor", de Ismael Silva, os primeiros exemplares do moderno samba a chegarem ao disco. No ano seguinte, com "Na Pavuna", pela primeira vez a percussão tradicional do samba, com pandeiro, cuíca, tamborim, ganzá e surdo é registrada em estúdio, e o disco chama atenção. Daí até a década de 1950, no período convencionalmente mencionado como a "era de ouro" da música popular brasileira, o samba cumpre uma trajetória de modificações e influências, muitas vezes ditadas por interesses industriais, como no caso do samba-choro, que surge, na década de 1930, talvez por uma reação estética (ou mesmo "eugênica") dos instrumentistas "de corda" à batucada do samba; e do samba-canção, que acaba se tornando quase um sucedâneo nacional do bolero mexicano e cubano, por aqui aportado a partir de 1939. Registre-se que, em 1956, quatro anos depois do lançamento, no Brasil, do LP, disco de longa duração (*long-playing*), com várias faixas, o Salgueiro protagonizava as primeiras gravações de uma escola de samba com puxador, pastoras e bateria, com o lançamento do LP de dez polegadas *Samba!* pelo selo Todamérica. **De JK a 1964** – À Era Vargas seguem-se os chamados Anos

Dourados, período em que o *American way of life* influencia decisivamente os hábitos e o consumo de cultura nas grandes cidades brasileiras. Nesse período, a denominação "samba", mesmo com o movimento da bossa nova, cobria todo o amplo espectro do que mais tarde veio a ser rotulado como MPB. Sobre isso, o jornalista Ruy Castro assim se manifestava, na edição de 23/6/2012 do jornal *Folha de S.Paulo*, em artigo intitulado "Túmulo do samba": "Em 1966, ainda se podia chamar tudo de samba porque, mesmo maquiado pela bossa nova, ele continuava o ritmo dominante – vide o número de bossas novas que lhe prestaram tributo até no título [...] Chico Buarque e Paulinho da Viola compunham samba *full time* e, dali a três anos, o próprio Gilberto Gil teria seu maior sucesso com um samba 'Aquele abraço' [...]. Mas, em pouco tempo, a cena mudou. As gravadoras, aliás, multinacionais, decidiram que samba era aquilo que o pessoal do morro fazia no carnaval. Tudo mais, que não fosse rock, cabia na sigla 'MPB'. Por coincidência – exceto Paulinho da Viola, que silenciou –, muitos sambistas de 1966 aderiram a um ritmo cursivo, invertebrado, sem *swing*, de mais trânsito internacional."

Ditadura militar – O ano do golpe militar, 1964, antes da truculência que viria com o AI-5 e ainda dentro das propostas da "frente nacionalista" da bossa nova, viu surgirem sambas importantes, como "Berimbau", de Baden Powell e Vinicius de Moraes, o primeiro afrossamba da dupla a ganhar destaque. Em fevereiro, era lançado o LP *Nara*, em que a cantora Nara Leão, oriunda do ambiente da bossa nova, estreava em disco pela Elenco, criada em 1963 pelo produtor Aloysio de Oliveira, num momento em que dificuldades na importação de vinil fechavam gravadoras nacionais, como a Musidisc. A estreia de Nara causava surpresa: o repertório de seu LP incluía "sambas do morro", criados por compositores como Cartola e Elton Medeiros ("O sol nascerá"); Nelson Cavaquinho ("Luz negra", com Amâncio Cardoso); Zé Kéti ("Diz que fui por aí", com Hortêncio Rocha), além de sambas da vertente "nacionalista" do movimento bossa-novista. Em março de 1965, tem início a carreira discográfica de Chico Buarque de Hollanda, autor de sambas que se tornariam clássicos e um dos nomes marcantes da era dos festivais da canção. No carnaval do ano seguinte, é lançado o samba "Tristeza", de

Haroldo Lobo e Niltinho, que faz estrondoso sucesso, se torna uma das canções brasileiras mais conhecidas no exterior e acaba rebatizando seu autor como Niltinho Tristeza. Nesse mesmo ano é lançado o LP *Clementina de Jesus*, primeiro solo da cantora. O período marca também o início do sucesso internacional do samba "Mas, que nada!", de Jorge Ben (depois Ben Jor), lançado por Sergio Mendes e o conjunto Brasil 66. Em 1967, o compositor e cantor Martinho da Vila, na contracorrente, concorre a um festival com o partido-alto estilizado "Menina moça" e firma sua posição no cenário da música brasileira. Segundo Souza (2003: 17), Martinho foi um divisor de águas, pois, além de popularizar o partido-alto, compactou o samba de enredo, ampliando suas possibilidades de mercado. Logo após o carnaval de 1968, era lançado um disco, gravado ao vivo nos ensaios e tratado em estúdio (*Festival do samba*, selo Discnews – sucedido por outro, com o mesmo repertório, lançado pelo Museu da Imagem e do Som, RJ), contendo não só os sambas de enredo, como também pequenas faixas com o ritmo característico de cada escola. A partir daí, a indústria fonográfica começa a apostar suas fichas no desfile das escolas (ver o verbete *samba de enredo*). Sobre 1968, observe-se que, além de ter sido o ano do Ato Institucional nº 5, foi também o da Bienal do Samba, e marcou a chegada ao mercado do já mencionado Paulinho da Viola, primeiro em disco solo, depois em dupla com Elton Medeiros (*Samba na madrugada*). Já em plena vigência do AI-5, Chico Buarque lança o samba "Apesar de você", um dos hinos informais da resistência à ditadura, e Paulinho da Viola apresenta "Foi um rio que passou em minha vida". Atuando como produtor, em 1970 Paulinho logo revelaria ao grande público, numa produção esmerada, o conjunto da velha-guarda da Portela, em seu primeiro registro fonográfico. Pouco antes, ainda em 1969, Gilberto Gil fazia seu primeiro grande sucesso com "Aquele abraço", um samba irônico em que se despede do Rio de Janeiro, rumo ao exílio. A década de 1970 começa auspiciosa também para a cantora Clara Nunes, que se torna, em 1971, a primeira brasileira a vender mais de cem mil cópias de um disco, o homônimo *Clara Nunes*, lançado pela gravadora Odeon, do qual se destacou o sucesso "Ê baiana", samba de Baianinho, do G.R.E.S. Em Cima da Hora, e Fabrício (Vianna, 2012: 31). **Os anos do "milagre"** – No governo Médici (1969-1974), as medidas visando principalmente a atrair o capital estrangeiro, que supostamente restabeleceria a economia nacional, foram apregoadas como vetores do propalado "milagre econômico". Seu principal autor, o ministro Delfim Netto, assim as explicava: "Nossa regra de jogo é esta: desenvolver o país dentro do sistema capitalista, utilizando as forças do mercado [...]. E [tendo o] respeito à participação do capital estrangeiro como uma regra do jogo também muito clara" (cf. P. Boiko, *in*: Grigulevitch, 1986: 79). Dentro desse quadro, em que se extinguiam ou minguavam as gravadoras nacionais, como Continental e Todamérica, brilhou a estrela da Philips. Segundo Motta (2000: 256), a Philips era, no final de 1972, "a TV Globo das gravadoras", abrigando em seu elenco todos os "grandes" da música brasileira (qualificação na qual não cabia nenhum artista do samba), à exceção do ídolo Roberto Carlos. Por sua vez, a Odeon, motivada pelo sucesso de Clara Nunes e já tendo o cantor Roberto Ribeiro sob contrato, lança o primeiro disco de João Nogueira e torna-se, então, a líder do segmento samba naquela década. O ano de 1974, com a inauguração dos novos estúdios da RCA e da agora EMI-Odeon, marca a consolidação das gravadoras estrangeiras no Brasil. Um dos impulsionadores desse quadro foi o programa de isenção fiscal Disco é Cultura, que permitia investirem o Imposto sobre Circulação de Mercadorias e Serviços (ICMS), cobrado pelos discos internacionais aqui lançados, na produção de discos de artistas nacionais (Vianna, 2012: 56). Com o governo Geisel, que sucede ao de Médici, a dívida externa, o aumento do preço do petróleo e a inflação alta decretam o fim do "milagre"; os ganhos da indústria fonográfica, todavia, continuam expressivos. Em 1976, instala-se no Brasil a gravadora WEA, do grupo Warner Bros, de início limitando-se a reproduzir suas matrizes, mas logo depois lançando LPs nacionais. O predomínio de empresas estrangeiras no setor é notório, mas acaba por trazer números alentadores: em 1979 são vendidos 39 milhões de LPs no Brasil, além de 8 milhões de fitas cassete e mais de 18 milhões de discos compactos ("Origem e desenvolvimento da indústria fonográfica brasileira", de Edson Delmiro Silva). **A globalização** – Para o bem e para o mal, os anos de 1970 acabariam por marcar o efetivo ingresso do Brasil no universo da indústria cultural globalizada, o que afetou sobremaneira o samba, como expresso no verbete *crises*. Vivia-se o ufanismo imposto pela ditadura militar; consolidava-se o poder da televisão; e afirmava-se a chamada "música universitária", que acabaria por gerar a sigla MPB. Essa sigla fora arbitrariamente criada para abrigar toda a música popular brasileira então tida como moderna, em cuja esfera o samba só cabia, estranhamente, quando não fosse composto por sambista. A partir daí, várias "tendências" e movimentos completam o alinhamento da música brasileira com a música pop internacional, ensaiado na década anterior. Por essa época, começam a ser produzidos, no Brasil, discos com trilhas sonoras de telenovelas. Surgem também tentativas de se criar uma sonoridade brasileira "para exportação", notadamente inspirada em estilos já internacionalmente consagrados, a partir de um padrão anglo-norte-americano. Data daí, ainda, a busca do que se chamou de "atitude" musical, caracterizada pela "transgressão" e pela "rebeldia contra os modelos estabelecidos". Essa busca, entretanto, tinha como meta principal o consumo, dentro de um contexto em que a propaganda já não mais apenas anunciava os produtos que vendia, como também os mitificava. No Brasil começa a ser divulgado o reggae jamaicano; surge o chamado "rock rural" e nascem as baladas de feitio místico, sonorizando, inclusive, os protestos contra a ditadura militar. O rock começa a predominar também nas mensagens publicitárias, no universo do jingle. Outro fenômeno digno de nota ocorrido na década de 1970 é o surgimento de intérpretes brasileiros com nomes ou pseudônimos anglo-americanos, cantando baladas em inglês. Também por essa época, o jornalista Roberto M. Moura (no artigo "A invasão estrangeira", no jornal *Artefato*) era contundente: "Proliferam, ainda, os 'críticos' especializados na música internacional e considerável crédito lhes é dado para divulgar, quase sempre com irritante superficialismo, o que a 'moda' nos recomenda. O prejuízo indireto desta postura ideológica subserviente, no entanto, transcende aos números de venda, ao dinheiro e aos direitos autorais que saem do país. Além disso, tendo as suas 'verdades' consubstanciadas pelos *mass-media*, ela provoca o nascimento de nefastos e indesejáveis macaquismos nacionais [...].” Aqueles anos, porém, ainda eram capazes de inspirar surtos de esperança e otimismo. Tal foi o caso da Discos Marcus Pereira, gravadora de duração efêmera criada para a produção e a difusão da música regional brasileira e do samba “do morro”. No mesmo momento do lançamento do LP *Cartola*, por essa gravadora, em 1974, Chico Buarque driblava a ditadura com o pseudônimo Julinho da Adelaide, e a irmã deste, Cristina, gravava seu primeiro disco, ecoando obras da velha-guarda da Portela, como o sucesso “Quantas lágrimas”, de Manacéa. No ano seguinte, Leci Brandão, já ostentando, juntamente com Vera Lúcia da Silva, a Verinha, a pioneira condição de membro da ala de compositores da Mangueira, lançava seu primeiro LP, *Antes que eu volte a ser nada*. O disco trazia sambas de sua autoria e de outros autores, como o mangueirense Padeirinho. Em 1977 chega ao mercado o primeiro disco solo da cantora e compositora Dona Ivone Lara, coautora do samba de enredo do Império Serrano em 1965, e já parceira de Delcio Carvalho, com quem encetaria brilhante trajetória. Esse é também o contexto da ascensão das cantoras Beth Carvalho, Clara Nunes e Alcione, expressivas vozes femininas que, nas décadas de 1970-1980, fariam as vendagens dos discos de samba atingirem índices elevados. Beth Carvalho, sobretudo, seria, com *De pé no chão*, de 1979, a reveladora do nascente estilo pagode. E, juntamente com a estabilidade das criações e dos lançamentos de Martinho da Vila, Gonzaguinha, da dupla João Bosco e Aldir Blanc e de Paulo César Pinheiro – letrista brilhante e onipresente –, entre outros, iria estabelecer a trilha sonora sambística basicamente até a chegada do segundo milênio. Observe-se que a programação musical das rádios era, como parece ser ainda, alimentada por material fornecido pelas gravadoras por intermédio de seus setores de divulgação. O fornecimento obedecia a estratégias mercadológicas nas quais o interesse maior estava na divulgação da música gravada no exterior, produto de baixo custo que possibilitava maior margem de lucro. Um disco de Martinho da Vila, por exemplo, segundo Érika Herd (Araújo, 1978: 130-131), “poderia ter um custo final de 200 mil cruzeiros, com todos os gastos incluídos”, enquanto “um tape de Shirley Bassey” (ou seja, a importação da matriz gravada) custaria apenas entre 10 mil e 15 mil cruzeiros. Dentro dessa relação de custo e benefício, as grandes gravadoras evidentemente preferiam a música vinda de fora. E, certamente visando à formação de mercado, no que tocava à música aqui produzida – embora os grandes vendedores de outros estilos, inclusive do samba, ainda merecessem algum investimento –, elas decidiam por aquela que representasse um sucedâneo do pop internacional e seus derivados, de produção menos custosa. Na época, segundo consta, o próprio Ministério da Cultura manifestava grande preocupação em relação a essa questão. **A transição** – No período de transição entre a ditadura e o restabelecimento da democracia, começa a operar-se grande transformação no mercado fonográfico, com as gravadoras investindo com força total no nascente segmento do rock e na exploração milionária do mercado da música infantil, também produzida, agora, dentro do padrão pop. Na área do samba, 1980 é o ano da estreia em disco, como intérprete, do jovem compositor Zeca Pagodinho, no LP *Suor no rosto*, da mencionada Beth Carvalho, em um momento em que o advento da produção de discos por sistemas digitais trazia o avanço que iria possibilitar a comercialização de música via internet e telefones celulares nas décadas seguintes. Mas os ventos não eram bons para o samba. O crítico Okky de Souza, da revista *Veja*, denunciava a "pior crise de comercialização vivida pelo samba desde que saiu do folclore para as paradas de sucesso em meados dos anos 1970" (cf. Fernandes, 2007: 249). Na gravadora Warner, em 1983, Paulinho da Viola se desencantava e desistia de nela prosseguir, pois a *major* não se interessava em investir no seu trabalho. "A onda agora era o rock – escreveu o jornalista Luiz Fernando Vianna – que as principais gravadoras, a Warner entre elas, viam como a mais nova maravilha musical, o rock feito por brasileiros passando a ser o 'rock brasileiro'. Ganhava até uma bizarra sigla: BRock" (cf. Vianna, 2002: 117). **Novidades e neoliberalismo** – A grande novidade desse momento é a popularização do *compact disc*, o CD, difundido nas formas de disco apenas gravável (CD-R) e também regravável (CD-RW). Essa evolução tecnológica, ao mesmo tempo que facilita a reprodução de cópias, enseja a copiagem não autorizada e até mesmo ilícita, o que vai gerar, durante a década, o advento da chamada "pirataria", de efeitos danosos sob todos os aspectos. Em 1986, com o Plano Cruzado, do governo José Sarney, a indústria fonográfica momentamente retoma o crescimento, mas logo o Brasil declara moratória sobre os juros da dívida externa, num atestado do insucesso do plano (Pilagallo, 2009: 93). Todavia, registra-se aí, entre 1985 e 1986, capitaneada pela gravadora RGE, do Sistema Globo, a explosão do pagode, "quando o congelamento de preços do Plano Cruzado teria possibilitado, segundo algumas interpretações, um episódico acesso do público de baixa renda aos discos das estrelas que surgiam a partir do *Raça brasileira*, da gravadora RGE" (Souza, 2003: 274). O sucesso de vendas do pagode se dá, também, por conta dos baixos orçamentos de suas produções. O formato violão, cavaquinho, banjo, pandeiro, surdo e repique veio substituir os verdadeiros exércitos de músicos, principalmente percussionistas, que participavam dos discos da Odeon, por exemplo. Isso ocorria num momento em que dois planos de combate à inflação não conseguiram segurar os preços e em que a liberdade de mercado e a restrição à intervenção estatal caracterizavam o governo do país. As fusões de empresas aconteciam sucessivamente, sem nenhum impedimento; tanto que, no campo da indústria fonográfica, as gravadoras acabavam por reduzir-se basicamente a cinco. Na sequência, durante o governo Collor (1990-1992), o barco do samba ficou à deriva. A música sertaneja de acento pop passava a ser a trilha sonora preferencial da indústria e do governo, o que levou, por exemplo, a gravadora Warner, depois de demissões em massa, a manter em sua estrutura apenas duas divisões artísticas, a pop e a sertaneja (Motta, 2000: 453). No vácuo, afirmavam-se comercialmente os grupos, principalmente paulistas, do chamado "pagode romântico", também de feição pretensamente pop, a partir de 1991. Ainda aqui, produções econômicas, em que os *samplers* e teclados conseguiam reproduzir o som de inúmeros instrumentos, viabilizavam o sucesso comercial. Seguindo de certa forma essa maré de romantismo, em 1995, na vigência do Plano Real, dos governos Itamar Franco e Fernando Henrique Cardoso, a gravadora Sony, com o CD *Tá delícia, tá gostoso*, de Martinho da Vila, vendia um milhão de cópias, e a Polygram revigorava a carreira de Zeca Pagodinho com *Samba pras moças*, de 1996. O momento acabaria também por revitalizar a mediana Indie, graças ao cantor e compositor Jorge Aragão (Vianna, 2012: 233). Em 1997, o Plano Real sofria sério revés e o governo dobrava os juros, para elevá-los ainda mais no ano seguinte, fato que repercutiria em praticamente todos os setores da economia brasileira (Pilagallo, 2009: 95-96). **O novo século** – No Brasil, o início do século XXI é marcado pela eleição do primeiro presidente da República de origem popular. Essa ascensão, entretanto, não traz maiores benefícios para o samba, em termos de execução e difusão pelos meios competentes. Segundo algumas interpretações, o padrão de consumo musical no Brasil, estabelecido ao tempo dos governos de Collor a Fernando Henrique e potencializado na Era Lula, não é o retrato das predileções da massa, mas sim o reflexo do gosto e das estratégias dos executivos das gravadoras multinacionais. Sob o pretexto de que as predileções do povo ditavam sua pauta de lançamentos, eles teriam criado seus *blockbusters*, produtos descartáveis para lucrar muito investindo o mínimo possível – nivelando, assim, por baixo o padrão musical da programação de rádios e tevês e reduzindo à miséria artística o outrora rico repertório nacional de consumo. Além disso, segundo essas interpretações, a própria música tida como de "bom gosto", que hoje é colocada no outro extremo da linha de oferta, só tem a propalada elegância quando se veste com o figurino pop global. **Paradas de sucesso** – O site Rádio UOL (http://www.radio.uol.com.br/#/playlists) parece fornecer uma mostra eloquente dessa situação. Segundo sua tabulação das obras mais tocadas nas rádios do Brasil em 2002 (ano da conquista do pentacampeonato mundial pelo futebol brasileiro e da homenagem à sambista Dona Ivone Lara pelo Prêmio Shell de Música), das treze obras mais executadas, nenhuma representava estilo de samba; em 2003, entre as nove campeãs de execução, aparecia uma interpretação do grupo de "pagode romântico" Só Pra Contrariar, cantando a versão de uma canção internacional. Em 2004, das quatorze músicas listadas, o samba comparecia com três: uma na voz da cantora Alcione, outra com o grupo Sorriso Maroto, de "pagode romântico", e outra mais com Zeca Pagodinho: "O penetra", de Zé Roberto (José Roberto Rangel Chapelen), um dos ótimos cronistas do novo samba. Em 2005, das treze músicas mais tocadas, nenhuma era samba; em 2006, entre quinze, aparecia uma gravada pelo grupo Jeito Moleque, de "pagode romântico". Em 2007, das dezessete apresentadas, aparecia uma com o "pagodeiro romântico" Belo e outra com o grupo Sorriso Maroto. Em 2008, no ranking das dezesseis músicas mais tocadas aparecia apenas um samba, gravação do Sorriso Maroto – grupo que em 2009, entre 59 sucessos, despontava juntamente com os grupos Revelação e Jeito Moleque. Fechando a década, em 2010, entre as 73 músicas mais executadas no Brasil, segundo o site mencionado, as únicas ocorrências no âmbito do samba ficavam por conta dos grupos Exaltasamba e Parangolé, este autodefinido como uma "banda de pagode da Bahia". Em 2010, as chamadas *majors*, as principais empresas da indústria fonográfica atuantes no Brasil, eram apenas Sony-BMG, EMI, Som Livre, Universal e Warner. Nesse momento, segundo relatórios produzidos pelo sistema autoral musical brasileiro, centralizado pelo Ecad, o samba era um dos gêneros ou estilos de música menos aquinhoados (falamos de direitos de execução pública, e não de cachês artísticos). Tomando por base aquele ano, no ranking de arrecadação de compositores, o mais bem-colocado do segmento samba ocupava apenas o 170º lugar, seguido por um na 182ª posição e outro mais na 208ª. Na distribuição relativa ao mês de agosto de 2013, entre os cem titulares mais bem-remunerados, em 16º lugar figurava um astro do pagode pop e só na 85ª posição figurava o mais bem-aquinhoado dos autores do samba naquele momento (http://www.ecad.org.br/pt/eu-faco-musica/Ranking). Na frente deles, vinham principalmente compositores do amplo espectro da música pop, a qual englobava até mesmo os estilos divulgados como "sertanejo", gospel e forró. Para entender esse descompasso, é preciso saber que a infraestrutura mercadológica de nossa música popular se assenta, até a época da produção deste texto, em grandes conglomerados de mídia, que controlam ou procuram controlar toda a cadeia de produção, da criação ao consumo. Nessa cadeia incluem-se desde gravadoras, editoras musicais e provedores de internet até redes nacionais de TV aberta e por assinatura, além de emissoras de rádio, jornais, revistas etc. Como resultante dessas gigantescas estruturas, desenvolvem-se estratégias objetivando associar cada segmento do mercado musical brasileiro a um estilo de vida e de consumo. Nesse tipo de associação, o mundo do samba, ainda majoritariamente afrodescendente, é quase sempre desqualificado como consumidor, o que é amplamente desmentido pelo *Relatório Anual das Desigualdades Raciais no Brasil* (2009-2010), publicado pelo Instituto de Economia da Universidade Federal do Rio de Janeiro (UFRJ). Essa desqualificação faz supor uma percepção deformada ou uma estratégia deliberada no sentido de negar as possibilidades mercadológicas do samba, inviabilizando investimentos no setor, em proveito de outras vertentes musicais vindas de fora e globalizadas. Na contramão, apostando no sucesso, um selo relativamente independente, o Música Fabril, do produtor Max Pierre, associado ao ZecaPagodiscos, de Zeca Pagodinho, conseguiu, em 2007, fazer com que o DVD *Cidade do Samba*, sequência de um série intitulada *Casa do Samba*, se tornasse o terceiro mais vendido no Brasil. **Gravadoras e selos** – Em 2010, como vimos linhas atrás, as chamadas *majors* da indústria fonográfica atuantes no Brasil eram cinco. Mas em 2013, depois de novas fusões, restavam os grupos Sony-EMI, Universal e Warner, além da Som Livre, pertencente às Organizações Globo. A origem da Sony-BMG remonta à instalação no Brasil, em 1960, da CBS, e à fusão da Sony, sua sucessora, com a BMG em 2007. A BMG, por seu turno, surgiu em 1987 como sucessora da RCA Victor, a mais antiga companhia fonográfica da América Latina. Já a EMI é herdeira remota da Odeon Records, a primeira gravadora brasileira. A Universal, por sua vez, tem sua origem remontando à Sociedade Interamericana de Representações (Sinter), fundada em 1945 e que deu origem à Companhia Brasileira de Discos (CBD), adquirida em 1958 pela Philips. Quanto à Warner, sua chegada ao Brasil data de 1976, quando a Som Livre já estava, havia cinco anos, desenvolvendo e comercializando trilhas sonoras das telenovelas da Rede Globo, primeiro passo no trabalho que desenvolve até hoje. No tocante à gravação e comercialização de samba de enredo, no âmbito das escolas cariocas do Grupo Especial, em 1986, a recém-criada Liesa rompia com a gravadora Top Tape e, mediante convênio com a RCA (renomeada como BMG e depois Sony-BMG), também responsável pela distribuição, criava seu próprio selo, intitulado Gravadora Escola de Samba, divulgado sob o acrônimo "Gravasamba". Assim, a remuneração de direitos de cada escola teria subido de 19 milhões para 600 milhões de cruzeiros (Auler, 1986: 54). Por ocasião do carnaval de 2014, a coluna "Negócios & Cia", do jornal *O Globo*, informava que o álbum com as gravações dos sambas de enredo das superescolas, com 620 mil cópias vendidas em 1969, tinha então a previsão de vender 120 mil CDs (Oliveira, 2014: 32). **Samba e música pop** – Originária da expressão anglo-americana *popular music* ("música popular") a denominação "música pop" (tipo de música de base anglo-saxônica, feita para consumo de massa, difundida em escala global), criada na década de 1960, cobre hoje um amplo espectro de gêneros musicais. Com raízes que vão do gospel ao soul, passando pelo folk anglo-irlandês e pelo country, esse tipo de criação musical é responsável pela redução de músicas outrora internacionalmente relevantes, como a francesa e a italiana, à condição de músicas limitadas ao seu âmbito nacional. No Brasil, desde a década de 1970 desenvolvem-se estratégias de inclusão do samba no universo pop, com algum sucesso. Daí o surgimento do estilo que preferimos classificar como "pagode pop", o qual, à época destes escritos, tinha como uma das mais bem-sucedidas expressões, em termos de consumo, o grupo carioca Sorriso Maroto. Em fins de 2013 o grupo ganhava a grande mídia por conta da gravação de um álbum em Nova York, com a participação do prestigiado ídolo pop Brian McKnight. **Reverências ambíguas** – Veja-se finalmente que algumas vezes a indústria fonográfica tem patrocinado lançamentos em que artistas de outros segmentos mais prestigiados, principalmente do rotulado como MPB, visitam o repertório do samba a pretexto de homenagem e reverência. Entretanto, em muitos desses casos, tais lançamentos resultaram em versões diluídas, principalmente do ponto de vista das estruturas rítmicas. Foi o caso, por exemplo, de recriações de três composições do sambista Monsueto e parceiros: "A fonte secou"; "Me deixa em paz"; e "Mora na filosofia", repetidamente regravadas a partir da década de 1970. Muitas vezes também, em sentido inverso, o samba é objeto de experimentalismos, como foi o caso do LP *Estudando o samba*, de 1976, em que o tropicalista Tom Zé propunha "mexer nas estruturas" do gênero, e que lhe valeu grande exposição de mídia na década de 2000. Esse também foi o caso do CD *Micróbio do samba*, da cantora e compositora Adriana Calcanhotto, lançado em 2011. Sobre ele, o material promocional informava: "Apesar do título, não estamos falando de um disco de samba. Não o samba tradicional, que estamos habituados a ouvir, com o ritmo frenético das grandes escolas de samba. É um disco leve, calmo, que tem melodias e letras deliciosas que vão surpreender os fãs de Adriana Calcanhotto." Em outras vertentes, também reverenciaram ou referiram o samba em seus trabalhos os seguintes intérpretes e grupos: Fernanda Porto (*Sambassim*, 2002); Max de Castro (*Samba raro*, 2001); Mundo Livre S/A (*Samba esquema noise*, 1994); Nação Zumbi (*Rádio S.amb.A.*, 2000), além de outros. Em 2014, era noticiado o lançamento internacional de um grupo de Brasília, autodefinido como "uma afronta aos dogmas da MPB e denominado Satanique Samba Trio" (Lichote, 2014a: 3). Ainda nesse ano, o cantor Gilberto Gil lançava o CD *Gilbertos Samba*, com músicas do repertório bossanovista e intimista de João Gilberto, utilizando sonoridades eletrônicas em algumas faixas. E, abrindo 2015, no dia 9 de janeiro, *O Globo* publicava a matéria "Um samba particular" sobre um novo disco em que o intérprete, Bruno Capinan, um compositor baiano radicado no Canadá, declara: "Me aproprio do samba sem ser sambista. O samba é meu *ready-made* [expressão que refere algo que já vem pronto]." *Ver* CRISES; DIREITO AUTORAL; INDÚSTRIA CULTURAL; SOCIEDADE DE CONSUMO.

INSTRUMENTOS IMPROVISADOS. Na execução informal do samba, muitas vezes, objetos e utensílios os mais diversos são utilizados na percussão. Alguns deles, pela sonoridade, foram e continuam sendo usados até mesmo em gravações industriais, como chapéu de palha, prato e faca, caixa de fósforos (depois substituída nos estúdios por caixinhas metálicas, como as das antigas agulhas de vitrolas e toca-discos), garrafa, copo etc. Na década de 1950, surgiram nas escolas as frigideiras de tamanho pequeno, que funcionavam como tamborins de timbre mais agudo; no ambiente radiofônico, o paulista

Germano Mathias cantava fazendo-se acompanhar por uma latinha de graxa, batucada com uma fina haste metálica. *Ver* REPRESSÃO.

INSTRUMENTOS MUSICAIS. A composição instrumental característica dos conjuntos musicais das escolas de samba foi institucionalizada em 1946, conforme exposto no verbete *entidades de representação*. Entretanto, a proibição de instrumentos de sopro, para distinguir o som das escolas daquele que identificava os ranchos carnavalescos, já vinha no regulamento do desfile de 1935. *Ver* BATERIA; CARTA DO SAMBA; IDENTIDADE.

INTERNACIONALIZAÇÃO. Vocábulo que, em relação a uma expressão cultural, designa o ato ou efeito de sua difusão por várias nações; sua universalização. Com relação ao samba, a despeito de êxitos ocasionais, como a popularização de "Aquarela do Brasil", de Ary Barroso, por exemplo, o repertório do gênero não se beneficia de execuções públicas massivas fora do território brasileiro. **A bossa nova** – No livro *O samba agora vai: a farsa da música popular no exterior*, José Ramos Tinhorão historia a "sucessão de equívocos" que estaria contida nas tentativas de colocação da música brasileira no mercado internacional da música popular e sua comercialização. Na avaliação do autor, a universalidade expressa na bossa nova teria sido uma ilusão. Contrariando, de certa forma, essa avaliação, constata-se, à época da finalização do presente livro, a grande difusão desse subgênero no exterior, inclusive pela presença em trilhas sonoras de realizações hollywoodianas. Entretanto, esse sucesso tem como contrapartida a absorção da bossa nova pelo universo do jazz, o que se comprova, por exemplo, nas playlists dos canais de áudio da tevê paga. Nessas listas, interpretações de Tom Jobim e outros artistas do estilo são executadas não no canal pertinente, nem no da chamada MPB, muito menos naquele dedicado ao samba: elas são disponibilizadas no canal destinado ao jazz. **O exemplo cubano** – O pequeno êxito da música brasileira em suas tentativas de internacionalização talvez possa ser explicado por comparação com o sucesso da música cubana a partir dos Estados Unidos. Desde a década de 1940, desenvolveu-se em Nova York, em torno da bailarina, coreógrafa, antropóloga e sacerdotisa Katherine Dunham (1909-2006), um núcleo musical fundamentado na herança africana. Nele, destacaram-se os percussionistas Julito Collazo e Francisco Aguabella, além do guitarrista Arsenio Rodriguez, iniciados ou simpatizantes da religião lucumí ou santería. Pela força desse núcleo, músicos cubanos como Mario Bauzá, Frank "Machito" Grillo, Mongo Santamaria e outros incorporaram elementos da música ritual lucumí ao jazz. E o fenômeno ganhou legitimidade e expansão quando o trompetista Dizzy Gillespie integrou à sua orquestra o percussionista Chano Pozo, misto de virtuose e músico ritualista. Estava, assim, a música cubana amalgamada à música estadunidense com sua faceta mais africana, inclusive dando nascimento a uma vertente conhecida como african-jazz ou cubop, o "bebop cubano" (Capone, 2011: 89-90). Enquanto isso, a música popular brasileira trilhava cada vez mais cegamente o caminho da desafricanização. **Escolas de samba** – No âmbito do espetáculo, registre-se o fenômeno da adoção, em diversas partes do mundo, a partir da década de 1980, da instituição Escola de Samba, com reproduções menos ou mais fiéis ao modelo carioca. *Ver* GLOBALIZAÇÃO.

INTERNET. Rede mundial de computadores que, interligados, compartilham informações contidas em arquivos de textos, sons e imagens digitalizados, bem como correspondências, notícias etc. (Barbosa e Rabaça, 2001: 395). Popularizada no Brasil em meados dos anos 2000, a internet tornou-se importante instrumento de divulgação do samba, em sites especializados em notícias, discussões e pesquisas; e também em distribuição digital de obras. Um dos primeiros sites criados sobre o gênero foi o Agenda do Samba & Choro (http://www.samba-choro.com.br), inaugurado no final de 1996. Desde a década de 2000, a comercialização de música digital, via internet e telefonia celular, vem experimentando acentuado crescimento, o que inevitavelmente beneficia o samba.

JABÁ. Contrapartida, geralmente financeira, exigida ou aceita por programadores radiofônicos em troca da inclusão de determinada música em sua programação, com a consequente geração de direitos autorais de execução pública. O jabá, em alguns casos, pode consistir também na inclusão do radialista como parceiro da composição. A prática delituosa, assinalada no ambiente do rádio até os dias atuais, segundo a crônica do meio, teria feito muitas vítimas no mundo do samba.

JAMBETE. Termo jocoso, de intenção levemente pejorativa, surgido na década de 1950, no ambiente dos shows de boate, para designar cada uma das jovens coristas "cor de jambo". *Ver* MULATA-SHOW.

JINGLE. Mensagem publicitária cantada; canção curta, de fácil assimilação e retenção na memória. À época da produção desta obra, na esfera das peças de propaganda e publicidade produzidas no Brasil, o samba é associado apenas a produtos de consumo popular ou das classes mais baixas, como as cervejas industrializadas. Tal fato certamente reflete a percepção dos executivos das agências, os quais, em geral, têm sobre o samba uma visão preconceituosa e estereotipada. Nas campanhas eleitorais, entretanto, os jingles em forma de samba quase sempre aparecem em maioria, pela necessidade de atingir massas de eleitorado. Observe-se aí que, segundo o cientista político João Feres Junior, em artigo publicado em julho de 2012, "a pobreza no Rio de Janeiro tem cor" ("Igualdade racial na política do Rio", *O Globo*, 27/7/2012).

Assim, quando escolhem o samba como trilha de campanha publicitária, os profissionais da propaganda parecem estar sempre mirando em negros e pobres, provavelmente na pressuposição de que o raio de alcance do samba se restrinja aos ambientes por eles majoritariamente frequentados. *Ver* RELAÇÕES ETNORRACIAIS.

JOGO DO BICHO. Criado como inocente diversão popular ainda na época imperial, o jogo do bicho, depois de sucessivas campanhas por sua proibição, foi tipificado, em 1946, como contravenção penal. Na ilegalidade, em determinado momento, alguns dos seus exploradores adotaram a estratégia de patrocinar atividades de interesse popular, como o futebol e o samba, que lhes suavizavam a imagem pública. Foi o caso dos banqueiros Aniceto Moscoso e Eusébio de Andrade, patronos respectivamente do Madureira Atlético Clube e do Bangu Atlético Clube, conforme destacado em passagem do romance *Agosto*, de Rubem Fonseca (1990: 123). Francisco Duarte, em reportagem sobre a região da Praça Onze, assinala a presença, em 1917, “de um bicheiro, Seu Artur, que já naquele tempo auxiliava os blocos e ranchos no carnaval e que tinha ponto fixo num bar no número 55 da rua de Santana” (cf. Duarte, 1968: 4-5). Parece certo, porém, que foi com Natal da Portela (1905-1975) que o jogo do bicho começou efetivamente a participar dos destinos das escolas de samba. Sua carreira como bicheiro teve início em 1928, como empregado de certo Capitão Amorim. Mais tarde, na condição de agente ou gerente, Natal tomou conta de vários pontos de aposta. Ascendeu depois ao posto de banqueiro, fundando a firma Haia com alguns sócios (Araújo e Jório, 1975: 60-61), no final da década de 1940. Segundo algumas fontes, Natal começou a dar suporte financeiro à Portela na década de 1950. Outras importantes escolas de samba que em algum momento tiveram ou têm como mecenas ou financiadores personalidades ligadas ao jogo do bicho são o Salgueiro, a Beija-Flor, a Mangueira, a Imperatriz, a Mocidade, a Vila Isabel, entre outras. A Mangueira, entretanto, ao que consta, parece ter recebido apoios mais significativos de empresários convencionais, em geral simpatizantes de suas cores. Em edição de 27 de fevereiro de 1980, a revista

Veja trazia a reportagem de capa "Samba de uma nota só" (p. 56-62), em que focalizava o resultado do desfile das escolas. No box da matéria, sob o título "Quem não gosta de samba, bom bicheiro não é", a publicação estampava breves notas biográficas sobre os sete contraventores que controlavam as principais agremiações. Antes disso, sintomaticamente, no carnaval de 1976, de certa forma explicitando a relação entre o "bicho" e as escolas de samba, a Beija-Flor apresentava o enredo "Sonhar com rei dá leão". Sete anos depois, segundo o jornalista Roberto M. Moura, o governador carioca Leonel Brizola "tornava pública sua tolerância para com o jogo do bicho e seu reconhecimento ao desempenho dos 'patronos' à frente das escolas" (cf. Moura, 1986: 77). Em 2012, entretanto, comissão de juristas que estudava a reforma do Código Penal brasileiro discutia a mudança da tipificação do jogo do bicho de contravenção penal para crime, com pena prevista de um a dois anos de prisão. Na sequência dessa discussão, reportagem da revista carioca *Época* intitulada "As notas falsas do carnaval" (edição nº 756, de 12/11/2012) acusava bicheiros de lavar dinheiro da contravenção e desviar verbas públicas a partir do controle das escolas de samba. *Ver* ENTIDADES DE REPRESENTAÇÃO DAS ESCOLAS DE SAMBA; VIOLÊNCIA.

LAPA. Pequeno bairro do Centro da cidade do Rio de Janeiro, limitado por trechos das ruas Senador Dantas, Conde de Lages, do Riachuelo, dos Inválidos e da Ladeira de Santa Teresa. Até 2012 era uma região que não configurava oficialmente um bairro, por não ter seus limites precisamente estabelecidos, o que finalmente ocorreu naquele ano. Celebrizada como o berço da boemia carioca, do ponto de vista histórico as ligações da Lapa com o samba talvez não consistissem em laços estreitos, sendo, de certa forma, simbólicas. E isso porque, à época em que o gênero surgia e se consolidava, a fama do lugar se construía basicamente em torno de cabarés, cafés-cantantes e prostíbulos onde o samba não era a trilha sonora desejável. Entretanto, a presença de sambistas que personificavam a figura do malandro, como foi o caso do célebre compositor Geraldo Pereira (1918-1955) nas décadas de 1940-1950, certamente contribuiu para mitificar o atual bairro como "berço do samba". **O samba da Lapa** – Na década de 1990, em virtude da popularidade do Circo Voador – casa de espetáculos especializada em shows de rock que atraía multidões à Lapa –, surgiram, nas proximidades, os primeiros botequins com samba. Neles, atuavam artistas e grupos emergentes, como Teresa Cristina e o Grupo Semente; Nilze Carvalho e o Sururu na Roda; Luciane Menezes e o Dobrando a Esquina; Eduardo Gallotti e os Anjos da Lua; Ana Costa; além de talentos veteranos, como Áurea Martins e Paulo Marquês, por exemplo. Muitos grupos se preocupavam em reproduzir fielmente as interpretações fixadas nas gravações dos sambas, em geral do período de 1930 a 1950. Esse rigor, aos poucos, foi flexibilizado, fazendo com que grupos e intérpretes deixassem aparecer mais as suas identidades. Segundo observação do músico Ruy Quaresma (comunicação por e-mail, em 19/5/2007), tratava-se de um samba "limpinho", sem os cacoetes de interpretação e harmonização característicos do samba "de morro"; e com ele se procurava preservar o repertório clássico do gênero, sem concessão às vertentes mais modernas, inclusive à do pagode de fundo de quintal. Nascia, assim, o movimento do samba de raiz, na vertente aleatoriamente popularizada como samba da Lapa.

LENÇOL. No ambiente das escolas, designação do samba de enredo muito descritivo e extenso, como, por exemplo, "61 anos de República" (Império Serrano, 1951), com 35 versos; e "História da liberdade no Brasil" (Salgueiro, 1967), com 49. Esses dois sambas exemplares são de extremo didatismo, pela enumeração exaustiva de nomes e datas históricas relacionados aos respectivos enredos. O primeiro menciona nominalmente, em ordem cronológica, os oito primeiros presidentes da República brasileira e, depois, em destaque, Getúlio Vargas. *Ver* FONTE HISTÓRICA.

LESGA. *Ver* LIERJ.

LIERJ. Sigla que identifica a Liga das Escolas de Samba do Rio de Janeiro. Criada ao tempo da elaboração deste dicionário, a entidade organiza os desfiles do Grupo de Acesso do carnaval carioca, substituindo a antiga Lesga. *Ver* ENTIDADES DE REPRESENTAÇÃO DAS ESCOLAS DE SAMBA.

LIESA. Sigla para a Liga Independente das Escolas de Samba do Rio de Janeiro, principal entre as entidades de representação das escolas de samba cariocas.

LINGUAJAR. A gíria, como linguagem informal rica e criativa usada por grupos sociais com características peculiares, sempre foi um dos distintivos das comunidades do samba. Tempos atrás, quando o morro configurava efetivamente uma espécie de gueto cultural, seus habitantes, notadamente os sambistas, expressavam-se por meio de um linguajar fechado, exclusivo, com gírias de circulação interna, o que na atualidade não ocorre com tanta força, pela expansão da comunicação de massas. Tal fenômeno motivou inclusive a criação de sambas com letras recheadas de exemplares dessa linguagem. Nesse grupo, destacou-se o compositor Osvaldo Vitalino de Oliveira, o Padeirinho (1927-87), principalmente nos sambas "Deixa de moda", "Mora no assunto" (em parceria com Joaquim dos Santos) e "Linguagem do morro" (com Ferreira dos Santos). Além desses, notável também é "Linguajar do morro", de Noca da Portela e Zé da Cruz, gravado por este.

LÍRICA DO SAMBA. O substantivo "lírica" designa o conjunto da produção de um poeta no gênero lírico, *i.e.*, de poemas feitos para serem cantados ao som da lira. Em sentido lato, a lírica é o conjunto das letras de canções de um poeta, de um coletivo deles ou de uma "escola" ou estilo. Nesse sentido, não hesitamos em apontar a existência de uma lírica do samba. **Noel Rosa** – Segundo seu biógrafo João Máximo, o compositor Noel Rosa (1910-1937) foi, conscientemente, um dos principais responsáveis pela criação de um novo tipo de letra de música popular, simples e despojada do academismo a que os intelectuais brasileiros viveram, por muitos anos, escravizados. Parceiro de importantes criadores do mundo do samba, como Ismael Silva (com quem compôs dezessete sambas, além de uma marcha), Cartola, Bide, Gradim, Canuto, Antenor Gargalhada e outros, incumbia-se geralmente de desenvolver, nas segundas partes das composições, os temas por eles criados. Assim, acrescentava às obras a qualidade de sua lírica, aprendendo com os sambistas a essência melódica e harmônica de um estilo que viria a ter herdeiros por todas as gerações futuras (Máximo, 2004: 38). Segundo Ary Barroso, conforme citado por João Máximo, Noel Rosa "criou uma escola de poesia para o samba" (p. 37).

LITERATURA. As primeiras referências ao samba na literatura brasileira dizem respeito, evidentemente, ao samba de umbigada, dançado em roda, nos diversos ambientes, principalmente rurais, em que ele ocorreu desde pelo menos o século XIX. Quanto ao samba urbano carioca, o primeiro registro importante talvez seja o do conto "A morte da porta-estandarte", de Aníbal Machado, escrito em meados da década de 1930, publicado em março de 1941 na *Revista do Brasil* e lançado em livro em 1944, como um dos contos de *Vida feliz*. Nele, há menções expressas ao desfile das escolas e à Mangueira. **O samba na ficção** – Na obra *A música popular no romance brasileiro*, J. R. Tinhorão, entre outras abordagens, repertoria citações de letras de samba em criações de autores brasileiros na vertente ficcional anunciada no título. E faz críticas absolutamente pertinentes, como à mencionada interpretação de sambas industrializados, do meio radiofônico, por componentes de escolas, inclusive em desfiles, o que sempre constituiu um tabu. Do repertório levantado pelo autor, destacamos as citações seguintes (Tinhorão, 2002: 220-355): em *Eurídice*, de José Lins do Rego (1947), há menção a "Jura" (Sinhô), "Gosto que me enrosco" (Sinhô), "As lágrimas rolavam" (Germano Augusto, Kid Pepe e Guará) e "Último desejo" (Noel Rosa). Em *O ventre*, Carlos Heitor Cony (1958) se refere a "Vergonha" (Roberto Martins e Jair Amorim). "Se acaso você chegasse" (Lupicínio Rodrigues e Felisberto Martins) é citada em *Tijolo de segurança*, também de Cony (1960); "Morro da Mangueira" ou "Eu fui a um samba lá no morro de Mangueira" (Manuel Dias) aparece em *Meu pé de laranja lima*, de José Mauro de Vasconcelos (1968); "Lata d'água" (Luiz Antônio e Jota Júnior) em *Barraco*, de Salles Netto (1957). "Quem vem atrás fecha a porta" (Caninha) é mencionada em *A noite no espelho*, de Heitor Marçal (1961). Em *Raiz amarga*, de Silvio Castro (1965), fala-se de "Batuque no morro" (Russo do Pandeiro e Sá Roriz), "Onde estão os tamborins" (Pedro Caetano), "É com esse que eu vou" (Pedro Caetano) e "Barracão" (Luiz Antônio e Oldemar Magalhães). Há ainda menção a "Se acaso você chegasse" em *Copacabana*, de Antônio Olinto (1975). Vale observar que em *João Ternura*, de 1965, o já citado Aníbal Machado constrói uma narrativa a partir da letra de "Coitado do Edgard", samba de Haroldo Lobo e Benedito Lacerda, que também é citado, segundo Tinhorão (2002: 350-2) no romance *O morro da paz*, de José Roberto Teixeira Leite (1951). Nesse texto, a fictícia Escola de Samba Unidos da Paz canta a canção de Haroldo e Benedito no desfile, o que é obviamente criticado pelo respeitado pesquisador. Mencionemos, ainda, a partir da importante fonte, as seguintes obras: *Uma sombra que desce*, de Cruz Cordeiro, lançado em 1939, uma ficção em torno da vida musical dos morros cariocas; *Desabrigo*, de 1945, em que Antônio Fraga inclui o personagem Cobrinha, compositor do morro de São Carlos, no Estácio, que tem um samba roubado no legendário Café Nice e, sob outra autoria, a música faz sucesso no carnaval. **Outra abordagem** – Em *A música popular no romance brasileiro*, J. R. Tinhorão expõe também romances em que a escola de samba não é apenas ocorrência eventual na história contada e, sim, o tema central do próprio romance (Tinhorão, 2002: 355). Nessa vertente situam-se, por exemplo: *Amanhã sem madrugada*, de Maio Miranda (1967); *Samba-enredo*, de Renato Pompeu (1982); *Mangueira, estação primeira*, de Paulo Henrique Barbará (1972); *O samba dos vagalumes*, de Rodolfo Motta Rezende (1990); e o já citado *O morro da paz*. **Marques Rebelo** – Entre os escritores mais amplamente reconhecidos, o carioca Marques Rebelo (1907-1973) foi talvez o que mais abordou o samba em sua obra, citando tanto fragmentos de letras quanto ocorrências e eventos, no carnaval das ruas e no ambiente radiofônico. Em seu primeiro romance, *Marafa*, de 1935, ambientado nos bairros de Tijuca e Vila Isabel, é citado o trecho inicial de "Fita amarela", de Noel Rosa (Rebelo, 2002 A: 52) e referido um desfile de escolas que se "digladiavam ao som morto dos tamborins" (p. 58). Em *A mudança* (2012 B: 11), Rebelo relaciona 27 escolas de samba desfilantes na abertura da Exposição do Estado Novo, em 1º de janeiro de 1939. No conto "Caprichosos da Tijuca", da coletânea *Stela me abriu a porta*, o escritor inclui um episódio, talvez por ele vivenciado, em que o narrador, depois de instado a colaborar com o livro de ouro, comparece a um ensaio da agremiação que intitula a peça, a qual é mencionada como um "rancho"; mas tem tamborins e cuícas no seu conjunto musical (Rebelo, 2002 b: 226-31). Em A *Guerra está em nós*, evocando o carnaval de 1942, são citados trechos dos sambas "Praça Onze", de Herivelto Martins e Grande Otelo; e "Amélia", de Ataulfo Alves e Mário Lago (2002 a: 48-9). Na mesma obra, personagens cantam, em outras situações, "Tua sina", de autoria atribuída a Bernardo Mãozinha, do Estácio (Tinhorão, 2000 b: 245-6), e "Fui louco", de Bide e Noel Rosa (*ibid.*, 247-8). Ressalte-se, ainda sobre Marques Rebelo, que seu romance *A estrela sobe*, de 1939, desenvolve-se em torno do meio radiofônico da época, sendo, por isso, pródigo em referências ao samba e a sambistas. **Rubem Fonseca** – Entre os maiores e mais celebrados escritores brasileiros, talvez nenhum tenha demonstrado maior conhecimento do universo das escolas de samba do que Rubem Fonseca. Para que se tenha ideia de sua admiração e seu interesse, é possível notar, na novela autobiográfica *José*, publicada em 2011, as oito páginas e meia que ele dedica à bateria, seu grupamento predileto. Identificando personagens reais, como Mestre Waldemiro da Mangueira, "com seu perfil enrugado de falcão e seu andar manco de albatroz baudelairiano redimido", ou Dilson Carregal [o nome remete a Wilson Canegal, conhecido percussionista], substituto de Mestre André (1931-1981), que "baleado na perna dirigia seus ritmistas de uma cadeira de rodas" e que "só deixaria de estar ali, fazendo aquilo que queria e sabia, se estivesse morto". Alternando emocionados e emocionantes relatos de ocorrências principalmente dramáticas em desfiles a que assistiu desde a década de 1940, com formulações teóricas sobre técnicas e desempenho das baterias, Fonseca pontifica. E, além de ressaltar a importância social do carnaval das agremiações do samba, serve-se de sua altíssima literatura para destacá-lo, nessa obra, como um importante fenômeno cultural (cf. Fonseca, 2011: 84-92). **Século XXI** – Após 2002, dentre os escritores que fizeram do ambiente do samba a matéria-prima de sua produção literária, vale citar Nei Lopes, que em obras ficcionais como *Vinte contos e uns trocados*, de 2006; *Mandingas da mulata velha na Cidade Nova*, 2009; *Esta árvore dourada que supomos*, 2011; *A lua triste descamba*, 2012; e *Rio Negro*, 50, 2015 trouxe para o livro muito de sua vivência dentro do mundo do samba desde a juventude. Em 2012, Paulo Lins, autor do best-seller *Cidade de Deus*, lançava *Desde que o samba é samba*, ficção sobre o nascimento do samba urbano. Antes, em 2006, Marcelo Moutinho, jornalista ligado ao Império Serrano, tangenciava o tema no conto "Desfile" (Moutinho, 2006: 43-49). **A literatura nos desfiles** – Por força de regulamentos que visavam a disciplinar os desfiles, as escolas de samba eram obrigadas a apresentar em seus cortejos, desde os anos 1940, temas com motivos nacionalistas. Dentro dessa perspectiva, as agremiações começaram a adotar enredos que, em geral, versavam sobre episódios e heróis da história oficial brasileira e a exuberante natureza do país. Outra vertente dessa perspectiva nacionalista se transformou em um prato cheio para as agremiações se apresentarem no carnaval: a literatura brasileira, incluindo aí escritores e suas obras. Os exemplos são numerosos e mostram como o carnaval carioca – predominantemente popular em suas origens e marcado pela perspectiva da oralidade – enxergou e transformou em matéria de samba a manifestação por excelência da cultura escrita, a literatura. Do indianismo de Gonçalves Dias (enredo da Mangueira em 1952, com belíssimo samba de Cícero e Pelado) e José de Alencar (enredo da Paraíso do Tuiuti em 1970, além de ter vários de seus romances cantados nas avenidas) ao modernismo de Ascenso Ferreira ("Oropa, França e Bahia" foi o tema da Imperatriz Leopoldinense em 1970), é possível passear pela história das letras no Brasil ao som dos sambas de enredo. É curioso saber, por exemplo, que viraram sambas obras como *Invenção de Orfeu* (o quase impenetrável poema de Jorge de Lima, poeta que fora enredo da Mangueira em 1975, resultou no belo samba de Paulo Brasão, baluarte da Unidos de Vila Isabel, em 1976); *Os sertões* (Edeor de Paula, da Em Cima da Hora, sintetizou em poucos versos o calhamaço de quinhentas páginas de Euclides da Cunha e fez um dos maiores sambas de enredo de todos os tempos); *O manuscrito holandês* (a peleja entre o caboclo Mitavaí e o monstro Macobeba, de M. Cavalcanti Proença, embalou a Unidos da Tijuca em 1981); *Memórias de um sargento de milícias*, em 1966 (único samba de enredo vitorioso de Paulinho da Viola para a Portela, que em dezenas de versos contava as peraltices de Leonardo Pataca nos tempos do Rei); e *Macunaíma* (David Correia e Norival Reis; Portela, 1975). Em 1989, o Império Serrano – que em seu primeiro carnaval, o de 1948, homenageou Castro Alves – apresentou também o enredo "Jorge Amado, axé Brasil". O samba, de autoria de Beto Sem Braço, Aluísio Machado, Bicalho e Arlindo Cruz, descreve uma grande celebração ocorrida na tenda dos milagres, em que os personagens do baiano se encontram para uma festança. Anos depois, o mesmo Império Serrano conseguiu levar Ariano Suassuna para a Marquês de Sapucaí, devidamente consagrado pelas arquibancadas da praça da Apoteose como o legítimo Imperador da Pedra do Reino, no desfile de 2002. Mesma sorte não teve a Mangueira, que em 1987 homenageou Carlos Drummond de Andrade, ganhou o carnaval, mas não conseguiu de forma alguma arrastar para a folia o poeta de Itabira – já adoentado e pouco afeito ao surdo sem resposta da Estação Primeira. A Vila Isabel, que em 1980 transformou o poema de Drummond "Sonho de um sonho" em enredo, com belo samba de Martinho da Vila, já não havia conseguido tirar o mineiro da reclusão em Copacabana. O mesmo Martinho da Vila, em 1959, havia composto para a Aprendizes da Boca do Mato um samba sobre a vida e a obra de Machado de Assis. Há, evidentemente, casos pitorescos. Em 1982 um repórter que cobria os desfiles para uma rádio perguntou a um diretor da Unidos da Tijuca se o escritor homenageado desfilaria na escola em algum carro alegórico. O enredo da agremiação tijucana era Lima Barreto, falecido em 1922. No momento deste texto, com a onda dos enredos patrocinados, a presença de obras literárias nos desfiles é cada vez mais rara. Exceções confirmam a regra, como no caso da Mocidade Independente de Padre Miguel, que em 2009 homenageou Machado de Assis e Guimarães Rosa; da Imperatriz Leopoldinense, que cantou em 2011 o centenário de Jorge Amado; e da União da Ilha do Governador, que falou em 2013 do poeta e compositor Vinicius de Moraes. No final daquele ano era publicado, em edição do autor, o livro *Toda família sambista*. Por meio de uma ágil trama ficcional, o sambista Haroldo César, gari da Companhia Municipal de Limpeza Urbana do Rio de Janeiro (Comlurb) e membro da ala de compositores da G.R.E.S. Acadêmicos do Engenho da Rainha, aborda o movimentado cotidiano de uma comunidade do samba. *Ver* ENREDO; ORFEU DA CONCEIÇÃO.

LIVRO DE OURO. *Ver* SUBVENÇÃO.

LUNDU. Antigo gênero brasileiro de música e dança. Nas origens, era dança de par solto, cuja coreografia apresentava certas características de danças ibéricas, com alteamento dos braços e estalar de dedos, acompanhadas da umbigada típica das danças dos bantos angolanos. Mais tarde, surgiu o lundu-canção, velocidade inicial de vários outros gêneros, como a chula, o tango brasileiro e, mesmo, em certo aspecto, o samba. Migrando do Brasil para Portugal no século XVIII, cantado sob a forma de lundu chorado (mais lento e dengoso), ao som de violas como a de Domingos Caldas Barbosa, acabou por originar o fado-canção português. **Lundu baiano** – Até pelo menos a segunda década do século XX, na Bahia, os termos "lundu" e "samba" eram usados quase como sinônimos, sendo o primeiro referente à dança e o segundo, à brincadeira como um todo, na qual canto e dança interagiam. Dessa forma, lê-se em Querino (1955: 199): "Isso prova que o lundu tem seus atrativos. Antes que alguém saísse na roda entravam quadrinhas [...]. Ocasiões havia em que mais de um samba se presenciava. Assim era que as pessoas mais recatadas não dançavam aos olhos de todos; formavam um samba à parte sendo as chulas mais discretas." Em algumas comunidades rurais brasileiras, notadamente na Bahia, o lundu sobrevive como uma forma de samba solto ou batucada, cantado com o acompanhamento de viola e pandeiro e dançado individualmente, com passos bastante elaborados. Também chamado de "enfusado", expressa-se como uma espécie de desafio coreográfico, no qual cada dançarino, substituindo outro, procura superá-lo. A principal característica da dança é o movimento de vaivém dos pés, em que os calcanhares se batem. O nome deriva, provavelmente, do gentílico "lundo", lundês, da região da Lunda. No quicongo, Lundu é definido como "nome de um país, próximo a Kingoyi" (cf. Laman, 1936: 436).

MACHISMO. Comportamento tendente a negar à mulher; prerrogativas tidas como inerentes ao sexo masculino. No ambiente de origem do samba, as relações entre os gêneros reproduziram, quase sempre, comportamentos predominantes na sociedade patriarcal, notadamente o machismo. Sob outro aspecto, algumas observações levam a constatar a existência de um vasto repertório de sambas que traduzem esse fenômeno social; embora as letras, refletindo a época em que foram criadas, não necessariamente expressem a opinião dos autores: muitas vezes são crônicas de fatos observados. Em Ramos (2008: 417) são listados, entre outros, "Ai! Que saudades da Amélia" (Ataulfo Alves e Mário Lago); "Amor de malandro" (Ismael Silva e Francisco Alves); "Emília" (Wilson Batista e Haroldo Lobo); "Mulher indigesta" (Noel Rosa); "Responsabilidade" (Paulinho da Viola); "Eu não fui convidado" (Zé Luiz e Nei Lopes) etc. A essa lista, acrescentamos "1296 mulheres", de Moreira da Silva em parceria com o comediante Zé Trindade ("Eu consigo todo mês/ Três mulheres conquistar/ Três mulheres todo mês/ Por ano são trinta e seis/ Trinta e seis é a minha idade/ Vamos multiplicar:/ Trinta e seis vezes trinta e seis/ Mil e duzentas e noventa e seis."); e "Anúncio", de Bené Machado, gravado em 1959 por Jorge Veiga, que reproduz um malicioso anúncio de emprego, dizendo: "Precisa-se de uma cozinheira/ Que saiba cozinhar com perfeição/ Que tenha o gênio de mulher perfeita/ E o corpo em forma de violão/ Que seja carinhosa e boazinha/ Pra nas horas vagas/ Fazer carinho ao patrão." Mais ainda, "Oito mulheres", gravado pelo cantor Blecaute em 1949 e de autoria de José Batista: "Pode falar, meu bem/ Pode chorar se quiser/ Mas o homem não pode/ Viver somente com uma mulher/ [...] Uma é pra dentro de casa/ Outra, pro meio da rua/ Uma é pra dia de sol/ Outra pra noite de lua/ Uma é para o pensamento/ outra é para o coração/ Uma é mulher de verdade/ A outra é a inspiração."

MACHUCADINHO. Na dança do samba de roda e do samba tradicional carioca, variante sapateada do miudinho.

MALANDRAGEM. Uma das várias acepções da palavra "malandro" (do italiano *malandrino*) é a de indivíduo astuto e matreiro. Foi essa apregoada esperteza que plasmou, principalmente na cidade do Rio de Janeiro, a partir da década de 1920, um dos estereótipos do negro sambista subempregado ou desempregado, situado entre a marginalidade artística e a perspectiva de integração social – malandragem também é sinônimo de vagabundagem, vadiagem, vida marginal. Atitude e rótulo, a "malandragem" romântica, glamourizada, é explícita na obra de compositores e intérpretes como Geraldo Pereira (1918-1955), Heitor dos Prazeres, Ismael Silva, Jorge Veiga, Moreira da Silva, Wilson Batista (1913-1968) etc. Segundo Câmara Cascudo, a origem da figura do malandro estaria nos filhos dos escravos urbanos alforriados, os quais, rejeitando o trabalho formal, com horários rígidos e obrigações definidas, procuravam representar, finda a ordem escravista, o papel do dominador branco e perpetuar um dos axiomas daquela ordem: "Branco não trabalha, manda o preto" (Cascudo, 1965: 171). Segundo Franceschi (2010: 48-49), o fator de diferença entre o malandro do Estácio, protótipo do sambista, e o de outras partes da cidade era a proximidade com a zona do mangue, então sede do meretrício organizado, onde alguns bambas tinham mulheres. A "malandragem" dos primeiros compositores do samba foi também fruto da precariedade de suas relações com o nascente mercado da música: por necessidades mais imediatas, em vez de autorizarem a utilização econômica de suas obras por meio de contratos de edição, eles em geral as vendiam. Assim, num contexto em que os poderes públicos procuravam modernizar as relações sociais no país, preferiu-se a normalidade jurídica a essa informalidade marginal, daí a prevalência dos sambistas burgueses sobre os sambistas "malandros" (Morelli, 2000: 164). No início do século XXI, a "malandragem", em termos musicais, sobrevive apenas como atitude estética e cultural (Lopes, 2011: 422). A figura do sambista "malandro" das décadas de 1920-1930, de chapéu "palheta", camisa listrada e calça branca, acabou por se tornar uma espécie de traje típico do homem carioca, como contraparte masculina do traje estilizado de baiana. *Ver* BAMBA; DIREITO AUTORAL; RELAÇÕES ETNORRACIAIS.

MANGUEIRA, morro da. Localidade na zona norte carioca, entre os bairros de São Cristóvão, Vila Isabel e Maracanã. Sua denominação oficial é morro do Telégrafo, mas a denominação "Mangueira" surgiu com a estação ferroviária da Estrada de Ferro Melhoramentos do Brasil, inaugurada em 1893. A estação foi assim chamada por extensão, pois era o nome de uma antiga fábrica de chapéus. **A comunidade** – A ocupação do morro do Telégrafo parece ter seguido o mesmo padrão daquela ocorrida em outros antigos morros cariocas. Acentua-se durante a reforma urbana do prefeito Pereira Passos, na primeira década do século XX; e, no caso específico da Mangueira, com a demolição de casas de cômodos nas vizinhanças da Quinta da Boa Vista (Goldwasser, 1975: 33, rodapé), e a chegada, na década de 1920, de uma leva de migrantes proveniente do morro de Santo Antônio, no Centro da cidade, onde ocorrera um grande incêndio. Formam-se aí os cordões e blocos carnavalescos que acabam por se aglutinar no Bloco dos Arengueiros – fundado por Cartola, Carlos Cachaça, Saturnino Gonçalves e outros –, do qual a primeira escola de samba foi uma espécie de prolongamento. **As duas escolas** – Um dos principais redutos formadores do samba carioca, a Mangueira teve, historicamente, duas escolas de samba. A primeira é a célebre G.R.E.S. Estação Primeira de Mangueira, com o ano de fundação oficialmente estabelecido em 1928 (ano referido como o do surgimento dos Arengueiros e cujo nome parece evocar a antiga estação, a primeira da Linha Auxiliar, como era chamado o ramal da E. F. Melhoramentos em relação ao da E. F. Central do Brasil). Entretanto, segundo depoimento em Goldwasser (1975:

28), o nome não teria vindo do fato de a Mangueira ser a primeira estação da Central, e sim de ser a "primeira estação que tinha samba". Controvérsias à parte, a segunda escola a ser criada no morro foi a Unidos de Mangueira, participante de desfiles entre 1937 e 1940 (Bastos, 2010: 166-67) e que teve entre seus integrantes o notável compositor Geraldo Pereira (1918-1955). Guardando a imagem de a mais tradicionalista das agremiações do samba, a Estação Primeira de Mangueira, não obstante, desenvolveu ao longo do tempo estratégias mercadológicas de grande eficácia, que contribuíram para reforçar, ainda mais, os fortes laços que mantém com sua comunidade. *Ver* CENTRO CULTURAL CARTOLA; PALÁCIO DO SAMBA; VILA OLÍMPICA.

MARCOS HISTÓRICOS. O advento do samba urbano, surgido na antiga capital federal, no eixo sociogeográfico outrora formado pelos bairros do Estácio e de Oswaldo Cruz, veio ligar duas intenções: em uma ponta, o sonho de afirmação e inclusão da maioria negra que compunha o contingente dos primeiros grupamentos de samba; em outra, a estratégia governamental de organizar e controlar as manifestações de massa. No ano de 1935 é criado o programa radiofônico *A Voz do Brasil*; há a inauguração da Rádio Nacional; e, após a Intentona Comunista, o governo decreta o "estado de guerra", instituindo a pena de morte. No mesmo ano, acontece o primeiro desfile carnavalesco apoiado ou promovido pelo poder público. Segue-se o advento do Estado Novo em 1937, quando também se realiza o Segundo Congresso Afro-Brasileiro e é descriminalizada, por decreto, a prática da capoeira. No desfile desse ano, o primeiro a contar com a participação, no corpo de jurados, de um representante do Departamento de Turismo da prefeitura, evidencia-se já uma cisão no seio das escolas, divididas entre duas entidades de representação, a UES e a Uges. Paralelamente, num fenômeno que vinha de alguns anos, a exploração econômica do samba, através do rádio e do disco, atrai cada vez mais compositores da classe média, como Noel Rosa, Ary Barroso, João de Barro (Braguinha), Almirante etc. Nesse contexto, o samba (que, no rádio, já desalojara a música erudita) desdobra-se em diferentes estilos e acaba por atingir a dimensão de símbolo nacional. Logo depois, alguns desses compositores participam da fundação da primeira entidade brasileira arrecadadora de direitos autorais especificamente da música. Então, deflagrada a Segunda Guerra Mundial, o Brasil acaba por se integrar ao bloco dos Aliados. No campo interno, o governo federal cria, em 1941, o Departamento de Imprensa e Propaganda (DIP), o qual, entre outras ações, promove festivais de samba, encomendando letras que cantem o trabalho em vez dos habituais elogios à malandragem (Ribeiro, 1985). No plano externo, a cultura brasileira é inserida na Política da Boa Vizinhança, convencionada com os Estados Unidos e que teve como resultado a dominação americana, que o samba já glosara antecipadamente em "Não tem tradução" (Noel Rosa, 1933) e explicitara, mais tarde, em "Chiclete com banana" (Gordurinha, 1958) e em "Influência do jazz" (Carlos Lyra, 1962), por exemplo. A volta de Getúlio Vargas ao poder, pelo voto, foi entusiasticamente saudada pelo samba; da mesma forma que seu trágico fim abalou as hostes sambísticas. Mas o tempo de Vargas, da era dos cassinos ao primado carioca das boates da zona sul, foi determinante para a descoberta e a valorização do samba pelas elites econômicas do país, valorização essa que acabou por gerar estilos de composição e interpretação como o samba-canção e, mais radicalmente, a bossa nova. O período de cerca de vinte anos que se inicia em meados da década de 1950 é provavelmente aquele em que o samba foi mais tensionado, em crises contínuas. Nele, a cultura brasileira é irremediavelmente enganchada e levada a reboque do pop transnacional, isto é, daquela cultura de massa de base anglo-saxônica, caracterizada basicamente por forte teor comercial, acessibilidade e vida efêmera, e difundida mundialmente a partir da década de 1960. Nessa quadra histórica, marcada pela ditadura militar e pelo avanço das telecomunicações, o samba vai viver a era dos festivais. Depois, com a redemocratização, a cultura do samba vai também, como todo o contexto que a circunda, sofrer as consequências das crises econômicas, da privatização de parte significativa do patrimônio estatal, do avanço da criminalidade organizada, do desemprego e da miséria. E, aí, dependente, em todos os seus aspectos, do indispensável patrocínio, o samba se equilibra na corda bamba do livre-mercado, da livre-iniciativa, na qual se inclui – às vezes bem, às vezes mal – como item da economia da cultura. *Ver* CRISES; HISTÓRIA RECENTE.

MARGINALIDADE. *Ver* MALANDRAGEM; VIOLÊNCIA.

MARQUÊS DE SAPUCAÍ, rua. Denominação, na cidade do Rio de Janeiro, do logradouro onde se ergue o Sambódromo ou Passarela do Samba. Começa na rua da América, no bairro do Santo Cristo, atravessa a Cidade Nova e termina, interrompida pelos trilhos da ferrovia (sobre os quais outrora havia uma ponte), na rua Frei Caneca, no Estácio; mas a "passarela" ocupa apenas o trecho entre a avenida Presidente Vargas e a rua Frei Caneca. A denominação rua do Visconde de Sapucaí (antes chamava-se "Bom Jardim") foi dada em 1871, em homenagem a Cândido José de Araújo Viana, professor, jurista e ministro do Império.

MATRIZ, morro da. Morro carioca da serra do Engenho Novo, entre as atuais rua 24 de Maio e avenida Marechal Rondon, fronteiriço ao morro dos Macacos, em Vila Isabel. Saudado por Noel Rosa em "Palpite infeliz" ("Salve, Estácio, Salgueiro, Mangueira, Oswaldo Cruz e Matriz..."), um dos importantes redutos do mundo do samba, na década de 1930. Lá nasceu a escola de samba Aventureiros da Matriz, participante de desfiles oficiais, pelo menos, em 1933 e 1935 (Riotur, 1991: 196; 204).

MAXIXE. Denominação que compreende antiga dança urbana brasileira, de par unido, e a música dessa dança. Muito em voga no início do século XX, a música, por sua estrutura rítmica, influiu decisivamente na feitura dos sambas do ambiente da Pequena África. Entretanto, no final da década de 1920, com o advento dos primeiros blocos e escolas, um novo samba, criado a partir do Estácio, descartou a herança do maxixe, adaptando-se a um padrão menos sincopado, para facilitar a fluidez da execução em cortejo. A dança, todavia, atravessou décadas, eternizando-se em figurações do *samba de gafieira*. *Ver* CRISES; "PELO TELEFONE".

MERCADO INTERNACIONAL. *Ver* INTERNACIONALIZAÇÃO.

MESTRE. Homem dotado de grande saber; líder ou iniciador de um movimento cultural; no Rio de Janeiro, título usado, indiscriminadamente, no momento de criação deste texto, como referência aos dirigentes das baterias das escolas de samba. **Os primeiros mestres** – O título foi, durante muito tempo, privativo de José Pereira da Silva, o Mestre André (1931-1981), líder da bateria do G.R.E.S. Mocidade Independente de Padre Miguel desde 1957; e de Waldemiro Tomé Pimenta (1901-1983), o Mestre Waldemiro, diretor da bateria da Estação Primeira de Mangueira, de 1935 até o fim da vida. Ambos se destacaram tanto por seu talento como regentes quanto pela identidade que imprimiram aos conjuntos que lideraram. *Ver* BATERIA.

MESTRE DE CANTO. Nos primeiros tempos das escolas, sambista responsável por ensaiar o canto das pastoras e, nos desfiles, interpretar o solo do samba entoado pelo coro. Suas funções foram mais tarde assumidas pelo diretor de harmonia e pelo puxador. *Ver* HARMONIA; PUXADORES.

MESTRE-SALA E PORTA-BANDEIRA. Casal de dançarinos que na escola de samba é encarregado de conduzir o pavilhão que a simboliza. A instituição tem origem nos antigos ranchos carnavalescos. Manuel Querino, escritor que viveu na Bahia entre 1851 e 1923, discorrendo sobre transformações nos ranchos de reis na cidade de Salvador, informa: "Criaram um baliza, à imitação dos antigos batalhões de caçadores do exército; depois substituíram-no por um *mestre-sala*, espécie de *arauto*, bem-trajado, que é o dançarino do grupo, ora sozinho, ora com a porta-estandarte, e bem assim com as demais pastoras" (cf. Querino, 1955: 42). Vemos então que, nos primeiros tempos, o par masculino era mencionado como "baliza", denominação que, nos antigos cordões paulistanos, designava efetivamente o figurante que ia à frente do desfile fazendo malabarismos com um bastão (Moraes, 1972: 188-89), como nos desfiles atléticos e militares. A designação "mestre-sala" parece vir dos salões, pois tem a mesma significação de "mestre de cerimônia". Já a contraparte feminina foi primeiro denominada "porta-estandarte", só depois ganhando a denominação atual. **Dança** – O bailado do casal, remotamente originário de danças da aristocracia europeia, desenvolve-se com rodopios, enlaçamentos e solos, cabendo à dama, basicamente, os volteios que fazem desfraldar o símbolo. O desempenho do mestre-sala, mais complexo, certamente traduz a memória de antigas expressões coreográficas. Luís Edmundo (2003: 481--82), rememorando a dança do "velho" nos antigos carnavais de rua, depois de descrever a fantasia (cabeçorra de papelão com cabeleira de rabicho, casaca, calção, meias e sapatos de fivela, à moda setecentista), descreve: "Dança a chula, sapateado de origem africana, mais dança de pés e de pernas que de tronco, uma vez que o busto tem que se manter ereto, os braços movendo-se, apenas, para estabelecer o equilíbrio da figura. É um exercício diabólico em que os pés ora resvalam, ora se entrecruzam, movimento agitado de pernas que se juntam e se ajustam, não raro caindo em desfalecimentos procurados para fazer tombar o corpo, que deve estar sempre no seu prumo majestoso e senhoril. Nesse jogo de membros inferiores, o velho está fazendo, com o bico do pé, no lugar onde dança, figuras espaventosas." As figurações dessa "dança de velho", por sua vez, guardam semelhança com as da modalidade de rumba cubana, conhecida como *columbia* ou *rumba brava*; as quais, igualmente, guardam semelhança com as da *tumba francesa*. Manifestação folclórica cubana originária do Haiti, nas danças desse universo encontra-se o estilo conhecido como *baile de frente* ou *fronté*. Nele, o bailarino estabelece uma espécie de diálogo com um dos tambores condutores do ritmo. Improvisando diante do tambor, com os braços abertos e um lenço em cada mão, ele sapateia, rodopia, cambaleia, abre as pernas, desliza, executando figurações que variam de acordo com sua criatividade (cf. Armas Rigal, 1991: 32-33; Ortiz, 1995: 27). Observe-se que essa dança remonta à colonização francesa do Haiti, interrompida no século XVIII e transplantada para Cuba; e que, no século XIX, a habanera, música e dança afro-cubana, exerceu grande influência no Brasil, contribuindo, juntamente com a polca, para o nascimento do maxixe (Andrade, 1989: 253). **Estilos e estilistas** – Desde que o samba incorporou às suas apresentações a dança de mestre-sala e porta-bandeira, diversos dançarinos se destacaram na função, com seus respectivos pares ou isoladamente. Podemos citar, por exemplo, Delegado (1921-2012) e Neide (1939-1981) na Mangueira, e Benício e Vilma Nascimento na Portela. Mestres-salas históricos, citados em fontes diversas, teriam sido Juvenal Lopes (Deixa Falar), Bicho Novo (São Carlos) e Maçu (Mangueira). Nos anos de 1960-1970, altamente expressivos, pela criatividade de sua dança, foram também Noel Canelinha (*c.* 1930-1985) e José Gomes Vieira, o Zequinha (1940-1988), ambos ligados, em algum momento, ao Império Serrano. Um dos mais inovadores mestres-salas das escolas cariocas, Canelinha dividiu com o mangueirense Delegado e o portelense Benício a preferência do público e dos jurados dos desfiles. Sobre a excelência e a peculiaridade da dança dos mestres-salas, veja-se esta descrição, feita pelo compositor Cartola, de um passo criado pelo legendário Getúlio Marinho, o Amor, ao tempo dos ranchos: "Getúlio, cheio de graça, encostou o peito do pé na parte traseira da dobra da outra perna. [...] Depois, sempre se abanando com o leque, Getúlio foi flexionando a perna de apoio, até ficar quase sentado sobre o calcanhar dela. Depois foi se levantando, sem perder o ritmo, sem parar o leque, sem perder a elegância" (*in* SILVA *et al.*, 1980: 136). Outro passo bastante característico da performance dos antigos mestres-salas, em que o cavalheiro, seguro na mão da porta-bandeira, curvava-se, com as pernas abertas, até encostar a espádua no solo, parece ter vindo dos bailes dos negros americanos na dança conhecida como lindy hop, dos anos 1930-1940.

MÍDIA. Conjunto dos meios de comunicação atuantes em um determinado ambiente, a "mídia" (do latim *media*, meios), impressa ou eletrônica, desempenha um papel crucial na história social do samba. **Cronistas carnavalescos** – Entre 1889 e o final da década de 1960, os jornalistas responsáveis, nos principais jornais cariocas, pela produção do noticiário dos preparativos e pela cobertura do carnaval, em crônicas em geral alegres e bem-humoradas, eram identificados como "cronistas carnavalescos". Geralmente afrodescendentes e egressos das camadas populares, não gozando, portanto, do mesmo prestígio que, por exemplo, os cronistas literários, os primeiros "repórteres da folia" abriram espaços, legitimaram e deram visibilidade à cultura negra, fazendo falar, por suas crônicas, as comunidades proletárias do velho Rio de Janeiro. Entre esses jornalistas, após o advento do samba urbano, destacaram-se os pioneiros Francisco José Gomes Guimarães (1877-1947), de pseudônimo Vagalume; e João Ferreira Gomes (1902-1987), o Jota Efegê. **Cronistas do samba** – A partir da década de 1950, com a visibilidade conseguida pelas escolas, o samba passou a ganhar cada vez mais espaço nos jornais, sobretudo graças a um tipo aguerrido de jornalista especializado. Foi o tempo de Aroldo Bonifácio (*Correio da Manhã*), Manoel Abrantes e Carlos Martins (*O Dia*), Antônio Lemos, Paulo Francisco e Irênio Delgado (*Gazeta de Notícias*), Carlos Vinhaes (*A Luta Democrática*), Waldinar Ranulpho (*Última Hora*); de jovens como Sérgio Cabral, José Carlos Rego, José Carlos Neto, Edson Lobo etc. Formados em uma época em que não havia escolas de jornalismo no Brasil, esses profissionais tinham como base teórica apenas a experiência de vida. Depois deles é que vieram as faculdades de Comunicação. Na lacuna deixada pelo esfacelamento da luta estudantil, entre 1968 e a década de 1980, formou-se a primeira geração de críticos de música dos suplementos de cultura e variedades. Nesse mesmo vácuo, nascia a chamada "música universitária", a partir da qual criou-se o rótulo "MPB" e se facilitou a assimilação, pela música popular brasileira, das soluções musicais ditadas pela globalização. Essa assimilação foi quase sempre servil e obediente, em contraposição àquele saudável processo de deglutição e reelaboração que, ao longo das décadas, mudara o schotish em xote, gestara os brasileiríssimos foxes de autores como Custódio Mesquita; e até mesmo abrasileirara o bolero méxico-cubano. Assim, de um modo geral, boa parte da mídia, ao se ocupar de música, o faz partindo de uma suposta inferioridade do samba em relação à música globalizada. Exemplo claro foi a seguinte observação de um jornalista sobre a postura daquele que é um dos maiores nomes do samba na atualidade desta obra: "Zeca Pagodinho soube, como poucos, construir em torno de si uma mitologia elaborada e original, *digna dos grandes astros do rock e da música pop mundial*" (cf. Marcelo Pretto, "Rindo à toa", *Revista Gol* nº 133; 2013, p. 76). *Ver* INDÚSTRIA CULTURAL; RADIODIFUÃO; INDÚSTRIA CULTURAL.

MILITARISMO. O samba urbano carioca nasce entre a ocorrência das duas guerras mundiais e de diversos movimentos internos, época em que o militarismo exercia forte influência na vida nacional, chegando até o figurino dos uniformes escolares. Daí a presença, nas agremiações, de signos e elementos, como a figura do baliza, a percussão da bateria, a evolução, a figura do baluarte, como também a estrutura marcial das melodias nos primeiros sambas de enredo e a própria denominação "escola de samba".

MIUDINHO. Um dos passos ou figurações coreográficas do samba de roda e do samba tradicional carioca. Consta de um gracioso movimento de avanço e recuo do corpo, sem que se tire os pés do chão.

MORRO. No universo do samba, termo usado com a conotação de "favela". O fenômeno das favelas nascidas e expandidas em áreas planas é relativamente novo no Rio de Janeiro. A topografia da capital fluminense é pontuada de elevações, aí compreendidos os maciços, serras e morros, como o histórico morro da Favela, que deu nome a um tipo específico de aglomeração urbana. Em 1932, os principais redutos do samba representados no concurso do carnaval foram os seguintes morros: Mangueira (com as escolas Estação Primeira e Unidos de Mangueira); São Carlos (Linha do Estácio); Borel (Unidos da Tijuca). A Vai Como Pode, semente da Portela, era do subúrbio, de Oswaldo Cruz, mas não de um morro. Em 1933, os redutos principais eram os seguintes: morro da Favela (Fiquei Firme e Última Hora); morro da Gamboa (União da Gamboa); morro do Salgueiro (Azul e Branco e Príncipe da Floresta); morro do Borel (Unidos da Tijuca); morro do Catumbi (Em Cima da Hora); morro da Mangueira (Estação Primeira e Unidos de Mangueira); morro do Pinto (Vizinha Faladeira); morro da Serrinha (Prazer da Serrinha); morro de São Roque (Mocidade Louca de São Cristóvão). Em 1935 ganhavam fama o morro do Tuiuti (Unidos do Tuiuti) e o morro da Arrelia (Depois te Explico). Dois anos depois, o morro da Cachoeirinha comparecia com a escola de samba Filhos do Deserto. Destacava-se também no universo do samba o morro da Matriz (núcleo da

Aventureiros da Matriz), no Engenho Novo. **Samba de morro** – A expressão "samba de morro" nasceu para qualificar a obra literomusical do gênero samba nascida no seio das escolas de samba ou, mais especificamente, o "samba de meio de ano produzido no morro" (Soares, 1966: 373). Ela é assim denominada em contraposição ao samba criado no ambiente radiofônico e da indústria fonográfica, embora, muitas vezes, o samba de morro tenha chegado a esses ambientes. Em 1971, no fascículo nº 46 da primeira edição da coleção Música Popular Brasileira, da Editora Abril Cultural, podia-se ler o seguinte sobre os compositores oriundos de favelas: "Todos eles compõem num estilo identificado com as fontes mais puras de nossa música popular. São capazes de passar horas e até dias improvisando, numa roda de partido-alto, o samba mais autêntico [...]. Muitos deles não passaram da escola primária, mas mesmo sem conhecer a história do Brasil podem fazer músicas admiráveis em torno de um roteiro de um tema que para eles era estranho." O título do fascículo é "Elton Medeiros e o samba de morro". Os artistas focalizados como coadjuvantes do autor de "Pressentimento" (parceria com Hermínio Bello de Carvalho) são Martinho da Vila, Zé Kéti, Candeia e os salgueirenses Noel Rosa de Oliveira e Geraldo Babão. A ótica do artigo reflete um momento muito especial da música popular brasileira, em que toda música industrial urbana era indistintamente denominada "samba" – como se pode comprovar no texto "A nova geração do samba", publicado pela extinta *Revista Civilização Brasileira*, em que se discute basicamente a obra dos emergentes Caetano Veloso, Gilberto Gil, Chico Buarque e Edu Lobo (cf. Soares, 1966: 364). Na década de 1970, a denominação foi abandonada. *Ver* INDÚSTRIA FONOGRÁFICA; PAGODE; SAMBA DE RAIZ.

MULATA-SHOW. Expressão criada, na indústria brasileira de espetáculos, para designar as dançarinas participantes dos shows turísticos de samba, de função semelhante à das coristas do teatro de revista. Diz-se, também, simplesmente, "mulata". Em fevereiro de 1980, a edição brasileira da revista *Playboy* (nº 55: 39-51) publicava a matéria "As supermulatas das escolas de samba", fartamente ilustrada com fotos mencionadas como das "melhores mulatas das dez escolas do 1º grupo do Rio de Janeiro", também apresentadas como "as mulheres que fazem a avenida delirar; as mulheres que são o maior espetáculo do Mundo". Em 2011, foi lançado o documentário cinematográfico *Mulatas, um tufão nos quadris*, com direção de Walmor Pamplona e argumento do jornalista Aydano André Motta, sobre mulatas de destaque no universo das escolas de samba. *Ver* CONDIÇÃO FEMININA.

MULHER. *Ver* CONDIÇÃO FEMININA.

MULHERES PIONEIRAS. *Ver* CONDIÇÃO FEMININA.

MUNDO DO SAMBA. Expressão que designa basicamente o universo comunitário das escolas de samba e seus desdobramentos nos meios de comunicação e no ambiente dos espetáculos. *Ver* COMUNIDADE; SOCIALIZAÇÃO.

MUSA. Termo inicialmente utilizado pela moderna imprensa carnavalesca para mencionar a rainha de bateria. As próprias escolas de samba passaram, recentemente, a escolher destaques femininos e masculinos que desfilam com essa titulação. Em 2012, o então presidente da Mangueira, Ivo Meirelles, anunciou que oito mulheres e sete homens da ala de passistas seriam elevados à condição de musas e musos da escola. Em 2015, várias escolas de samba dos grupos especiais do Rio de Janeiro e de São Paulo desfilaram oficialmente com musas e musos. Com exceções – a já citada Mangueira mantém musas e musos da comunidade, por exemplo –, tais funções são exercidas pelas ditas "celebridades" de ocasião, normalmente sem ligação orgânica com as escolas de samba, como mais um sintoma da diluição das agremiações e da perda de referências identitárias.

MÚSICA DE CARNAVAL. No Brasil, como ressaltado em Tinhorão (2001: 67-70), a partir da década de 1930, com o advento da era do rádio, a música popular típica das festas carnavalescas, consubstanciada na marchinha e no samba, tornou-se, mesmo, um fator de integração cultural. Com ela, milhões de brasileiros compartilhavam expressões coloquiais, perspectivas, comportamento, moda etc., de forma semelhante ao que na atualidade ocorre em relação às telenovelas. A partir da década de 1960, com o desenvolvimento brasileiro voltado para o exterior, a música carnavalesca, e nela o samba de carnaval, sucumbiu ante o poder da música estrangeira. Na contracorrente, alguns blocos carnavalescos tornavam-se multitudinários e ditavam a trilha sonora das ruas em contagiantes sambas como: "Oba" (de Oswaldo Nunes, B. C. Bafo da Onça, 1962); "É o pau" (de Jujuba, B. C. Bafo da Onça, 1964); "Água na boca" (de Agildo Mendes, B. C. Cacique de Ramos, 1965); "Tristeza" (de Niltinho e Haroldo Lobo, B. C. Foliões de Botafogo, 1966); "Palmas no portão" (de Walter Dionisio e D'Acri Luis). De algumas escolas, sambas de terreiro ou quadra também ganhavam as ruas. Foi o caso de "Eu agora sou feliz" (Jamelão e Mestre Gato, Mangueira, 1953); e de "Vem chegando a madrugada" (Noel Rosa de Oliveira e Zuzuca, Salgueiro, 1965). No decênio seguinte, o samba de enredo veio ocupar o espaço do carnaval: a indústria fonográfica percebeu seu potencial e investiu nele, num processo que perdurou até a década de 1990.

MÚSICA DE CONCERTO. A importância do samba expressa-se também em seu aproveitamento como tema ou inspiração de diversas peças do repertório erudito da música brasileira de concerto. Como exemplo, citamos, a partir da *Enciclopédia da música brasileira* (1977: 1101-03) as seguintes peças: "Samba" (de Alexandre Levy); "Samba clássico" (Heitor Villa-Lobos, 1950); "Samba concertante" (Walter Burle Marx, 1960); "Samba cromático" (Carlos Vianna Cruz); "Samba de saia bamba" (suíte sinfônica de Walter Burle Marx); "Samba em três movimentos" (Radamés Gnattali, 1948); "Samba rítmico" (Francisco Mignone, 1953). A peça de Alexandre Levy, apresentada como "dança típica dos negros do interior paulista", foi executada no Rio de Janeiro em 1890, na presença do marechal Deodoro da Fonseca (*Enciclopédia da música brasileira*, 1977: 414); e, segundo Marques Rebelo (1907-1973), no romance *A mudança*, foi gravada em 1939 especialmente para distribuição na Feira de Nova York (Rebelo, 2012 B: 173).

MÚSICA POPULAR. Expressão que designa a música de autor conhecido, criada fora do âmbito da música de concerto, clássica ou erudita e diversa da folclórica ou tradicional, sem autoria definida e de domínio público. Manifesta-se mais comumente por meio da canção, com melodia e letra.

MUSICAIS, espetáculos. *Ver* BOATES; CASSINOS, era dos; DRAMATURGIA TEATRAL.

NAGÔ. Nome pelo qual foram conhecidos no Brasil cada um dos africanos do grupo etnolinguístico Iorubá, oriundos do território das atuais repúblicas da Nigéria e do Benim, bem como a língua por eles falada. Resíduos dessa língua são encontrados em composições de Sinhô (1888-1930), Pixinguinha (1897-1973), João da Baiana (1887-1974) etc., certamente por influência do ambiente da Pequena África. Entretanto, essa ocorrência, em vez de colocar em dúvida as origens primordialmente bantas do samba, reforça uma constatação: a do intenso intercâmbio havido entre as várias etnias no ambiente do escravismo, que no pós-abolição prosseguiu entre os descendentes, sob a indiscutível hegemonia das tradições religiosas jeje-iorubanas, expressas na corrente principal do candomblé da Bahia.

NATAL, cancioneiro de. As festividades do Natal, a não ser nas tradições folclóricas do ciclo da Natividade, como pastoris, reisados etc., não se caracterizam, no Brasil, por celebrações específicas de canto e dança. E isso acontece apesar da existência, em nossa música popular, de um vasto repertório de musica natalina. Em relação à produção de sambas com temática natalina que chegaram à indústria fonográfica, há alguns exemplos que não configuraram uma tendência de abordagem do tema, como é o caso de "Patinete no morro", samba de Luiz Antônio gravado por Marlene em disco da Continental, de 1953, com forte temática social em sua letra; o de "Meninos da Mangueira", de Ataulfo Alves Jr. e Sérgio Cabral gravado em 1976, e de "Véspera de Natal", de Adoniran Barbosa, gravado originalmente pelo próprio autor, em 1974, pelo selo Odeon. Há que se registrar, todavia, dois trabalhos posteriores que buscaram reunir composições de sambistas brasileiros vinculadas ao Natal. O primeiro deles, produzido em 1984 pela Moinhos Produções e sem circulação comercial, é o *Pagode de Natal: A noite feliz dos bambas*, com a participação de sambistas como Wilson Moreira, Nei Lopes, Luiz Carlos da Vila, Zé Luiz do Império, Dauro do Salgueiro, Romildo e Délcio Carvalho. Em 1999, a gravadora Velas lançou o CD *Um Natal de samba*, com a participação de Zeca Pagodinho, João Nogueira, Nei Lopes, Almir Guineto, Dona Ivone Lara, Luiz Grande, Arlindo Cruz, Sombrinha, Dunga, Luizinho SP, Emílio Santiago, Mauro Diniz, Grupo Fundo de Quintal e Toque de Prima. Ressalte-se que ambas as produções foram idealizadas e realizadas pelo carioca Paulinho Albuquerque, importante produtor musical falecido em 2006.

NATUREZA. A proximidade de algumas das primeiras comunidades do mundo do samba com ambientes naturais ainda preservados, como matas, córregos, cascatas etc., motivou seus poetas a usarem, muitas vezes, a natureza como tema de composições. Apenas a título de exemplificação, podemos citar: "O poeta e a natureza" (Osório Lima e Mano Décio, Império Serrano, gravada pela Velha Guarda Show do Império Serrano em 2006); "Exaltação à Tijuca" (Eden "Caxinê" Silva, Luís Silva e Nilo Moreira, Salgueiro, 1956); "Novo dia" (Éden Silva, Djalma Sabiá e O. Magalhães, Salgueiro, 1956); "Estou vivendo na floresta" (Babaú e Chiquinho Modesto, Mangueira, gravada por Tantinho da Mangueira em 2005); e "Sonho de caboclo" (Jones "Zinco" Silva, Filhos do Deserto, data de gravação desconhecida). Em 1975, o compositor Paulinho da Viola lançou o samba "Amor à natureza", uma espécie de manifesto ambientalista; o mesmo fazendo Aluísio Machado, em outra abordagem, com "Efeitos da evolução", gravado por Martinho da Vila em 1982. Sobre o mencionado Zinco, falecido compositor da extinta escola de samba Filhos do Deserto – do morro da Cachoeirinha, no bairro de Lins de Vasconcelos –, registre-se que se tornou um sambista lendário. Ídolo da adolescência do cantor João Nogueira (1941-2000), foi por ele celebrado, com uma fala emocionada, na interpretação de "Apoteose ao samba", no LP *Espelho*, de 1977.

NEGA. Corruptela do substantivo feminino "negra". É termo da linguagem informal fartamente utilizado nas letras de samba, ora com conotação afetiva, carinhosa, ora com peso efetivamente racista. Numa breve listagem, pinçada em *Enciclopédia da música brasileira* (1977: 1049), vemos registrados os seguintes títulos: "Nega" (Heitor dos Prazeres, 1939); "Nega baiana" (Ary Barroso e Olegário Mariano, 1931); "Nega Dina" (Zé Kéti, 1965); "Nega do cabelo duro" (Rubens Soares e David Nasser, 1942); "Nega do peito" (Sérgio Cabral e Rildo Hora, 1974); "Nega Fulô" (Herivelto Marins e Chianca de Garcia, 1948); "Nega Jura" (Zé da Zilda, 1938); "Nega Luzia" (Wilson Batista e Jorge de Castro, 1956); "Nega maluca" (Evaldo Rui e Fernando Lobo, 1950); "Nega manhosa" (Heriveldo Martins, 1957); "Nega, meu bem" (Heitor dos Prazeres, 1932); "Nega pelada" (David Nasser e Benedito Lacerda, 1950); "Nega pelada, me deixa" (Arlindo Marques Júnior e Roberto Roberti, 1943). *Ver* CONDIÇÃO FEMININA; RELAÇÕES ETNORRACIAIS.

OPINIÃO, Teatro. Antiga casa de espetáculos carioca, na rua Siqueira Campos, Copacabana. A partir de 1971, sediou, ao longo de treze anos, nas noites de segunda-feira, a Noitada de Samba do Teatro Opinião, que viria a se tornar uma das principais programações da vida noturna carioca. Criada por Leonides Bayer e Jorge Coutinho, nela brilharam, num total de 617 espetáculos, como atrações permanentes, Beth Carvalho, Clara Nunes, Clementina de Jesus, Dona Ivone Lara, Leci Brandão, Nelson Cavaquinho, Roberto Ribeiro e Xangô da Mangueira, além do Conjunto Nosso Samba, principal grupo acompanhante. A programação foi celebrada em *Noitada de samba, foco de resistência:* um show que deu origem a CD e DVD, além do filme homônimo, organizado por Jorge Coutinho e Leonides Bayer, com direção de Cély Leal e lançado em 2010.

ORDEM DO MÉRITO CULTURAL. Honraria concedida pelo Ministério da Cultura (MinC), anualmente, a pessoas, grupos artísticos, iniciativas ou instituições, como reconhecimento por suas contribuições à cultura brasileira. Criada por decreto federal em 1995, a condecoração já foi outorgada a diversas personalidades do mundo do samba, como Beth Carvalho (2011); Carmen Costa (2003); Dona Neuma da Mangueira (1998); Haroldo Costa (2000); Joãosinho Trinta (1995); Demônios da Garoa (2011); Martinho da Vila (2000); Nei Lopes (2005); Nelson Cavaquinho (2011, postumamente); Noca da Portela (2009); Xangô da Mangueira (2005) e Zeca Pagodinho (2009). Em 2001, as escolas de samba Portela, Mangueira, Império Serrano e Vila Isabel foram homenageadas. A exclusão do Salgueiro, tendo em vista seu pioneirismo em vários aspectos e o fato de ter integrado, durante as décadas de 1950 e 1960, o grupo das quatro grandes, foi sentida.

ORFEU DA CONCEIÇÃO. Poema dramático de autoria do poeta carioca Vinicius de Moraes, encenado pela primeira vez em 1956, no Theatro Municipal do Rio de Janeiro. Versão do mito grego de Orfeu, a peça tem como ambiente um morro carioca, onde o herói é o compositor e a principal figura de uma escola de samba. As canções sugeridas no texto foram musicadas por Antonio Carlos Jobim, sendo quase todas do gênero samba. Em 1958, a obra serviu de base ao filme *Orfeu negro*, do diretor francês Marcel Camus, que teve ainda em sua trilha sonora músicas do violonista e compositor Luiz Bonfá. A partir da premiação do filme no Festival de Cannes, boa parte de seus sambas tornou-se bastante conhecida internacionalmente. No carnaval carioca de 1998, uma adaptação do texto foi levada à avenida pela G.R.E.S. Unidos do Viradouro; durante o desfile foram ambientadas cenas que integrariam o filme, sobre o mesmo tema, dirigido pelo cineasta Cacá Diegues e lançado em 1999 com o título *Orfeu*.

ÓRGÃO HAMMOND. Instrumento musical eletromecânico criado nos Estados Unidos, na década de 1930, como alternativa mais barata ao órgão de tubos. Sua utilização passou das igrejas para os ambientes do jazz, do blues e do rock and roll. Em 1944, no âmbito da Política da Boa Vizinhança, a organista norte-americana Ethel Smith gravava, com grande sucesso, uma versão de *Tico-tico no fubá*, acompanhada de percussão. Provavelmente a partir daí, e da projeção que o jazzista Jimmy Smith deu ao instrumento, após 1955 o órgão elétrico chega ao ambiente das boates e bailes cariocas, graças ao trabalho de Djalma Ferreira, e daí ao disco, em gravações lançadas por Ferreira, de 1958 a 1966, nas quais o samba tinha lugar destacado. Depois dele vieram Ed Lincoln (1932-2012), com um estilo muito pessoal de interpretação do samba, que dominou os bailes entre 1961 e 1966, obtendo grande vendagem de discos; e Walter Wanderley (1932-1986), que entre 1962 e 1963 lançou títulos como

Samba é samba com Walter Wanderley, *O sucesso é samba*, *Samba no esquema* e *O samba é mais samba*. Além desses, outros organistas que se dedicaram ao samba foram o paulista André Penazzi, que lançou a série *Órgão, samba, percussão* na década de 1960; Steve Bernard, Celso Murilo e Eumir Deodato. Da família do órgão, a partir da década de 1950, foi também usado em gravações de samba, principalmente por Waldir Calmon, o Solovox, pequeno teclado adaptado ao piano, precursor dos sintetizadores. *Ver* SAMBALANÇO.

ORGIA. Vocábulo que designa a festividade libertina caracterizada principalmente por consumo desregrado de bebidas alcoólicas e outras substâncias euforizantes. Nos sambas do ambiente do Estácio a palavra foi bastante usada como sinônimo de boemia, farra e mesmo malandragem.

ORIXÁS. Entidades sobrenaturais, avatares de ancestrais divinizados ou representantes de forças da natureza, cujo culto chegou ao Brasil e a outros países das Américas com africanos escravizados no golfo de Benim, África Ocidental. A denominação "orixá" se refere às divindades, masculinas, femininas ou de dupla natureza, de origem iorubana ou nagô, cultuadas no candomblé baiano, no xangô pernambucano e em outras formas deles derivadas. Nos cultos jejes, originários do antigo Daomé, as entidades correspondentes denominam-se "voduns"; e, nos cultos bantos, "inquices". Essas entidades identificam-se por características, predileções e ritmos específicos; daí, principalmente pelas cores, a aproximação de escolas de samba com alguns deles. A maior aproximação do samba com a religiosidade brasileira de origem africana, entretanto, ocorre na modalidade conhecida como "candomblé de caboclo". É dela, certamente, que vem o costume de se encerrar as festas de candomblé com uma parte profana em que, entre comes e bebes, se canta, toca e dança o samba de roda da tradição baiana. **Enredos** – A partir de 1960, os enredos das escolas de samba começaram a tratar amiúde de temas marginais à história oficial, cristalizando a revolução iniciada pelo seminal Palmares, apresentado pelo Salgueiro. Até onde as fontes primárias permitem constatar, a primeira citação explícita a um orixá ocorre no carnaval de 1966.

Naquele ano, duas escolas, o Império Serrano e a São Clemente, fizeram enredos sobre a Bahia e citaram Iemanjá em seus sambas. Onze anos depois, o Arranco do Engenho de Dentro apresentou o primeiro enredo voltado exclusivamente para a mitologia de um único orixá: Logun, o príncipe de Efan. Um ano antes do desfile do Arranco, em 1976, o Império Serrano e a Unidos de Lucas apresentaram enredos muito semelhantes: "A lenda das sereias, rainhas do mar" e "Mar baiano em noite de gala", respectivamente. Sem tratar especificamente da mitologia dos orixás, os enredos destacavam, entretanto, a força de Iemanjá como divindade das águas salgadas (papel que a orixá ocupou no Brasil, diante da pouca força que o culto de Olokum – divindade dos oceanos na África – então apresentava no país). Corre entre o povo do samba a história de que o desfile do Império naquele ano foi tumultuado, dentre outras coisas, porque Iemanjá teria baixado na avenida em várias de suas filhas que desfilavam na escola e, com seu bailar lento e ritmado, teria atravancado a evolução das alas. Há também os que afirmam que em 1994, quando a G.R.E.S. Acadêmicos do Grande Rio contou a história da umbanda no enredo "Os santos que a África não viu", as entidades teriam baixado ao longo do desfile em alguns componentes. Em um território repleto de mitos, histórias exemplares e tradições constantemente reinterpretadas, inventadas ou diluídas; e em que fala mais alto o espetáculo carnavalesco que eventuais convicções religiosas – como é o universo das escolas de samba – as ligações entre a religiosidade afro-brasileira e as agremiações cariocas abrem caminho para uma série de reflexões. Tal afirmação é mais relevante ainda pelo fato de que, no momento da produção deste livro, muitas escolas vêm perdendo componentes convertidos a igrejas evangélicas e a melhor compreensão de certos fundamentos das escolas de samba poderia redimensionar seu papel no carnaval. **Oferendas** – No ambiente das escolas cariocas, o costume de se fazerem oferendas propiciatórias aos orixás antes dos desfiles é bastante difundido. Entretanto, no carnaval de 2014, o fato de dirigentes da G.R.E.S. Beija-Flor de Nilópolis terem despejado, espetacularmente, grande quantidade de cachaça e cerveja na pista do desfile para "abrir o caminho" de sua escola causou espécie. Isso porque os rituais de propiciação dos guardiões, Exu, Ogum e Oxóssi, são sempre discretos e revestidos de um certo mistério. *Ver* ÁFRICA; BATERIAS; DESAFRICANIZAÇÃO.

ORQUESTRAS. Os primeiros registros fonográficos do samba, cantado ou em execução instrumental, foram apoiados por orquestras. Tal foi o caso das fixações feitas por Pixinguinha, um dos maiores entre os orquestradores e arranjadores brasileiros em todos os tempos. Nas cerca de 240 obras de autoria desse músico exemplar, listadas em Cabral (1978: 76-93), contam-se 77 tipificadas como "samba". Elas abrangem o período de 1918, começando com "O malhador", (Odeon nº 121.442), qualificado como "samba carnavalesco", até 1940, com "Você não deve beber" (RCA nº 34.568 B). Nesses e em inúmeros outros registros, inclusive de obras alheias, Pixinguinha deixou sua marca de grande arranjador para orquestra. No caso da relação mencionada, entretanto, causa estranheza o fato de que, a partir de 1940, as criações do grande mestre foram principalmente tipificadas, no selo das gravações, como "choros" e não como "sambas". Essa denominação só volta ao rol de seu repertório com as regravações das antigas "Já te digo" (1956), "Gavião calçudo" (1960) e "O malhador" (1962). O caso parece refletir uma nova "catalogação", ditada pela indústria musical na década de 1940: com o processo de consolidação das escolas de samba, a forma "samba de morro" teria começado a ser vista como expressão da maior autenticidade e pureza do gênero. As orquestrações, então, teriam sido, no geral, abandonadas em proveito dos chamados "conjuntos regionais", à base de violão, cavaquinho e pandeiro, e ocasionalmente um instrumento de sopro. Paralelamente, entretanto, em 1939 a primeira gravação de "Aquarela do Brasil" exibia um arranjo orquestral pomposo, de autoria de Radamés Gnattali, numa grandiloquência seguida em "Onde o céu azul é mais azul"; "Canta, Brasil"; e "Brasil moreno", todos lançados em 1941, e em outros exemplares do estilo samba-exaltação. Depois dessas experiências e do pioneiro Pixinguinha, vários outros orquestradores escreveram elaborados arranjos para o samba, como os maestros Gaya e Guio de Morais, por exemplo. Além disso, muitos regentes e arranjadores incluíram sambas nos repertórios das orquestras que lideraram, como o fizeram Astor Silva, Raul de Barros, Severino Araújo, Silvio Mazzuca etc., algumas vezes gravando discos exclusivamente de samba. Registre-se a existência, na atualidade, no município paulista de Santa Bárbara d'Oeste, de uma "orquestra de samba", mantida pela entidade denominada Fundação Romi (www.fundacaoromi.org.br).

OSWALDO CRUZ. Bairro da zona suburbana carioca, na jurisdição da 15ª Região Administrativa (Madureira). Teve origem e se desenvolveu nos domínios da antiga Freguesia de Irajá, sendo originalmente integrante, em parte, de terras da Fazenda do Campinho. A chegada da ferrovia e a inauguração da primitiva estação Rio das Pedras, em 1898, contribuíram decisivamente para o surgimento do futuro bairro. Na primeira década do século XX, com a reforma urbana do centro do Rio, numerosas famílias pobres, majoritariamente negras, vieram somar-se às já radicadas na localidade. Por esse tempo, mais precisamente em 1917, com a morte do médico e sanitarista Oswaldo Cruz, personagem também inserido no projeto de modernização do Rio, a estação e o bairro receberam seu nome. **A Portela** – Na década de 1920 surgiram em Oswaldo Cruz vários grupos carnavalescos, como o bloco de marcha-rancho Ouro sobre Azul, de Paulo da Portela; o bloco Quem Fala de Nós Come Mosca, fundado pela festeira mais famosa da área, Dona Ester; o Baianinhas de Oswaldo Cruz e o Conjunto de Oswaldo Cruz. Este último mudou de nome no final da década para Quem Nos Faz é o Capricho e, logo depois, para Vai Como Pode. No início dos anos de 1930, em um contexto marcado pelas tentativas do Estado varguista de disciplinar as manifestações populares, as agremiações carnavalescas tinham que obter o licenciamento junto à delegacia de costumes para poder desfilar. Foi o delegado da região de Oswaldo Cruz, Dulcídio Gonçalves, que argumentou contra o nome Vai Como Pode, considerado por ele inapropriado para uma agremiação respeitável. Segundo relatos de vários fundadores da agremiação, o nome G.R.E.S. Portela [em referência à Estrada do Portela, onde os sambistas se reuniam] teria sido sugestão do próprio policial. A Portela marcou de maneira decisiva a história das escolas de samba. Foi a primeira agremiação a desfilar com alegorias, a introduzir a caixa-surda e o apito na bateria, e a pioneira nos uniformes para a comissão de frente. Não bastasse isso, foi precursora, por meio da figura do presidente Natal, da polêmica ligação entre as escolas de samba e o jogo do bicho. Apesar de ter se apresentado com alguns dos mais significativos sambas de enredo do carnaval, a Portela se destaca mais pela impressionante tradição na composição de grandes sambas de terreiro. Dentre os sambas de enredo, destacamos "Seis datas magnas", de 1953; "Riquezas do Brasil", de 1956; "Lendas e mistérios da Amazônia", de 1970; "Lapa em três tempos", de 1971; "Ilu Ayê", de 1972; "Macunaíma", de 1975; "O homem do Pacoval", de 1976; "Das maravilhas do mar fez-se o esplendor de uma noite", de 1981; "Contos de areia", de 1984; e "O povo na rua cantando, é como uma reza, um ritual", de 2012. Fato notável é que, desde a criação do troféu Estandarte de Ouro, a Portela é a maior vencedora do quesito samba de enredo do grupo especial. Compositores como Candeia, Altair Prego, Waldir 59, Catoni, Jabolô, Ary do Cavaco, Cabana, Norival Reis, Dedé, David Correia, Noca e Colombo se destacam como os mais significativos autores de sambas de enredo da águia de Oswaldo Cruz. **Madureira** – O crescimento de Madureira como um dos maiores centros de comércio e lazer da zona suburbana carioca transformou Oswaldo Cruz numa espécie de sub-bairro. Entretanto, a rua Clara Nunes (antiga Arruda Câmara), onde se localiza a ampla e modernizada sede portelense, quase no centro de Madureira, pertence oficialmente ao bairro de Oswaldo Cruz. Além disso, na estrada que lhe deu o nome, a escola preserva a antiga sede, carinhosamente chamada de Portelinha, que serve, à época deste texto, como local de ensaios, reuniões e festividades da velha guarda. **Pioneirismo** – A Portela é destacada na historiografia do samba como a primeira escola a receber visitantes ilustres (no caso, um grupo de cientistas franceses, em 1931) e a visitar os salões da alta sociedade (o do Clube Alemão Pró-Arte, em 1933); a primeira a atuar no cinema nacional (filme *Favela dos meus amores*, 1935). Em 1959, a escola apresentou-se para a Duquesa de Kent, da nobreza britânica, no Palácio Itamaraty, fato glosado no samba "Tempos idos", de Cartola e Carlos Cachaça, lançado em 1968, ano em que a antiga sede portelense recebeu a visita do presidente chileno Eduardo Frei. *Ver* JOGO DO BICHO; PAGODE DO TREM; PATRONO.

PAGODE. Presente na língua portuguesa, na acepção de "festa ruidosa", desde o século XVI, o termo "pagode" ganhou, no Rio de Janeiro, primeiro, a acepção de "reunião de sambistas"; que se estendeu depois à de composições nelas cantadas; para então, a partir da década de 1980, designar um estilo de composição e interpretação do samba como gênero de canção popular. Na acepção de festa ou festividade, desde os primeiros anos da República tem-se notícia de pagodes realizados em casas de família cariocas, assim como nos terreiros das escolas de samba e em festas públicas como a da Penha e a da Glória. Dessas festas saíram, até mesmo para o mundo do rádio e do disco, inspirados "pagodes" (obras musicais), porque essa é, há muito tempo, a forma mais intimista e popular de os sambistas cariocas se referirem às canções produzidas em seu meio. Mas parece que na forma modernamente popularizada e também conhecida como "pagode de mesa", a designação ganhou força e se expandiu mesmo no Rio a partir da década de 1970. Desde essa época, a reunião musical em torno de uma grande mesa, num "fundo de quintal" (simbolismo de informalidade, em oposição ao "salão") muitas vezes residencial, na qual o dono da casa "se defendia", vendendo as bebidas e os tira-gostos, se difundiu. Para essa difusão, contribuíram decisivamente as reuniões realizadas na sede do bloco carnavalesco Cacique de Ramos, na zona suburbana da Leopoldina. A experiência foi repetida, com igual sucesso, na antiga residência do cantor João Nogueira e primeira sede do Clube do Samba, no bairro do Méier, no final da década. No início dos anos 1980, surgiram o Terreirão da Tia Doca, no subúrbio de Oswaldo Cruz, com os ensaios da velha guarda da Portela, e o Pagode do Arlindinho (Arlindo Cruz, compositor e instrumentista), em Cascadura. A partir de então, o formato se alastrou. Sobre a difusão desse importante estilo, lembremos que ele começou a ser fixado nas primeiras gravações do Grupo Fundo de Quintal, (oriundo do Cacique de Ramos, de fortes raízes comunitárias), nas quais harmonias ousadas e melodias rebuscadas, apropriadas para o canto coletivo, somam-se a uma percussão inovadora. No pagode, a marcação do tempo forte é feita pelo tantã, instrumento resgatado dos trios boleristas dos anos 1950. Mas não é uma marcação pura e simples, já que, enquanto a mão direita do instrumentista percute a pele, a mão esquerda contraponteia no corpo, geralmente de madeira, do instrumento. O mesmo acontece com o repique, um tambor menor, de timbre agudo, no qual a importância da batida está na sincopação conseguida com os dedos da mão esquerda percutindo – às vezes até com anéis – o corpo metálico do instrumento. Outro dado importante é a utilização do banjo de quatro cordas (com afinação de cavaquinho), tocado com a palheta trastejando no braço do instrumento, sendo assim usado, ao mesmo tempo, como instrumento de harmonia e de percussão, quase como se fosse uma espécie de "reco-reco harmônico". Em 1985, a vertente se consolidava a partir do lançamento do LP *Raça brasileira* (gravadora RGE), em que surgia, para o grande público, entre outros, o cantor e compositor Zeca Pagodinho. Ancorado nesse artista e fincado na tradição do partido-alto, o estilo colocou também em destaque refinados compositores como Almir Guineto, Arlindo Cruz, Sombrinha, Jorge Aragão e Luiz Carlos da Vila (1949-2008). Na década seguinte, a indústria fonográfica e do entretenimento apropriou-se da denominação "pagode", aplicando o rótulo a outra vertente do samba, mais afinada com o mercado globalizado e com o figurino pop em vigor. Mesmo assim, o estilo rotulado desse modo pela indústria fonográfica, com as inevitáveis diluições, colocou em evidência e tornou bem-remunerados alguns artistas das periferias de São Paulo, do Rio de Janeiro e de Minas Gerais, principalmente. Em conclusão, registre-se que, muito mais que simples locais de divertimento, os fundos de quintal desvendados ao grande público na década de 1980 foram centros irradiadores de uma nova linguagem musical, que se expressou num samba com um novo estilo interpretativo e totalmente renovado. Afastado das escolas, cujas programações, de um modo geral, perseguiam objetivos mais comerciais do que associativos, o samba foi se firmar em outras bases, a partir das quais retomou sua linha de evolução como autêntico contramovimento. Em dezembro de 1986, o tradicional programa especial de fim de ano do cantor Roberto Carlos, na TV Globo, espécie de coroação dos grandes sucessos do ano, apresentava um número do astro ao lado dos sambistas Almir Guineto, Jovelina Pérola Negra, Zeca Pagodinho e do Grupo Fundo de Quintal. A real dimensão histórica e social do fenômeno tematizado neste verbete é assim expressa pelo antropólogo Carlos Alberto Messeder Pereira: "Ao aproximar a dimensão tradicional do samba de 'fundo de quintal' e o mundo das gravadoras ou do disco enquanto mercadoria, passando, entre outras coisas, pela profissionalização de muitos sambistas, o movimento de pagode evidenciava uma estratégia social (obviamente não inteiramente consciente mas sabiamente intuída) extremamente complexa (e capaz de envolver sujeitos sociais às vezes muito diferenciados), a qual acabava por reciclar a inserção social do samba e dos sambistas, bem como de grupos mais diretamente associados ao mundo do samba" (cf. Pereira, 1997: 285). *Ver* HISTÓRIA RECENTE; INDÚSTRIA FONOGRÁFICA; MUNDO DO SAMBA; POP; SAMBA.

PALÁCIO DO SAMBA. Denominação pela qual ficou conhecida a imponente sede da G.R.E.S. Estação Primeira de Mangueira, que existe desde 1972. Sua construção e inauguração revestem-se de grande peso simbólico, já que marcam o início de uma nova etapa da instituição Escola de Samba, na qual as agremiações, a partir do exemplo mangueirense, passam a se organizar, ou pelo menos a tentar se organizar, em bases mais sólidas. O assunto foi tema de tese de mestrado defendida pela antropóloga Maria Julia Goldwasser. No mesmo ano, a Portela inaugurava sua nova sede, popularizada com o epíteto Portelão. **Novos endereços** – O processo de crescimento e transformação das escolas de samba levou algumas delas a buscarem novas localizações, em geral fora dos morros. Em 1969, o Salgueiro deixava a Quadra Calça Larga, no alto da "colina", para realizar seus ensaios no Esporte Clube Maxwell, em Vila Isabel, e depois nas dependências do antigo Confiança Atlético Clube, no vizinho Andaraí, onde mais tarde construiu sua confortável sede. Já o Império Serrano deixava o morro da Serrinha na década de 1970 para ocupar o amplo terreno onde funcionara durante muitos anos o Mercado de Madureira, e onde permanece no momento de produção deste livro. E assim outras escolas fizeram, em busca de espaços mais amplos e de acesso mais fácil ao público. *Ver* TESES ACADÊMICAS.

PALHETA. Espécie de chapéu masculino, de palha, com copa dura, em forma de cilindro seccionado, e aba estreita. O mesmo que palhinha. *Ver* CHAPÉU DE PALHA.

PANDEIRO. Instrumento de percussão de origem remota, provavelmente árabe, o pandeiro é um tambor raso de uma só membrana, esticada sobre um aro de cerca de trinta centímetros de diâmetro por quatro centímetros de altura, com soalhas ou platinelas. Embora utilizado na música de vários povos e países, no Brasil o pandeiro é percutido de forma bastante peculiar, principalmente com o polegar marcando o tempo e os outros dedos da mesma mão variando o ritmo. Assim, tornou-se o principal instrumento do samba e seu símbolo mais eloquente. Ainda na década de 1960, as baterias das escolas mantinham naipes de pandeiros, muitas vezes com instrumentos de feitura caseira, com aros hexagonais e tensionados ao calor do fogo. No carnaval carioca de 1965, a Vila Isabel, no segundo grupo, eletrizou a plateia quando sua bateria silenciou, deixando apenas um pandeiro executando um solo. Em inglês, o termo *tambourine* (tambor pequeno) designa o pandeiro e também o tamborim, o que frequentemente ocasiona erros de tradução.

PARTIDEIRO. Sambista destacado na arte do verso improvisado, caraterística do partido-alto. Também referido como "versador". Feminino: partideira. O termo é neologismo, criado pelo poeta e compositor Hermínio Bello de Carvalho, em 1964, na apresentação ao grande público da cantora

Clementina de Jesus (cf. Jota Efegê, 1978: 242). Em seus diversos estilos e épocas, a modalidade celebrizou, entre muitos outros, sambistas como Almir Guineto, Aniceto do Império (1912-1993), Arlindo Cruz, Baiano do Cacique (Lopes, 2005: 176), Bidi dos Originais do Samba (1932-após 1972), o portelense Catoni (1930-1999), Cláudio Camunguelo (1945-2007), Dudu Nobre, Jovelina Pérola Negra (1944-1998), o salgueirense Geraldo Babão (1926-1988), Marquinhos China, Oto Branco, da Praça Onze (Paulino, 2005: 81), Padeirinho da Mangueira (1927-1987), Renatinho Partideiro (1963-2013), Tantinho da Mangueira, Vavado do Santo Cristo (Lopes, 2005: 135), Xande de Pilares e Zeca Pagodinho (Lopes, 2005: 104-37; 172-88). Sobre Renatinho Partideiro, notabilizado a partir do bloco Cacique de Ramos, sublinhe-se que em 2014 a prefeitura do Rio de Janeiro deu seu nome a um viaduto da via Transcarioca, entre os bairros de Ramos e Olaria, numa inusitada homenagem a uma personalidade do mundo do samba. *Ver* PARTIDO-ALTO.

PARTIDO-ALTO. Uma das formas do samba carioca. A expressão foi outrora usada, a partir da Bahia, para conotar excelência, alta qualidade. Por exemplo, "baianas do partido-alto" eram aquelas mais destacadas por seu porte, sua elegância e a riqueza de seus balangandãs. **Conceituação** – No passado, o samba de partido-alto ou simplesmente partido-alto era uma espécie de samba instrumental e ocasionalmente vocal (feito para dançar e cantar), constante de uma parte solada chamada "chula" (em virtude da qual era também denominado samba-chulado ou chula-raiada) e de um refrão (que o diferenciava do samba-corrido). Modernamente, o nome designa uma forma de samba cantado em desafio por dois ou mais contendores e que se compõe de uma parte coral (refrão ou "primeira") e de uma parte solada com versos improvisados ou do repertório tradicional, os quais podem ou não se referir ao assunto do refrão. Sob essa rubrica se incluem, hoje, várias formas de sambas rurais; as antigas chulas; os antigos sambas-corridos (aos quais se acrescenta o solo); os refrões de pernada (batucada ou samba-duro), bem como os chamados "partidos-cortados", em que a parte solada é uma quadra com o refrão intercalado (raiado) entre seus versos (Lopes, 2011: 533). Dentre os inúmeros estilos e formatos existentes no amplo universo do samba, o partido-alto é, então, em resumo, aquela variedade em que, depois de entoado em coro o refrão, estribilho ou primeira parte, dois ou mais cantores, alternadamente, improvisam ou interpretam de memória solos constantes de versos preferentemente alusivos ao tema inicial, após o que o coro retoma sua parte. E assim sucessivamente. Talvez uma das últimas manifestações do folclore musical tipicamente carioca, essa qualidade de samba nasceu da interação de outros estilos e gêneros musicais, de várias regiões do país, para constituir-se num modelo de cantoria, assim entendida a arte ou ação de cantar e *tirar versos*, quase sempre em caráter de disputa ou desafio, praticada pelos cantadores populares do Brasil. **Origens** – De remota origem africana, caracteriza-se pelo padrão responsorial, de "interpelação e resposta", expresso na interação entre solistas e coro. Esse padrão era típico das canções do batuque dos bantos ocidentais, nas quais as letras, geralmente narrando episódios amorosos, sobrenaturais ou de façanhas guerreiras, eram sempre improvisadas sobre uma linha melódica pouco variável, reforçada por um estribilho coral e acompanhada de palmas cadenciadas e gritos estridentes, de animação. Essa estrutura é característica também de outras músicas de origem africana nas Américas. E tanto esse traço quanto a coreografia revelam, no antigo samba dos morros do Rio de Janeiro, a permanência de afinidades básicas com as diversas modalidades de samba disseminadas por boa parte do território nacional. **O Cais do Porto** – O livro *Partido-alto: samba de bamba* chama a atenção para o fato de que a zona portuária do Rio foi local por excelência da difusão do estilo aqui focalizado. Primeiro, porque o Cais do Porto carioca se insere na região histórica (estendida longitudinalmente da atual Praça Mauá até a antiga Cidade Nova e, em sentido latitudinal, da atual Praça Tiradentes até as proximidades da Rodoviária Novo Rio) celebrizada como o reduto preferencial da comunidade baiana no antigo Distrito Federal. Segundo, porque grande parte dos moradores dos morros massivamente ocupados, em toda a cidade, a partir da década de 1920, procedia de Minas Gerais, do antigo estado do Rio e das regiões cafeeiras paulistas próximas da fronteira fluminense. E tiveram, na condição de estivadores, arrumadores de cargas e outras atividades, o Cais como atraente ponto de trabalho. Foi assim, trazidos por esses trabalhadores, que o samba rural baiano e o calango do Sudeste se tornaram, no nosso entender, os principais formatadores do partido-alto, objeto de nossa análise. **Ingredientes** – O partido-alto, tal como hoje o conhecemos, tem como principais ingredientes algo do calango (desafio à base de pandeiro e sanfona), um pouco da xiba (sapateado ao som de cavaquinho ou viola e palmas), elementos das chulas (canções em fragmentos) e dos diversos tipos de sambas rurais. Esses são, então, a nosso juízo, os ancestrais mais próximos do objeto de nossa análise. Não são, todavia, os únicos. No grande caldeirão em que se cozinhou essa alentada e sempre apreciada forma de samba, vamos encontrar sempre algo do onipresente e genérico batuque africano; do baiano ou chorado, espécie de lundu; do coco, notadamente o de embolada, forma caracteristicamente nordestina; das cantigas de capoeira e de sua derivada carioca, a batucada ou roda de pernada; de cantos de trabalho; de cantigas de roda; de cantorias de viola etc. Criados por autores anônimos ou conhecidos no Rio Grande do Norte, em Pernambuco, na Bahia, na Zona da Mata mineira e no Vale do Paraíba, fragmentos de muitos espécimes dessas canções e cantorias contribuíram para formar o repertório tradicional do partido-alto e formatá-lo como estilo diferenciado. **A tradição oral** – Observemos agora que boa parte das trovas, quadras e outros tipos de estrofes da poesia popular se inicia por versos padronizados, chamados "muletas" ou "trampolins", por meio dos quais se propõe e estabelece o tema a ser trovado e cantado. Também chamados "pés de cantiga" ou "versos feitos", esses protótipos da criação poética popular são referências também no universo temático da improvisação do partido-alto. Muitos dos grandes partideiros do samba carioca valeram-se e valem-se, em seus solos, de pés de cantiga que ocorrem na tradição poética popular de várias outras partes do país, como alguns dos seguintes e suas variações: "Alecrim na beira dágua..."; "Atravessei o rio a nado..."; "Da Bahia me mandaram..."; "Dizem que cachaça mata..."; "Era eu e tu e ela..."; "Era eu, era meu mano..."; "Eu queria ser balaio..."; "Lá no morro de Mangueira (do Salgueiro etc.)..."; "Minha mãe me botou fora..."; "Minha mãe me deu dinheiro..."; "Minha mãe sempre me disse...”; “Minha mãe, minha mãezinha...”; “Minha viola de pinho...”; “No tempo de Getúlio Vargas (ou outro personagem importante)...”; “No tempo que eu cantava...”; “Obra da fatalidade...”; “Que me dão para levar?...”; “Se eu soubesse que tu vinhas...”; “Você diz que é malandro...”; “Você diz que sabe muito...”; “Vou-me embora, vou-me embora...” etc. Nesses “pés de cantiga”, analistas já detectaram o drama dos retirantes, a jactância dos valentões, a fanfarronice zombeteira, a presença da figura materna, o amor galante, o amor contrariado, o ambiente das populações rurais se recriando na cidade, enfim, a enorme variedade temática da poesia popular de todos os quadrantes. **Disputa e desafio** – Forma de cantoria, às vezes em tom de desafio, o partido-alto é sempre uma disputa poética, expressa ou velada, em que os contendores procuram demonstrar sua destreza no improviso, quando se tornam mais apreciados, seu domínio de versos do repertório tradicional ou, ainda melhor, sua capacidade de, valendo-se de “muletas”, como aquelas antes enumeradas, criar versos novos de acordo com o tema proposto, reforçado no refrão. Mas ao contrário de outros tipos de desafio, o partido-alto será sempre, pela sua própria natureza e mais do que tudo, uma disputa de picardia, elegância e bom humor, em que a ofensa e a provocação jamais terão vez. Afinal, trata-se sempre de uma peleja entre “compadres” que quase sempre, apesar da intimidade, se tratam educada e respeitosamente, mesmo na vida cotidiana, de “senhor” ou “senhora”, dentro do melhor protocolo e da boa etiqueta do mundo do samba. *Ver* PARTIDEIRO.

PASSARELA DO SAMBA. Epíteto com que outrora foi distinguido o Sambódromo carioca. Antes, na nomenclatura oficial, se chamava Avenida dos Desfiles, e, na atualidade, Passarela Professor Darcy Ribeiro. A expressão provém do ambiente dos desfiles de moda.

PASSISTA. Nas escolas de samba e no universo do show business, designação aplicada a cada um dos dançarinos, independentemente de sexo ou idade, executantes de espontâneas coreografias individuais. **Performances acrobáticas.** Por volta da década de 1960, começaram a se destacar nas escolas grupos de ritmistas-passistas acrobatas. Tocando pandeiros e outros instrumentos leves, eles incluíam, em suas performances, figurações acrobáticas. Surgiram daí grupos como, por exemplo, o Trio Pandeiro de Ouro, liderado pelo mangueirense Carlinhos, celebrizado como Carlinhos Pandeiro de Ouro, e os Pelés do Samba, formado por Arandi Cardoso dos Santos, o Careca, Jorge Antonio Carlos, mais tarde conhecido como Jorginho do Império, e Sérgio Amaro da Silva, o Sérgio Jamelão, depois conhecido como mestre-sala. Esse grupo, surgido em 1958 no Império Serrano, sambava imitando passes com uma bola imaginária, e foi o embrião da Ala Sente o Drama, considerada a primeira ala de passo marcado do carnaval carioca. Em São Paulo destacou-se o Trio Pagão, liderado pelo extraordinário passista Gaguinho, aclamado em shows da cantora Elis Regina e do bailarino e coreógrafo Lennie Dale. Pela exuberância de suas apresentações, vários desses grupos foram incorporados ao show business, especialmente para atuar em espetáculos para turistas. *Ver* DANÇAS DO SAMBA; DANÇA-JAZZ; RAINHA DE BATERIA.

PASTORA. Denominação que, nas escolas de samba, se aplica às mulheres, à exceção das baianas, encarregadas de interpretar a parte coral dos sambas e executar a coreografia. Na era do rádio, foi comum a seleção de algumas dessas mulheres, em geral jovens e bonitas, para participar, como coristas e dançarinas, das apresentações de artistas do samba, como foi o caso de *Ataulfo Alves e suas pastoras*. O termo se originou da manifestação folclórica conhecida como "pastoril" (Lopes, 2011: 534). *Ver* CONDIÇÃO FEMININA; RANCHOS CARNAVALESCOS.

PATICUMBUM. O mesmo que ziriguidum. Essa onomatopeia foi criada por Ismael Silva, numa célebre entrevista em que procurava mostrar a diferença rítmica entre o samba do Estácio e a forma anterior, ainda influenciada pelo maxixe.

PATRIMÔNIO CULTURAL. Conjunto de bens culturais de importância reconhecida. **Tombamento, registro e inventário** – A Constituição Federal de 1988, em seus artigos 215 e 216, em consonância com o já estabelecido pela Organização das Nações Unidas para a Educação, a Ciência e a Cultura

(Unesco), ampliou a noção de patrimônio cultural ao reconhecer a existência de bens culturais de natureza material e imaterial e, também, ao estabelecer outras formas de preservação – como o Registro e o Inventário – além do Tombamento, instituído por decreto em 1937 e referente principalmente à proteção de edificações, paisagens e conjuntos históricos urbanos. Os Bens Culturais de Natureza Imaterial "dizem respeito àquelas práticas e domínios da vida social que se manifestam em saberes, ofícios e modos de fazer; celebrações; formas de expressão cênicas, plásticas, musicais ou lúdicas; e nos lugares (como mercados, feiras e santuários que abrigam práticas culturais coletivas)" (disponível em <http://portal.iphan.gov.br/bcrE/pages/conPatrimonioE.jsf?tipoInformacao=1>. Acesso em 22 jul. 2015). Pouco depois desse reconhecimento do samba de roda, ocorrido em 2005, o Centro Cultural Cartola, do Rio de Janeiro, iniciou um vasto trabalho de pesquisa sobre as matrizes do samba do Rio de Janeiro (samba de terreiro, partido-alto e samba de enredo) e elaborou um dossiê, referendado por diversos especialistas e sambistas, que acompanhou o pedido do reconhecimento dessas matrizes como Patrimônio Cultural Imaterial. A reivindicação recebeu parecer favorável e o samba do Rio de Janeiro ganhou o estatuto oficial de que já gozavam o jongo, o samba de roda baiano e o tambor de crioula do Maranhão, entre outras manifestações (*Livro das formas de expressão*. Iphan. Registro de 9/10/2007). *Ver* CULTURA.

PATROCÍNIO. O custeio total ou parcial de um espetáculo artístico, com fins de publicidade ou marketing, sempre foi, no ambiente das escolas de samba, considerado prática espúria. E, como tal, sua utilização expunha a escola ao risco de desclassificação. Em 1969, segundo o regulamento dos desfiles, os enredos não podiam expressar "cunho comercial" (Moura, 1986: 27-29). Entretanto, pouco a pouco essa proibição foi se afrouxando, em atenção não só a razões econômicas como a injunções políticas. Em 1985, com o enredo "Samba, suor e cerveja", o Império Serrano explicitava o patrocínio de uma marca da indústria de bebidas. No auge da polêmica, uns argumentavam que a publicidade nas escolas inviabilizaria a transmissão de TV, por conflitos de patrocínio; outros, como o produtor e animador cultural Albino Pinheiro, enxergavam mais longe: "O desfile vai virar um grande show na Broadway, mas que não terá nada de samba autêntico", disse Pinheiro em entrevista a publicação *AdM, Administração & Marketing* (cf. Auler, 1986: 55). Na década seguinte, o fenômeno do enredo patrocinado, no qual as escolas atuam como veículo de propaganda institucional de governos ou empresas, se generalizou. A título de exemplo: Em 1995, a Imperatriz Leopoldinense cantou o Ceará, a Unidos da Ponte falou do Paraná e a Mangueira, da ilha de Fernando de Noronha; em 1997, ano em que o Império Serrano cantou o Beto Carrero World, versão brasileira da Disneylândia americana, a Grande Rio recebeu patrocínio de Rondônia, e a Portela, de Olinda; em 1999, a Beija-Flor foi patrocinada por Araxá, o Salgueiro por Natal (capital do Rio Grande do Norte), a Vila Isabel pela Paraíba, e a Portela, pelo estado de Minas Gerais. A tendência seria radicalizada em 2002, quando o Salgueiro apresentou um enredo explicitamente patrocinado pela TAM, empresa de transporte aéreo cuja logomarca tem, bem a calhar, as cores alvirrubras da escola, e a Beija-Flor foi patrocinada por outra companhia aérea, a Varig, azul e branca como a escola de Nilópolis. A realidade dos enredos no século XXI, enfim, parece mesmo ser essa. "A poética do samba e o lirismo das alegorias foram nocauteados de vez pelo marketing estratégico", escreveu Vagner Fernandes no artigo "Carnaval fabricado sob encomenda" (*Jornal do Brasil*, edição de 1/7/2001, editoria "Cidade", p. 26), para assim concluir sua denúncia: "Em 2002, pelo menos onze das quatorze escolas do Grupo Especial terão enredos bancados por patrocinadores, uma diretriz que já provoca novo abalo nas relações entre os sambistas profissionais e a corrente pra lá de moderna que defende a adequação da festa aos ideais mercantilistas." Na década seguinte, outra denúncia: "No patrocínio às escolas, empresas escondem as marcas para exibir ideias" (Flavia Oliveira, coluna "Negócios & Cia", *O Globo*, 9/2/2013, p. 24). E outra mais: "Já virou lugar-comum entre os carnavalescos a afirmação de que, sem patrocínio, não é mais possível fazer carnaval. Pode ser verdade. Mas é verdade também que isso vem mudando para pior o carnaval carioca. O desfile deste ano é uma prova disso. Quase todas as escolas partiram para o que é chamado de 'enredo patrocinado'. Como resultado a Marquês de Sapucaí vai assistir à mais esdrúxula coleção de temas de toda a história do carnaval carioca" (Artur Xexéo, *Revista O Globo*, 10/2/2013, p. 66). No auge dessa discussão, após o carnaval de 2013, o jornal *O Globo*, em editorial publicado na edição de 16 de fevereiro (editoria "Rio"), ante a persistência de críticas às escolas patrocinadas por empresas ou governos, defendia os patrocínios, colocando o seguinte dilema: "Ou se quer manter o monopólio do crime organizado às agremiações, algo a ser banido de uma vez por todas?" Em 2015, o enredo da Beija-Flor de Nilópolis, escola campeã do carnaval, provocou grande polêmica, inclusive internacional, por conta do vultoso patrocínio que teria recebido do governo da República da Guiné Equatorial, tido como ditatorial e violador de direitos humanos. Outra versão, citada inclusive por representantes da escola, sugere que o dinheiro teria vindo de empreiteiras brasileiras que investem no país africano. O Ministério Público Federal declarou estar investigando o caso. Nesse mesmo carnaval, quatro agremiações, das cinco melhores colocadas, desenvolveram enredos a partir de patrocínios de cidades ou países. Além do referido caso da Beija-Flor, o Salgueiro recebeu aporte do estado de Minas Gerais, a Unidos da Tijuca fez um enredo em parte bancado pelo governo da Suíça e a Portela recebeu verba substancial da prefeitura da cidade do Rio de Janeiro. *Ver* ENREDO; PATRONO.

PATRONO. Nas escolas de samba, espécie de mecenas, que tradicionalmente dá suporte financeiro às atividades. Tradicionalmente, essa posição foi ocupada por banqueiros do jogo do bicho, como historiado no verbete respectivo. Entretanto, à época da criação deste texto, essa forma de mecenato começava a ser contestada, como se afere deste trecho de um editorial jornalístico: "O governador Sérgio Cabral está certo na afirmação de que as escolas de samba precisam se livrar dos bicheiros, hoje sem qualquer semelhança com aqueles 'patronos' da década de 60 e já integrados à criminalidade internacional. Há muitos exemplos de como a força do carnaval pode viabilizar projetos sem dinheiro sujo, desenvolvidos de forma profissional. Afastar o bicho dos barracões ajudará, também, a desatar relações incestuosas de máfias com áreas do poder público." (Opinião de *O Globo*, 23/2/2012, p. 12, em box da reportagem "Escolas não querem bicheiros longe da festa", de Fábio Vasconcellos, Luiz Ernesto Magalhães e Rafael Galdo.) *Ver* JOGO DO BICHO; PATROCÍNIO.

PAU DE SEBO. Expressão popularizada na década de 1970, no ambiente da indústria fonográfica, para designar o disco, geralmente de samba, com diversos intérpretes candidatos ao estrelato. Trata-se de metáfora evocativa ao mastro alto, untado com substância escorregadia, erguido em certas festas populares. No topo, ele contém prendas, destinadas apenas àqueles que conseguirem alcançá-las com seu próprio esforço ou habilidade.

PELEGUISMO. Ação de pelego, agente político do governo infiltrado em organizações de trabalhadores. A história das escolas de samba registra casos desse tipo de atuação, sendo, segundo Franceschi (2010: 198) o primeiro deles o da legendária Deixa Falar. Consoante este autor, na década de 1930, o governo brasileiro, atemorizado com a força criativa e de certa forma anárquica do mundo do samba naquele momento, houve por bem neutralizá-la. Então teria infiltrado pelegos no Estácio e mudado as características do principal grupamento local. Assim, o grupo teria sido organizado, dominado e desbaratado em curtíssimo lapso de tempo.

"PELO TELEFONE". Obra literomusical, de autoria legalmente atribuída a Donga e Mauro de Almeida, lançada em disco pela Odeon, em 1917. Tida em geral como o primeiro samba gravado, tem essa primazia contestada em Muniz Júnior (1976: 27). Segundo a fonte, baseada em Ary Vasconcelos, a obra seria apenas "o primeiro samba que, sob essa denominação, fez sucesso", o que é realçado também em Severiano e Melo (1997: 53). Antes dele, segundo o autor, teriam surgido "Em casa da baiana", de 1911, anunciado na gravação como "samba de partido-alto" e "A viola está magoada", de 1914, também rotulado como "samba". *Ver* REGISTRO DE OBRAS MUSICAIS.

PENHA. *Ver* FESTA DA PENHA.

PEQUENA ÁFRICA. Expressão usada pelo escritor Roberto Moura, baseado numa afirmação de Heitor dos Prazeres ("A Praça Onze era uma África em miniatura", cf. Alencar, 1981 2ª ed.: 80), para designar a base territorial da comunidade baiana do Rio de Janeiro, estabelecida, a partir dos anos de 1870, na região que se estendia dos arredores da antiga Praça Onze até as proximidades da atual Praça Mauá. Compreendendo as antigas localidades e freguesias da Cidade Nova, de Santana, do Santo Cristo, da Saúde e da Gamboa, e constituindo-se em importante polo concentrador de múltiplas expressões da cultura afro-brasileira, da música à religião, a Pequena África foi o berço onde nasceu o samba em sua forma urbana. *Ver* "PELO TELEFONE".

PERCUSSIONISTAS. Em 1930, na sessão de gravação de *Na Pavuna,* de Homero Dornelas e Almirante, pela primeira vez a percussão tradicional do samba, com pandeiro, cuíca, tamborim, ganzá e surdo, é registrada em estúdio. Desse evento histórico, participaram, além do bandolim de Luperce Miranda e do piano de Carolina Cardoso de Menezes, os tamborins e o surdo dos percussionistas Canuto, Puruca e Andaraí (Máximo, 1990: 128). Nascia aí a possibilidade de profissionalização para músicos do samba. Dela se beneficiariam, ao longo dos tempos, artistas como Armando Marçal, Arnô Canegal, Baiaco, Bide, Buci Moreira, Getúlio Marinho (o Amor), João da Baiana, Ministro da Cuíca, Tibelo, Tio Faustino e outros. Nas décadas de 1970-1980, destacou-se nos estúdios cariocas o trio composto por Luna, Eliseu e Nilton Marçal, presente em inúmeras gravações da época. A eles somavam-se frequentemente outros percussionistas do samba, como Doutor do Repique, Geraldo Barbosa, Geraldo Bongô, Wilson Canegal etc. Mais recentemente, outros percussionistas do mundo do samba ascenderam à condição de profissionais requisitados para shows e gravações. Merecem citação, entre os mais constantes nas fichas de gravação, Esguleba, Gordinho, Marçalzinho, Pretinho da Serrinha e Ovídio Brito.

PIANO. Instrumento musical nascido na Itália em fins do século XVII, o piano é, desde pelo menos o século XIX, um instrumento universal, utilizado na interpretação de quase todos os gêneros de música popular, inclusive do samba. Na época do maxixe, foi amplamente utilizado principalmente pelos chamados "pianeiros", músicos sem instrução musical formal que, de ouvido, interpretavam com muita propriedade as músicas com que animavam bailes e festas domésticas. Do maxixe, o piano chegou ao samba, dando fama a "pianeiros" e pianistas como foram Sinhô (1888-1930); Romualdo Peixoto, o Nonô; citado em Barbosa (1978: 86) como o Chopin do samba; Mário Travassos; Kaluá; Rondon; Vadico; Mário Cabral; Carolina Cardoso de Menezes etc. Do ambiente da bossa nova e das boates chegaram ao samba incontáveis grandes pianistas. *Ver* ÓRGÃO HAMMOND.

PILANTRAGEM. Denominação de um estilo musical difundido na década de 1960 a partir do Rio de Janeiro. Suas bases estéticas aparecem no disco *Wilson Simonal*, de 1965, no qual o intérprete é apoiado por um trio instrumental com raízes no samba-jazz. Aí, com as gravações de "Juca Bobão" (de Del Loro) e "Mangangá" (de Geraldo Nunes), o efeito de um estilo de samba extremamente balançado aponta para o que, depois, seria mercadologicamente apelidado de "pilantragem". Tentativamente chamado, na época, de "samba jovem", o estilo é definido em Motta (2000: 87) como "uma espécie de samba americano com sabor latino, muito gostoso". Eficaz e eminentemente dançante, teve como principal intérprete o referido Simonal (1938-2000), criador de sucessos como "Carango", de Nonato Buzar e Carlos Imperial, lançado em 1966; e "Nem vem que não tem", de Imperial, lançado em 1968. No caso, o termo "pilantragem" foi utilizado aproximadamente como sinônimo de "malandragem", no sentido de "manha", "malícia" etc. Na década de 1970, o endurecimento do regime militar foi decisivo para pôr fim ao estilo, caracterizado principalmente pela irreverência das letras e atitudes de seus artistas.

POÉTICA. *Ver* LÍRICA.

POLÍTICA DA BOA VIZINHANÇA. Tradução brasileira para *Good Neighbor Policy*, iniciativa política praticada entre o governo dos Estados Unidos e os países da América Latina, que teve seu auge entre 1933 e 1945. Consistia, teoricamente, no compromisso de investimentos e venda de tecnologia por parte dos EUA, em troca de apoio político. Na prática, revelou-se um forte instrumento de penetração da cultura norte-americana e seu modo de vida (o *american way of life*) entre os latinos. No Brasil, a "boa vizinhança" redundou no domínio acachapante dessa cultura, principalmente por intermédio do cinema e da música, ao que o samba não teve como ficar incólume. Registra-se aí, por exemplo, a célebre visita do artista e empresário Walt Disney à Portela. Com ela, entendida na época como uma visita descompromissada, os EUA procuravam, pela magia cinematográfica de Hollywood, incrementar o consumo dos produtos de sua indústria, abalado pela perda do mercado europeu. Acrescente-se que a expressão que dá título a este verbete é citada no samba "Boogie-woogie na favela", de Denis Brean (1917-1969), lançado em 1945 pelo cantor Cyro Monteiro (1913-1973). Tal política também foi satirizada por Assis Valente no samba "Brasil pandeiro", gravado em 1940 pelo conjunto Anjos do Inferno. *Ver* ESTADO NOVO; INTERNACIONALIZAÇÃO; RADIODIFUSÃO – ERA DO RÁDIO.

POLÍTICA. Desde os primeiros tempos, o samba foi objeto de atenção de políticos e administradores públicos. No período que vai de 1930 a 1945, tanto o Estado quanto partidos, governantes, parlamentares e candidatos a cargos utilizaram ou pretenderam utilizar o samba como veículo de seus objetivos de conquista ou condução das massas populares. Numa conjuntura em que, na cidade do Rio de Janeiro, o poder federal e o municipal se complementavam e quase se confundiam, figura extremamente importante foi a do médico e político Pedro Ernesto Batista. **Pedro Ernesto** – Não por acaso, o nome "Pedro Ernesto" é extremamente familiar ao povo carioca: foi dado a um importante hospital no bairro de Vila Isabel; a uma rua no bairro da Gamboa; e a uma estação ferroviária no bairro de Olaria. Interventor federal no início da Era Vargas, em 1931, o personagem tornou-se, depois, o primeiro prefeito carioca eleito pelo voto popular. Segundo Isabel Lustosa, "num tempo em que os políticos muitas vezes nem conheciam as localidades pelas quais se elegiam", ele foi buscar seus votos, com realizações altamente significativas, nos redutos mais afastados, entre eles os das escolas de samba ("Pedro Ernesto, prefeito do Rio", *Jornal do Brasil*, Primeiro Caderno, 18/11/1992). Em 1935, no seu primeiro desfile oficial, as escolas de samba carioca disputavam o Troféu Pedro Ernesto. **As entidades do samba** – No ano anterior era fundada a União (depois União Geral) das Escolas de Samba, com a finalidade de ajudar a organizar os desfiles. A ligação dessa entidade com o Partido Comunista era tão forte que sua sigla, Uges, acabou sendo traduzida pelos adversários como "União Geral das Escolas Soviéticas". Com certa razão, pois em 15 de novembro de 1946, a Uges realizava, no Campo de São Cristóvão, um desfile em homenagem ao líder Luís Carlos Prestes, com a participação de 22 escolas que apresentaram sambas alusivos à saga do Cavaleiro da Esperança. No livro *As escolas de samba do Rio de Janeiro* (1996), o jornalista Sérgio Cabral afirma que o freio a essa influência veio, no ano seguinte ao "subversivo" desfile, com a criação da Federação Brasileira das Escolas de Samba, fundada sob a influência do político Frederico Trotta, que nomeou como secretário-geral da instituição o jornalista Oyama Brandão, ferrenho anticomunista. Trotta, coronel do Exército, foi o segundo governador do territorio Federal do Iguaçu, nomeado em 1946 pelo presidente Dutra. Seu maior interesse, todavia, era o poder que emanava do Distrito Federal. Assim, às vésperas das eleições de 1950, uma conclamação: "Companheiros das escolas de samba! Gente do morro e da planície! [...] Unamo-nos pois em torno do nome do nosso grande amigo de sempre e de longos anos, Cel. Frederico Trotta, façamos força para elegê-lo novamente, afim [*sic*] de termos um defensor de nossos interesses na altura da nossa querida metrópole. Às urnas! Em 3 de outubro de 1950, com a cédula que representa a nossa gratidão, para vereador Frederico Trotta. Rio de Janeiro, 2 de agosto de 1950." No documento, transcrito no livro *Império Serrano, primeiro decênio*, de Francisco de Vasconcellos (1991), após a data de 2 de agosto, seguem-se dez assinaturas de pessoas referidas no texto como "velhos sambistas", mas nenhuma delas publicamente conhecida. **Novas uniões** – O ano de 1950, o da escolha do novo presidente, seria, por isso mesmo, essencialmente político, inclusive no ambiente das escolas de samba. Assim, em princípios de janeiro, foi criada a Uces, que, apesar de sua artificialidade, ou por causa dela, recebeu logo a adesão de poderosas forças do meio e o suporte jornalístico do jornal *Diário Trabalhista*. Nesse contexto, foram aclamados como sócios honorários da entidade o marechal Dutra e o prefeito Mendes de Moraes. Mas a FBES, apoiada pelo jornal *A Manhã* e estribada em sua experiência, reivindicou junto à prefeitura o controle do concurso oficial das escolas de samba. Politicamente, a municipalidade resolveu prestigiar ambos os grupos; e assim instituiu dois desfiles, em dois trechos diferentes da avenida Presidente Vargas. Enquanto isso, correndo por fora, a Ugesb resolveu fazer o desfile de suas filiadas na Praça Onze. Essa divisão no universo das escolas de samba só teve fim, em parte, em 1953, com a unificação dos desfiles, que se seguiu à criação da Confederação das Escolas de Samba, estruturada para substituir a União Cívica. **Outros caminhos** – A partir daí, consolidou-se a hegemonia das então quatro grandes, Portela, Mangueira, Império e Salgueiro. A política foi tomando outros caminhos, que se expressaram nos enredos da ascensão da G.R.E.S. Beija-Flor de Nilópolis, em 1974 e 1975, louvando as realizações dos governos militares após 1964. Com a ascensão da Beija-Flor, seu sucesso tomou foros de visibilidade "municipal"; então, na sequência, surgiram Leão de Iguaçu (1986), Acadêmicos do Grande Rio (1988) e Inocentes de Belford Roxo (1993), cujo presidente era, em 2013, secretário de obras do seu município e presidente da Lesga. Observe-se que a chegada ao grande desfile de escolas representantes de municípios do Grande Rio tem, quase sempre, naturais motivações político-partidárias, inclusive de certos "clãs" de origens familiares, por força da grande exposição propiciada pela transmissão televisiva dos desfiles em rede nacional e distribuição internacional. **Representatividade** – Em relação a outros setores, a representatividade política do mundo do samba em termos municipais, estaduais ou nacionais (fora do âmbito dos patronos) é rarefeita, ocorrendo apenas em casos isolados. Tal é o caso da compositora e cantora mangueirense Leci Brandão, eleita deputada estadual em 2010 pelo Partido Comunista do Brasil (PCdoB), em São Paulo. *Ver* ENTIDADES DE REPRESENTAÇÃO DAS ESCOLAS DE SAMBA; ESTADO NOVO.

POP, música. *Ver* GLOBALIZAÇÃO; INDÚSTRIA FONOGRÁFICA: Samba e música pop.

PORTA-BANDEIRA. Nas escolas de samba, dançarina que, ao lado do mestre-sala, desempenha a importante função de levar a bandeira que simboliza sua agremiação. Tradicionalmente, nos desfiles, atuavam duas: a primeira (principal), levando a bandeira alusiva àquele carnaval; e a segunda, portando a bandeira do ano anterior. Tal prática não se verifica mais; as agremiações levam para a avenida todas as bandeiras novas, com o bordado do número do ano em curso. As escolas, atualmente, costumam desfilar com três porta-bandeiras. *Ver* MESTRE-SALA E PORTA-BANDEIRA.

PORTA-ESTANDARTE. *Ver* MESTRE-SALA E PORTA-BANDEIRA.

PORTELA. *Ver* OSWALDO CRUZ.

PORTELINHA. Nome pelo qual é conhecida a primeira e histórica sede da Escola de Samba Portela, na estrada que deu nome à agremiação. Ao tempo da produção desta obra servia como sede à velha guarda.

PRAÇA ONZE. Antigo centro do carnaval das populações negras do Rio de Janeiro, a Praça Onze de Junho localizava-se na atual avenida Presidente Vargas, próxima à rua de Santana. O logradouro consistia em um retângulo entre as extintas ruas Visconde de Itaúna e Senador Euzébio, fechado pelas ruas de Santana e Marquês de Pombal. Lá se exibiam, dos anos de 1930 aos de 1940, as escolas de samba e os ranchos carnavalescos, bem como se confraternizavam ou confrontavam, nas rodas de batucada e pernada, os sambistas descidos dos morros e subúrbios. Na opinião de estudiosos, a Praça Onze de Junho – nome oficial, em evocação à batalha naval do Riachuelo, episódio da Guerra do Paraguai – funcionava como um grande liquidificador, processando a matéria-prima da arte "selvagem" dos negros para ser consumida pelas camadas "civilizadas" da sociedade brasileira. A praça foi deixando de existir oficialmente ao longo das décadas de 1940 a 1960, no processo de abertura e alargamento da avenida Presidente Vargas; entretanto, permanece como símbolo da afrobrasilidade em terra carioca, sendo seu nome ainda usado, na fala popular, para se referir à antiga área e seu entorno. No lugar, foi erguido, na década de 1980, um monumento ao herói Zumbi; e, em suas cercanias, foi construída a pista de desfile das escolas de samba, o Sambódromo, e o espaço de shows do Terreirão do Samba. *Ver* PEQUENA ÁFRICA.

PRATO E FACA. Conjunto de utensílios de cozinha outrora usado na percussão do samba. Esse uso reflete uma tendência, comum na música de matriz africana nas Américas, que é a de servir-se de objetos quaisquer para produzir som ritmado. É o caso, ainda no samba, da caixa de fósforos, do chapéu "palheta", de colheres, garrafas etc. *Ver* INSTRUMENTOS IMPROVISADOS.

PRECONCEITO. Opinião formada sem reflexão; sentimento concebido sem exame crítico; pressuposição sobre alguém ou alguma coisa, o preconceito acompanha o samba desde o nascedouro, como exposto no verbete *desqualificação.* Já no ano de 1914, em célebre discurso, o senador Rui Barbosa, a propósito do "Corta-Jaca" – música de Chiquinha Gonzaga inspirada na dança popular de mesmo nome e tocada ao violão pela primeira-dama da república –, acusava a dança de baixa, chula e grosseira, dizendo ser "irmã gêmea [...] do samba" (cf. Sandroni, 2001: 89). Duas décadas depois, o gênero já integra planos governamentais; mas as apreciações negativas ainda permanecem, como neste texto publicado na revista carioca *O Malho*: "Os sambistas são tidos geralmente como sujeitos malvestidos e mal-encarados. Na realidade, porém, a classe está cada vez mais limpa e mais elegante. Paulo de Frontin Werneck, por exemplo, cantor e autor de sambas românticos, é o moço alinhado que o clichê indica. Ele acaba de fazer gravar por Mário Reis o samba 'Quando o meu amor morreu', uma peça digna do sucesso que está obtendo." (*O Malho*, 31/10/1935, p. 8) Passado mais algum tempo, a mesma revista, em reportagem sobre radialistas com formação universitária, estampa: "Não é só de macumbeiros, sambistas da Praça Onze, compradores de produções alheias, analfabetos e gente de baixa categoria que se forma o ambiente radiofônico do Rio" (*O Malho*, 2/3/1939, p. 9, matéria "Os doutores do rádio"). No ano seguinte, consoante Tupy (1985: 97-98), um juiz do Tribunal de Segurança Nacional alerta: "O canto clássico e a canção sentimental [...] são pelos mesmos motivos prejudicados fazendo-se a apologia do samba, porque os seus temas são dissolventes da moral, a sua letra é do 'homem do povo' e a sua técnica, se existe, refoge a qualquer preceito artístico de criação burguesa." Ainda em 1940, Berilo Neves, coronel do Exército e crítico literário, escreve na *Revista da Semana*, edição de 3 de fevereiro: "O Samba é uma reminiscência afro-melódica dos tempos coloniais, o último capítulo de uma idade morta; a idade das senzalas no Brasil [...]. Não é a expressão musical de um povo: é o prurido eczematoso de um morro. É o irmão gêmeo destas entidades abstrusas que se chamam Suor, Jogo do Bicho e Malandragem" (cf. Muniz Jr., 1976 A: 27). Em 1942, o jornalista Sylvio Moreaux escreve no *Jornal do Brasil*: "Necessário se torna, para o futuro, maior rigor na censura das produções (de carnaval) evitando-se a possibilidade de assuntos apologistas de baixezas, como as macumbas e as malandragens. Há muita coisa interessante para ser abordada, como há também muita maneira inteligente de livrar o nosso povo das ideias africanistas que lhe são impingidas pelos maestrecos e poetaços chamados *do morro*." (cf. Cabral, 1996: 134-35.) Retomando o pensamento do antropólogo Darcy Ribeiro, exposto no texto de Introdução deste livro, podemos dizer ainda que, no século XX, a influência das corporações multinacionais sobre a opinião pública brasileira gerou a ideia de que o samba, de um modo geral, constituiria uma expressão artística menor, o que exprime uma visão equivocada e, sem dúvida, preconceituosa. *Ver* RELAÇÕES ETNORRACIAIS.

PRÊMIO DA MÚSICA BRASILEIRA. Surgida em 1987, como Prêmio Sharp e depois designada com outros nomes de empresas patrocinadoras, a premiação foi rebatizada em 2009, quando seu idealizador, José Mauricio Machline, teria passado a concretizá-la apenas com a ajuda de "amigos, artistas e fornecedores" (cf. www.premiodamusica.com.br). Conhecido pela multiplicidade de categorias que inclui, e algumas vezes criticado pelos critérios de classificação de gêneros e estilos, apenas em duas de suas edições o prêmio homenageou artistas originários do mundo do samba, Zé Kéti e Dona Ivone Lara. Entretanto, em seu jubileu de ouro, celebrado em 2014, o evento pela primeira vez homenageou não um artista, mas o próprio samba, mencionado na divulgação, entretanto, como um "ritmo".

PRÊMIO SHELL DE MÚSICA. Premiação criada em 1981 pela Shell do Brasil para homenagear compositores nacionais em reconhecimento ao conjunto de sua obra. Em 1991, o prêmio, que já agraciara grandes ícones de nossa música popular, laureava, pela primeira vez, um artista oriundo do universo das escolas de samba, Martinho da Vila. A ele, seguir-se-iam Paulinho da Viola, em 1992; Zé Kéti, em 1998; Elton Medeiros, em 2001; e Dona Ivone Lara, em 2002.

PRODUÇÃO MUSICAL. No âmbito deste dicionário, produtor musical é o profissional encarregado da execução ou coordenação de produtos musicais, tais como espetáculos, gravações de áudio e vídeo, inclusive digitais. No campo específico da produção de fonogramas – em discos, CDs e DVDs – produtor é, no sentido estrito, o profissional que cuida dos aspectos artísticos e técnicos, inclusive do planejamento da gravação, da escolha dos arranjadores e músicos, bem como da coordenação dos profissionais que vão atuar no estúdio (Barbosa et Rabaça, 2001: 592). Nas gravações de samba a partir da década de 1970, destacaram-se como produtores músicos como Geraldo Vespar, Ivan Paulo, Milton Manhães e Rildo Hora, além de profissionais não músicos, mas absolutamente identificados com o samba, como Adelzon Alves, Paulo César Pinheiro e Paulinho Albuquerque. Sobre este último, falecido em 2006, aos 64 anos, ressalte-se o esforço que fez no sentido de quebrar as barreiras que excluem o samba do círculo mercadológico da chamada MPB.

PROFISSIONALIZAÇÃO. A profissionalização de sambistas, no ambiente da radiofusão, do teatro musicado, da televisão e na indústria do entretenimento em geral é cercada de idealizações e incertezas. Pereira (1967), baseado em pesquisas realizadas nas cidades de São Paulo e Rio de Janeiro entre 1958 e 1961, analisa até que ponto, naquela época, as peculiaridades étnicas do indivíduo negro auxiliavam ou impediam suas tentativas de realização no ambiente radiofônico. Segundo nossa percepção, o que se comprova no estudo, havia, sim, artistas do samba desfrutando de relativa projeção, como compositores, intérpretes e músicos. Mas isso não configurava uma mobilidade social e econômica propiciada ao samba, cujo ambiente, tendo como núcleo principal de irradiação os morros cariocas e as escolas, ainda era percebido com preconceito e desconfiança. **O futebol como exemplo** – Numa outra direção, no final da década de 1960, no âmbito das entidades de representação, reivindicava-se uma real profissionalização das escolas no espetáculo do carnaval e fora dele. Dessa forma, em uma das primeiras edições do boletim *Samba e Cultura*, da Aeseg, o jornalista Romão de Lima assim se manifestava: "As escolas de samba parece que não perceberam ainda o seu real valor, a sua verdadeira força, o quanto podem realizar, com o seu contingente, constituído, em sua maioria, de verdadeiros artistas. É comum ver-se uma escola de samba se exibir em praça pública, para homenagear isso ou aquilo, sem que nenhuma vantagem advenha para os seus associados ou para o seu patrimônio. [...] Por que não seguirmos o exemplo dos clubes de futebol? Por acaso algum deles se exibe de graça? Não. Nem mesmo nas grandes promoções especiais: Dia do Trabalho, visita da Rainha da Inglaterra, visita do Rei da Noruega, ou outros quejandos. Tais jogos, geralmente, são realizados com "portões abertos", o que dá a aparência de uma exibição gratuita, mas todos sabemos, através de comentários da imprensa, que chamada "cota fixa" é exigida inapelavelmente pelos times participantes. [...] É preciso pensar melhor no futuro das nossas escolas de samba. Pois como é sabido são raras as que possuem dependências adequadas, isto é, quadra e sede própria. A nosso ver, uma das causas dessa deficiência é a falta de valorização das próprias escolas por elas mesmo [*sic*]. Pois ainda mantêm aquela mania antiga de agradar a geralmente quem não merece" (cf. Lima, 1969: 1). No momento da elaboração deste dicionário, as maiores escolas de samba cariocas são administradas profissionalmente. Quanto aos sambistas, entretanto, o canal da ascensão econômica pela via da profissionalização é estreito, só se abrindo a alguns músicos (quase sempre percussionistas) e pouquíssimos compositores, cantores e dançarinos, homens ou mulheres.

PROGRAMAS RADIOFÔNICOS. A partir, talvez, da maior exposição das escolas de samba na passagem para a década de 1960, o samba ganhou o espaço radiofônico, inicialmente no Rio de Janeiro, com programas semanais ou diários dedicados à execução do seu repertório. Um dos primeiros programas especializados de que se tem notícia foi o *A Voz do Morro*, produzido e apresentado por Salvador Batista, na Rádio Tupi. Em 1966, o radialista Adelzon Alves criava, produzia e apresentava, na Rádio Globo, *O Amigo da Madrugada*, programa que, consoante sua denominação, varava as madrugadas apresentando ao vivo grandes nomes do mundo do samba e permaneceu na grade de programação da rádio até 1990. Em linha semelhante, destacou-se o carioca Zeno Bandeira, com o programa *Nossa Raiz*, na Rádio Roquette Pinto. Em São Paulo, o grande capitalizador da audiência dos aficionados do samba é o locutor e apresentador Moisés da Rocha. Seu primeiro programa foi *O Samba Pede Passagem*, que estreou em 1978 na Rádio Universidade de São Paulo FM, onde permaneceu durante 22 anos e se destacou como o primeiro do gênero em emissora de frequência modulada. Moisés da Rocha foi o grande impulsionador, em São Paulo, do estilo pagode de fundo de quintal, na década de 1980. Por essa época e no mesmo cenário, era destaque, no Rio, a Rádio Tropical, estação dedicada exclusivamente à transmissão e divulgação do samba. Criada pelo locutor Armando Campos, a Tropical sucumbiu na década de 1990, durante o Governo Collor, e em 2001 foi arrendada pela Igreja Universal do Reino de Deus. Na Rádio Nacional do Rio de Janeiro, entre julho de 2004 e junho de 2014, a cantora e apresentadora Dorina manteve o programa *Dorina Ponto Samba*. Na atualidade, permanece no ar, com boa audiência, o *Samba Social Clube*, na carioca Rádio MPB FM. *Ver* EVANGÉLICOS; INDÚSTRIA FONOGRÁFICA.

PROJETO PIXINGUINHA. *Ver* DITADURA MILITAR – Cronologia.

PROTESTO. *Ver* DITADURA MILITAR – Resistência.

PROVIDÊNCIA, morro da. *Ver* FAVELA, morro da.

PUBLICIDADE E PROPAGANDA. Vocábulos usados no Brasil como sinônimos, a publicidade e a propaganda constituem processos de informação destinados a influenciar opiniões, sentimentos e atitudes. A propaganda comercial, dedicada a promover as qualidades de um produto à venda, costuma associar o samba apenas a produtos voltados às classes chamadas "populares", economicamente inferiores. Em contrapartida, o estilo bossa nova tem curso na publicidade de produtos finos e sofisticados. Em 2014, a empresa transnacional Nivea, do ramo de cosméticos, produziu no Brasil um espetáculo itinerante em que homenajeava o "ritmo brasileiro mais conhecido no mundo", segundo a divulgação, estrelado pelos intépretes Alcione, Diogo Nogueira, Martinho da Vila e Roberta Sá. *Ver* CERVEJA; CHURRASCO; JINGLE.

PULADINHO. Figuração do samba de salão, executada pelo par com graciosos passos "miúdos e rápidos, com saltitos" (cf. Houaiss e Villar, 2001).

PUXADOR. *Ver* CANTO POPULAR.

QUADRA. *Ver* TERREIRO.

QUILOMBO, Grêmio Recreativo de Arte Negra e Escola de Samba. Entidade fundada sob a liderança do compositor Antônio Candeia Filho, o Candeia (1935-1978), em 8 de dezembro de 1975. Concebido em reuniões na residência do compositor e nascido ao mesmo tempo em que Candeia publicava em livro o libelo *Escola de samba, árvore que esqueceu a raiz*, o Quilombo (assim denominado em alusão ao termo de origem banta que designava o reduto de fugitivos da escravidão) foi criado, segundo seus estatutos, entre outras coisas, para a valorização da "arte popular, banida das escolas de samba". Surgido na mesma conjuntura e com os mesmos propósitos do Grupo Palmares (Porto Alegre, 1971); do movimento musical mais tarde batizado como Black Rio; do Centro de Estudos Afro-Asiáticos da Universidade Candido Mendes, no Rio; do bloco afro Ilê Aiyê (Salvador, 1974) e de outras iniciativas de movimentação nacional contra o racismo (Santos, 2009: 68-70), o G.R.A.N.E.S. Quilombo foi muito mais que uma escola de samba. Entre outros eventos, realizou desfiles alternativos, fora do carnaval oficial. Seus sambas de enredo, inclusive alguns que não chegaram aos desfiles, mas mereceram gravações em disco, veiculavam mensagens políticas importantes, sendo assinados por compositores como Luiz Carlos da Vila (1949-2008), Nei Lopes, Wilson Moreira e Zé Luiz do Império, entre outros. Em Vargens (1987: 77-79) informa-se, com a transcrição do documento datado de 8 de dezembro de 1976, a aprovação pela Inter-American Foundation, agência do governo dos EUA com atuação na América Latina e no Caribe, de uma subvenção de 20 mil dólares a ser concedida ao G.R.A.N.E.S. Quilombo. Esses fundos deveriam ser usados para adquirir máquinas industriais de costura, tesoura elétrica e equipamento (usado) de impressão em *offset* para a confecção de fantasias de carnaval, uniformes escolares, livros culturais e capas de discos fonográficos. Mas o líder Candeia não concordou com algumas imposições contratuais e o acordo não se realizou. Em janeiro de 2014, circulava a notícia de que a importante entidade, agora apresentando-se como um bloco carnavalesco convencional, iria, no carnaval, por dificuldades financeiras, integrar-se ao bloco Timoneiros da Viola, criado em homenagem ao compositor Paulinho da Viola e liderado pelo jornalista e escritor Vagner Fernandes (Amorim, 2013: 15). *Ver* CONSCIÊNCIA NEGRA; RELAÇÕES ETNORRACIAIS.

RADIODIFUSÃO. A transmissão de conteúdos através do rádio ou da televisão é chamada genericamente de radiodifusão. O projeto brasileiro de radiodifusão, lançado na Exposição do Centenário da Independência, em 1922, só teve início efetivamente em abril do ano seguinte, com a entrada no ar da Rádio Sociedade do Rio de Janeiro, por iniciativa do antropólogo Edgard Roquette Pinto. Entretanto, as emissoras eram poucas e de pequeno alcance. A partir de 1932, com o Decreto-Lei nº 21.111, que autorizava a veiculação de propaganda pelo rádio, opera-se a grande transformação: os programas de variedades incluem a música popular (*Nosso Século*, 1980 III: 61) e naturalmente o samba, num momento em que, segundo Ruiz (1984: 97), o maior veículo de divulgação do gênero ainda era o teatro de revista. **Era do rádio** – O período que vai de 1932 até o advento da televisão no país, em 1950, costuma ser mencionado como a era do rádio. Nesse período, a adesão mais completa da radiofonia nacional ao estilo radiofônico americano deu-se entre 1940 e 1942, a partir da estatização da Rádio Nacional e da vigência da Política da Boa Vizinhança. Então, a programação se beneficiava dos patrocínios de companhias estrangeiras, como Goodyear e Coca-Cola, que garantiam ao rádio glamour e audiência (Moreira, 2006: 65). Do ponto de vista das relações etnorraciais, em 1967, o cientista social João Baptista Borges Pereira tornava-se talvez o primeiro a mostrar como eram recebidos o negro e o samba no ambiente radiofônico por essa época. Em seu estudo, Pereira discute até que ponto as características "raciais" auxiliavam ou impediam músicos e cantores negros em suas tentativas de realização nesse meio, inclusive e principalmente através do samba. Acrescentemos que boa parte desses artistas eram popularizados por meio de apelidos alusivos à sua condição étnica, como, por exemplo, Blecaute, Chocolate, Jamelão etc. *Ver* PROGRAMAS RADIOFÔNICOS.

RAIADOR. Designação aplicada ao cantador de chula-raiada e, outrora, por extensão, ao improvisador na roda do samba de partido-alto. Segundo Alencar (1981: 20), Hilário Jovino e seus companheiros Dudu, João Câncio e Oscar eram "raiadores afamados" no ambiente da Pequena África. Em Andrade (1989: 425) o termo é consignado na acepção de "dançarino do partido-alto", talvez dentro da ideia de "riscar" o chão. *Ver* CHULA – Chula-raiada.

RAINHA DE BATERIA. Desde provavelmente a década de 1960, as baterias das escolas de samba costumam trazer à frente de seu conjunto uma passista, primeiro distinguida como sua "madrinha" e mais tarde como "rainha". Escolhida pelo grupo, ela era, em geral, a mais talentosa das dançarinas solistas da comunidade. A partir do sucesso da modelo Monique Evans na G.R.E.S. Mocidade Independente de Padre Miguel, em 1984, o posto, pela grande visibilidade que propicia, passou a ser disputado por estrelas da televisão e das passarelas ou por aspirantes ao estrelato, geralmente apresentadas como modelos e manequins. Por se beneficiarem com espaços na mídia, a maior parte das escolas incentiva essa disputa.

RANCHO CARNAVALESCO. Espécie de sociedade carnavalesca carioca antecessora da escola de samba, e na qual esta foi buscar alguns de seus principais elementos constitutivos. O principal dentre eles foi o Ameno Resedá, com sede no bairro do Catete. **O rancho-escola** – Fundado em 1907 e extinto em 1943, o Ameno Resedá destacou-se como uma das mais importantes agremiações do carnaval carioca. Intitulando-se "rancho-escola", forneceu o modelo no qual se inspiraram as primeiras escolas. Entre seus fundadores e impulsionadores contavam-se muitos homens e mulheres ligados à comunidade baiana no Rio de Janeiro. O termo "rancho" tem, no caso, o significado de "grupo de pessoas reunidas para determinado fim, especialmente em marcha ou jornada" (cf. Houaiss e Villar, 2001); e os ranchos do carnaval carioca representavam associações tipificadas como "pequenas" em contraponto às grandes sociedades. *Ver* PEQUENA ÁFRICA.

RASGADO. Termo que adjetiva o samba fortemente ritmado ou sincopado; marcado por forte sentimento de excitação.

REBOLADO. *Ver* BOLE-BOLE.

REGISTRO DE OBRAS MUSICAIS. O registro de obras intelectuais (inclusive as composições musicais, como as do gênero samba, com ou sem letra) foi introduzido oficialmente, no Brasil, pela Lei 5.988, de 14 de dezembro de 1973. Esse registro, entretanto, é, pela lei em vigor, meramente declaratório e não constitutivo de direito, como, por exemplo, o registro de um imóvel. Assim, o "registro" do samba "Pelo telefone" atribuído ao compositor Donga seria uma "declaração de autoria", expressa em um documento acolhido pela autoridade pública, passível de registro em cartório de notas, mas não emanado de um órgão oficial.

REI DO SAMBA. *Ver* FESTA DA PENHA.

RELAÇÕES ETNORRACIAIS. No universo do samba, as relações entre os diversos segmentos etnorraciais que compõem a sociedade brasileira historicamente se desenvolveram dentro dos padrões gerais. Do ponto de vista da maioria de negros que compunham a população dos núcleos fundadores, a participação de "brancos" ou assemelhados (pela aparência) parece ter sido recebida sem muitas dificuldades. **O "branco" no samba** – A definição de "branco", no mundo do samba, sempre foi muito mais de ordem estética do que étnica ou racial. "Branco" é o elemento estranho, o arrivista, aquele que veio de fora sem conhecer os códigos que regem as relações comunitárias. E parece ter sido no seio das alas de compositores que o ingresso desses "brancos" teve efeitos mais destruidores. Entretanto, desde o início houve criadores, não necessariamente negros, que consagraram seu talento às artes do samba, até mesmo renovando e legitimando sua música e sua dança. Na esfera do samba "do asfalto" – em contraponto ao do morro – a presença de Noel Rosa (1910-1937) é simbólica, principalmente pela reverência que sempre demonstrou em relação às fontes e às parcerias que nela constituiu. Em sua época, outras figuras significativas se destacaram. Nascido no então aristocrático bairro de Botafogo, João de Freitas Ferreira, o Jonjoca (1911-2006), pandeirista, violonista, compositor e cantor, já no curso ginasial (na época, um privilégio) se destacava como intérprete de sambas, ao estilo elegante de Mário Reis (1907-1981). Com perfis semelhantes, brilharam também João Petra de Barros (1914-1947), Castro Barbosa (1905-1975) e outros. **Sambas racistas** – No Brasil, apesar da existência, desde a década de 1950, de leis contra o "preconceito racial", o combate efetivo ao racismo só entrou nas agendas do poder público por força da atuação das entidades de militância, na década de 1980, quando foram criados, em São Paulo, o Conselho Estadual de Participação e Desenvolvimento da Comunidade Negra, em 1984; e, em escala nacional, a Fundação Cultural Palmares, do Ministério da Cultura, quatro anos depois. A essas iniciativas seguiram-se leis mais duras, penalizando a discriminação em função de características etnorraciais dos indivíduos. Antes disso, o samba e a música popular em geral não tinham compromisso com a correção política: o português era o "galego", o italiano era o "carcamano"; o levantino era o "turco da prestação" e por aí afora. No carnaval de 1941, o grande compositor carioca Roberto Roberti (1915-2004) fez sucesso com um samba cujo título hoje soa bastante incômodo: "Nega pelada, me deixa". No ano seguinte fez grande sucesso o samba "Nega do cabelo duro", de Rubens Soares e David Nasser (1917-1980). Mas esse era o espírito da época. Não fosse assim, em 1950, o mulato Evaldo Ruy (1913-1954) não teria, em parceria com Fernando Lobo (1915-1996), feito o sucesso que fez com outra canção que assim dizia: "Tava jogando sinuca,/ Uma nega maluca/ Me apareceu/ Vinha com o filho no colo/ E dizia pro povo/ Que o filho era meu." O samba, uma batucada contagiante, fez tanto sucesso que a "Nega maluca" virou uma fantasia de carnaval e um símbolo da alegria descompromissada de então, embora fosse um símbolo racista, fixador de um estereótipo negativo. Em Ramos (2008: 405-7) são citados outros exemplos de sambas com letras que expressam, de alguma forma, situações de preconceito ou racismo, os quais poderiam ser tipificados como infringentes das leis em vigor à época da elaboração deste dicionário. **Dirigentes e julgadores** – Por ocasião do carnaval de 2014, entre as doze principais escolas de samba cariocas apenas a Portela tinha um negro como presidente – o músico Serginho Procópio, eleito no ano anterior. Da mesma forma, entre os juízes do desfile a presença de indivíduos pretos ou pardos era rarefeita. Vale observar que no carnaval paulistano, no momento de produção deste texto, ainda é significativa a presença de negros na direção das escolas e entre os julgadores da competição. *Ver* CONSCIÊNCIA NEGRA; ESTUDANTES, alas de; PRECONCEITO.

REMELEXO. *Ver* BOLE-BOLE.

REPERTÓRIO AUTORREFERENTE. Desde os primeiros tempos, no repertório do samba, a ocorrência de composições autorreferentes, que têm o próprio samba como tema das letras, é impressionante; e se repete de um modo provavelmente não igualado em qualquer outro gênero. O livro *No princípio era a roda* (Moura, 2004: 253-79) esquadrinha parte desse fenômeno, listando, em ordem alfabética de autores, 188 músicas, entre as quais se contam treze do compositor Chico Buarque, nove de Martinho da Vila, sete de Arlindo Cruz, quatro de Tom Jobim e quatro de Caetano Veloso.

REPIQUE. Denominação de uma família de tambores popularizada a partir do samba carioca. O primeiro deles foi o "surdo de repique", "repinicador" ou "repinique", tambor pequeno percutido com uma baqueta e com o auxílio da outra mão, livre, contrapontando. Segundo Spirito Santo (2011: 155), o repique é um "tambor de divisão, operando na região médio-aguda com a incumbência de executar e repetir células rítmicas". **Repiques de mão** – O surdo de repique deu origem aos repiques de mão, percutidos sem baqueta. Popularizado no âmbito do pagode, principalmente por intermédio do percussionista Ubirany, do Grupo Fundo de Quintal, o repique de mão convencional é um pequeno tambor encourado apenas de um lado. É percutido com o polegar da mão principal (frequentemente, a direita) tocando na borda do couro, enquanto os outros dedos batucam no centro. **Repique de anel** – Outra modalidade de repique de mão é o repique de anel, inventado ou aperfeiçoado pelo percussionista conhecido como Doutor do Repique, de nome civil Edmundo Pires de Vasconcelos. O instrumento é encourado nas duas faces e executado preso ao corpo do músico por um talabarte. Assim, ao mesmo tempo em que toca com os dedos na face inferior, o percussionista, com os dedos da outra mão revestidos com anéis ou dedais, contraponteia no corpo metálico do instrumento. E mais: com o polegar dessa mesma mão, ele percute o couro, fazendo variações (cf. Bolão, 2010: 45; 51). O percussionista Doutor integrou a bateria do Império Serrano e nas décadas de 1970-1980 participou ativamente das gravações de Clara Nunes, João Nogueira e Roberto Ribeiro na Odeon, ao lado do legendário trio de percurssionistas Luna, Eliseu e Marçal.

REPRESSÃO POLICIAL. Nas primeiras décadas do século XX, além de objeto de desqualificação, muitas manifestações da cultura afro-brasileira eram reprimidas, inclusive por ação policial, como foi o caso do samba. Nascido num período de forte repressão e num ambiente propício à expansão da violência, o samba das escolas foi cerceado, em sua prática, de diversas formas, como limitação de espaço e tempo; obrigação de registro policial para funcionamento das agremiações; aprovação dos roteiros de suas passeatas ou desfiles; porte de instrumentos fora do espaço de exibição etc. Uma outra faceta dessa repressão foi, já na década de 1950, a proibição do uso nas baterias de instrumentos improvisados ou de fábrica capazes de provocar ferimentos, como frigideiras, agogôs, reco-recos de mola etc. A proibição incluiu, durante certo tempo, até mesmo os pandeiros fabricados industrialmente, por causa do suposto perigo das tarraxas que esticam o couro. Mas, historicamente, a principal justificativa para a repressão foi a vadiagem, pelo que sambistas eram muitas vezes espancados e detidos, sem outro motivo legal. Em um documento datado de 25 de setembro de 1918, o chefe de polícia Aureliano Leal determinava, com vistas à Festa da Penha, que não se permitisse "o divertimento denominado 'samba', por alegadamente ser causa de discórdias e de conflitos" (cf. Franceschi, 2010: 33). Mas não era novidade: as rodas de samba na Penha já haviam sido proibidas em 1904, 1907 e 1912; como na Bahia as da Festa do Bonfim, no final da década anterior. Exemplo notório desse tipo de repressão é retratado no samba "Delegado Chico Palha" (Nílton Campolino/Tio Hélio), composto em 1938 e gravado na década de 2000 por Zeca Pagodinho. A letra faz referência a um famoso delegado da região de Madureira que costumava perseguir sambistas e adeptos dos cultos afro-brasileiros: "Delegado Chico Palha/ Sem alma, sem coração/ Não quer samba nem curimba/ Na sua jurisdição/ Ele não prendia/ Só batia." Ainda na década de 1930, a repressão manifestou-se inclusive por meio da censura de sambas que exaltassem a malandragem em vez do trabalho. Caso, talvez, de coação exemplar parece ter sido a sofrida pelo compositor Wilson Batista (1913-1968). Primeiro, no samba "Lenço no pescoço", de 1933, ele proclamava o "orgulho de ser vadio" por ver quem trabalhava andar "no miserê". Mais tarde, em "O bonde São Januário", feito em parceria com Ataulfo Alves e lançado em 1940, proclamava-se como "mais um operário" indo para o trabalho utilizando o tradicional meio de transporte. A censura do Estado Novo pode também ser vista como um caso de repressão policial. *Ver* MALANDRO; VADIAGEM, Lei de.

REPÚBLICA VELHA. Expressão designativa do período histórico também conhecido como Primeira República, compreendido entre a Proclamação da República e a Era Vargas, iniciada com a Revolução de 1930. Nele, durante o carnaval de 1905, segundo Vasconcelos (1985: 42), entre as canções mais entoadas nas ruas cariocas figurava um refrão, provavelmente de um samba de roda, dizendo: "A polícia não quer que eu sambe aqui/ Eu sambo acolá." Gestava-se aí o samba urbano, num ambiente em que a desqualificação da cultura afro-brasileira caminhava de mãos dadas com a ideologia que pretendia o branqueamento do país. Nesse processo, os "estribilhos e quadrinhas soltas, de ritmo algo batucado" (cf. Tinhorão, 1991: 72) antecipavam o ritmo efetivamente "batucado" que mais tarde iria nascer no Estácio, para tomar o lugar do "samba vacilante" de Donga (1890-1974), Sinhô (1888-1930) e Caninha (1883-1961) (*ibid.*, p. 130).

REQUEBRADO. *Ver* BOLE-BOLE.

RESISTÊNCIA. Uma das acepções do vocábulo "resistência" é "recusa a submeter-se à vontade de outrem; oposição, reação" (cf. Houaiss e Villar, 2001). Florescida no contexto da opressão escravista e desenvolvendo-se em condições absolutamente adversas, a história do samba pode ser vista como uma sucessão de episódios de resistência. Assim, vemos em Sodré (1979: 13) o samba indicado como "um aspecto da cultura negra – *continuum* africano no Brasil e modo brasileiro de *resistência* cultural" que "encontrou em seu próprio sistema recursos de afirmação da identidade negra". No mesmo texto, o autor rejeita os discursos que procuram explicar a sobrevivência do samba como "consentida", como "simples matéria para um amálgama cultural rebatizado de cima para baixo" (*ibid.*). Esse posicionamento ecoa em Ramos (2008: 415), onde se lê que sutilmente o samba "impôs sua cultura e sua forma de criar e se expressar". Assim, "possibilitou que a força negra se manifestasse e penetrasse em cada canto da alma brasileira"; e chegou ao ponto de "subverter a cultura europeia" e resistir, como resiste até a atualidade, à indústria globalizada do entretenimento. Em Sodré (1979: 42) era destacada a "posição reativa" de vários sambistas veteranos e mais jovens às "receitas estereotipadas da indústria do disco e do carnaval-espetáculo", a qual ficaria "evidente na maneira negra de compor o samba". *Ver* DESQUALIFICAÇÃO; ESTADO NOVO; INDÚSTRIA FONOGRÁFICA; SOCIEDADE DE CONSUMO.

RETORNADOS. Denominação aplicada pela historiografia da escravidão aos libertos e seus descendentes que, no século XIX, migraram em massa das Américas, sobretudo do Brasil e de Cuba, principalmente para a África

Ocidental. Após pesquisar as relações entre a música brasileira e a da atual República do Benim, o etnomusicólogo Marcos Branda Lacerda revelou a ocorrência, na região de Queto (Ketu), de uma espécie de tambor denominada *sàmbà*, bem como a semelhança de ritmos locais com o samba brasileiro. Daí, concluiu ele, já no início do século XX, "o samba se constituía em um gênero consolidado", a ponto de, por obra de retornados, ter sido assimilado por africanos (cf. Encarte do CD *Drama e fetiche: vodum, bumba meu boi e samba no Benim*. Rio, Funarte, Centro Nacional de Cultura Popular, 1998).

RIOTUR. Acrônimo que identifica a Empresa de Turismo do Município do Rio de Janeiro, criada por lei em julho de 1972, tendo como finalidade a execução da política de turismo traçada pela administração municipal. Nasceu como Empresa de Turismo do Estado da Guanabara, a qual foi antecedida por órgãos como a Divisão de Turismo do Departamento de Imprensa e Propaganda (DIP), em 1938; e o Departamento de Turismo e Certames da Prefeitura do antigo Distrito Federal. Do ponto de vista do samba, a Riotur concentrou seu foco na organização dos desfiles de carnaval, hoje entregue à Liesa.

RODA DE SAMBA. Espécie de reunião em que se canta e toca samba. O fenômeno verifica-se desde antes de seu desenvolvimento como gênero e da organização das agremiações do tipo escola de samba. De início, ocorria informalmente, em determinados locais, inclusive em quintais de residências, como a da legendária Tia Ciata, na Pequena África carioca. Com o tempo, as reuniões foram tomando o caráter de rituais periódicos, "obedecendo a uma estrutura padrão, com regras e modelos sempre muito claros para seus participantes" (cf. Moura, 2004: 23), tanto músicos e cantores como espectadores eventuais. Entretanto, apesar das regras, a roda de samba é, antes de tudo, lugar e oportunidade de diversão e entretenimento "onde o sambista se sente realmente em casa" (*ibid.*). **Comercialização**. A partir do início da década de 1970, no mesmo contexto da expansão comercial das escolas de samba, e certamente como consequência dela, alguns compositores das escolas, cujo âmbito de atuação era restrito, começaram a ser chamados para cantar em clubes esportivos e recreativos, teatros de arena, churrascarias e boates, que anunciavam a apresentação de "autênticas" rodas de samba. "Os baixos preços dos cachês que são pagos aos sambistas [...] concorrem para fácil faturamento dos promotores das rodas" (cf. Waldinar Ranulpho: "Quando samba cai no abismo da exploração", *Última Hora*, 10/5/1974). Menos com o formato de rodas espontâneas que de programas de auditório, essas programações, entretanto, tiveram importância, principalmente no Cordão da Bola Preta, no Centro, e no Clube Renascença, no Andaraí; mas acabaram sendo suplantadas pela forma "pagode de mesa". Essa forma, exemplarmente praticada na sede do bloco carnavalesco Cacique de Ramos, foi, na década de 1970, a plataforma de lançamento do movimento do pagode. No momento de produção do presente texto, concorridas reuniões nesse formato são as rodas do Candongueiro, casa de samba em Pendotiba, Niterói, funcionando desde o início da década de 1980; a do bar Bip-Bip, em Copacabana; e as de alguns bares da Lapa. *Ver* OPINIÃO (Noitada de Samba); ZICARTOLA.

SALGUEIRO, morro do. Localidade na serra da Carioca, no maciço da Tijuca, também referida como morro do Mirante. Seu principal acesso se dá pela rua General Roca, que começa na Praça Sáenz Peña, coração do bairro tijucano, na zona norte carioca. Sua população original, formada a partir dos primeiros anos após a abolição da escravatura, congrega muitas famílias negras oriundas do Vale do Paraíba e adjacências e foi, pelo menos até os anos de 1980, forte polo irradiador de tradições culturais de origem africana. **O bamba dos bambas** – Em 1930, o jornalista Vagalume, resenhando a vida nos principais núcleos do samba, assim escreveu: "Aquele mastodonte que se divulga cá de baixo, e em cujo dorso em desalinho destacam-se uns casebres, uns pardieiros e uns cochicholos – é o morro do Salgueiro! O 'bamba' dos 'bambas', a Academia do Samba, o Inferno de Dante e ao mesmo tempo um Céu aberto!" (Guimarães, 1978: 193). Na mesma linha, o compositor Noel Rosa (1910-1937) referiu o morro pelo menos três vezes, em obras como "Quem dá mais?", de 1930; "Mulato bamba", 1931; e "Palpite infeliz", 1935. **Escolas do Salgueiro** – A relação das escolas de samba inscritas para disputar o carnaval de 1933, na Praça Onze, mostrava duas representantes do morro do Salgueiro, a Azul e Branco e a Príncipe da Floresta. Mas a Unidos do Salgueiro (popularmente Azul e Rosa), que teria antes se chamado Três Unidos, porque resultante da fusão de três agrupamentos anteriores, já aparece como concorrente em 1934. Numa estatística sobre as performances dessas três primeiras agremiações, vamos ver que, nos vinte anos que transcorreram até a fundação do G.R.E.S. Acadêmicos do Salgueiro, a hegemonia do samba salgueirense coube, pelo menos em termos de regularidade, à Depois Eu Digo, que esteve entre as primeiras colocadas de 1940 até 1948, quando chegou em 10º lugar, para amargar a 13ª colocação em 1953. A Azul e Branco foi vice-campeã em 1933, 1949 e 1950. Já a Unidos do Salgueiro, depois de um 14º lugar em 1937, repetido em 1939, chegou em 6º lugar em 1942, para cair novamente e só conseguir boas colocações, terceiros lugares, em 1949 e 1950. Em 1953, recusou a proposta de fusão com as outras, bem mais fracas. **Canuto** – Uma das figuras historicamente mais importantes do Salgueiro foi o sambista Canuto (1903-1932), de nome civil Deocleciano da Silva Paranhos. Nascido e falecido no antigo Distrito Federal, era morador do morro e frequentador de Vila Isabel. Assim, primeiro foi parceiro de João de Barro, o Braguinha, numa parceria – segundo Máximo e Didier (1990: 196) – episódica, mas "pioneira na união dos dois mundos", o do asfalto e o do morro. Com ele foi que Noel Rosa (1910-1937), a partir de 1929, subiu muitas vezes o Salgueiro para "beber em sua fonte, experimentar parcerias com seus compositores, aprender com eles" (*ibid.*). Canuto, considerado por Noel o melhor de todos os sambistas em seu tempo (*ibid.*, p. 197), foi parceiro do Poeta da Vila em várias composições e participou, como tamborinista, da célebre gravação de "Na Pavuna", ao lado dos companheiros Buruca e Andaraí. Era um preto magro, alto, calmo, afinadíssimo e que cantava baixinho, com "sentimento profundo", como gostava de dizer; e foi o responsável pela apresentação de Noel a Antenor Gargalhada, o mais famoso bamba salgueirense da época. Morreu no Hospital de São Francisco de Assis, na Cidade Nova (na atual avenida Presidente Vargas), em 27 de novembro de 1932, com 29 anos de idade. **Os Acadêmicos** – Em abril de 1953 era fundado o G.R.E.S. Acadêmicos do Salgueiro, resultado de fusão da qual a Unidos do Salgueiro não participou. O bom desempenho da nova escola, todavia, trouxe a recalcitrante para junto da comunidade algum tempo depois. A partir de seu nascimento e até o início da década de 1970, a nova agremiação formou, com a Mangueira, a Portela e o Império Serrano, o quarteto imbatível do carnaval das escolas. Nesse período, a escola tijucana foi responsável por inúmeras inovações, conforme apreciado principalmente nos verbetes *desfile; enredo; indústria fonográfica.*

SAMBA. Corrente na língua portuguesa desde, pelo menos, o século XIX, o vocábulo "samba" foi primeiro definido, em 1888, como "uma dança popular; sinônimo de xiba, cateretê, baiano, fandango, candomblé etc." (Soares, 1954); em 1889, foi considerado uma "espécie de bailado popular" (Beaurepaire--Rohan, 1956) ou simplesmente "um bailado popular; uma dança de negros". (Figueiredo, 1925). Na década de 1940, Mário de Andrade ampliava a conceituação para mostrar que o termo se aplicava, além da dança de roda, a qualquer bailarico popular e também a uma "dança de salão, aos pares, com acompanhamento de canto, em compasso 2/4 e ritmo sincopado" (cf. Andrade, 1989: 453). Finalmente, em 2001, o Dicionário Houaiss e Villar fechava a questão, com a definição seguinte: "Dança de roda semelhante ao batuque, com dançarinos solistas e eventual presença da umbigada, difundida em todo o Brasil com variantes coreográficas e de acompanhamento instrumental." Acresce, além de outras acepções do termo, a informação de que o nome designa, também, "gênero de canção popular de ritmo geralmente 2/4 e andamento variado, surgido a partir do século XX" (Houaiss e Villar, 2001). **Origens e etimologia** – No Brasil colonial e imperial, as várias danças de origem africana, nas quais a umbigada era a principal característica, foram referidas como "batuque" ou "samba", vocábulo de origem certamente banto-africana. Em abono a essa afirmação, informamos que o léxico da língua cokwe, do povo Quioco, de Angola, registra um verbo *samba*, com o sentido de "cabriolar, brincar, divertir-se como cabrito" (cf. Barbosa, 1989: 480). No idioma quicongo, palavra de grafia semelhante, *sàmba*, designa uma espécie de dança em que um dançarino bate contra o peito de outro (Laman, 1964 [1936]: 870). Segundo as primeiras hipóteses, o étimo do termo "samba" seria o verbo quimbundo *semba*, na acepção de "rejeitar", "separar", (conforme consignado em Lopes, 2012: 226), em referência ao movimento físico produzido na umbigada, que é a característica principal das danças dos povos bantos, na África e nas Américas. Convém, entretanto, considerar também, na mesma língua, outra acepção do verbo *semba*, que é a de "galantear, agradar, encantar", correspondente, no quicongo, a um verbo homógrafo e homófono, traduzido como "reverenciar, honrar" etc. Veja-se, aí, que na dança angolana que se conhece como "semba", a mesura que o cavalheiro tradicionalmente faz diante da dama é, sem dúvida, um gesto de galanteio reverente e não uma "umbigada" (Houaiss e Villar, 2001). Já nas danças de roda banto-brasileiras, o gesto é mais um entrechoque de ventres – aí, sim – na clássica umbigada, e de peitos. Daí, alguns estudiosos terem buscado a etimologia do termo "samba" em uma outra acepção do verbo semba, que é a de "separar, apartar", ocorrente na língua bunda (mbunda), do grupo Chokwe-Lunda, correspondente no quioco (chokwe) a semba, "cortar, separar". Na opinião dos autores desta obra, possivelmente aí está o étimo remoto do brasileiro "samba", palavra aliás que já está dicionarizada, por exemplo, no chokwe e em outras línguas, assim mesmo, como em português, para designar um tipo de dança. No quimbundo, a palavra de sonoridade semelhante, que talvez se aproxime da ideia de "umbigo" ou "umbigada" é *nzemba*, colo, regaço. Então, o étimo preferível pode ser o verbo quimbundo: *semba*, agradar, encantar, galantear (Maia, 1964: 21; 223; 319). Observemos, com J. R. Tinhorão (1988: 69-71), que já em 1838 o termo era registrado no jornal humorístico *O Carapuceiro*, em Recife, sendo também observado, nas décadas seguintes, no Ceará e em outras partes do país. Acrescentemos que o termo "samba" foi, no passado, usado, ainda, na região do rio da Prata, nas formas *samba* e *semba*, para designar o candombe, dança popular local, cujo nome, também ocorrente no Brasil, tem a mesma origem etimológica do vocábulo "candomblé". Na Bolívia, o termo *zamba* designa antiga dança das festas de coroação dos reis negros, bailada aos pares. O termo é alteração do banto *samba* (Sánchez, 1997: 50). **As danças do tipo samba** – Listando as danças "do tipo samba", Alvarenga (1960: 130-171) refere a existência, em Goiás, de um batuque em fileiras opostas no qual se conservou a umbigada e que seria também conhecido como "cateretê". Em Minas Gerais, a pesquisadora registrou o quimbete; e, no antigo estado do Rio de Janeiro, a xiba, mencionada por ela como "o xiba", no gênero masculino. Também em Minas, ela consigna o caxambu, uma variante do jongo. Já no Norte e Nordeste do Brasil, a folclorista consigna o coco, notadamente no litoral de Alagoas, com a variante chamada "toré", difundida na Paraíba; e também o tambor de crioula do Maranhão, além do lundu, no qual igualmente ocorrem "meneios acentuados dos quadris e umbigada". Como danças afins ao lundu, nas quais também se verifica a umbigada, sendo, portanto, entendidas como pertencentes ao universo do samba, Oneyda Alvarenga registra: o baião ou baiano, em Pernambuco; a chula ou fandango, na Amazônia e no Nordeste; e o sarambeque, em Minas Gerais. Registros recentes noticiam a ocorrência, no Pará, em comunidades remanescentes de quilombos na região do Médio Tocantins, da modalidade conhecida como "samba de cacete". Também dançado e cantado em roda, esse samba recebe tal denominação por serem os dois tambores de sua percussão executados, cada um, a quatro mãos, por dois tocadores, ambos munidos de duas baquetas, os "cacetes". Outros dados importantes a mencionar são as referências seguintes, feitas por Sabino e Lody (2011; 54) ao "samba de coco" e "sambada", expressões que designam, igualmente, o coco de roda, ocorrente na região canavieira de Pernambuco e vizinhanças, no qual a umbigada é traço distintivo; ao tambor de crioula maranhense, dança em que a "punga" (umbigada) é também a principal característica; ao "samba de caboclo", dança vigorosa, da liturgia dos candomblés dessa denominação, na qual "cada caboclo mostra seu estilo, sua história"; e ao "samba de matuto", nome pelo qual é também conhecido um tipo de desempenho do maracatu rural de Pernambuco. Por último, observemos que o jongo, por integrar o grande grupo de danças de umbigada, é também considerado por Sabino e Lody, como já o fora por Oneyda Alvarenga, como uma das formas ou expressões do samba tradicional, de nossas comunidades rurais. **O samba do ambiente rural** – Vejamos ainda, como observou também Mário de Andrade (in Carneiro, 2005: 329), que, no ambiente do samba rural, muitas vezes a palavra "samba" tanto designa o evento onde a dança se realiza ("ontem o samba esteve melhor") como a música executada ("agora sou eu que tiro o samba"), além de designar o grupo formado para dançar o samba ("F. me falou que este ano o samba de Campinas não vem"). Segundo ainda Mário de Andrade, em 1933, os termos "samba" e "batuque" eram usados indistintamente (*op. cit.*, *id.*). Mais recentemente, tomando como referência a Bahia, os músicos e pesquisadores

Roberto Mendes e Waldomiro Júnior observaram que, assim como ocorrido nas plantações de algodão do Delta do Mississipi, nos canaviais do Recôncavo Baiano os negros usaram a música como expressão de seu sofrimento e como consolo para as dores da escravidão. E como, em algumas ocasiões festivas, eles tinham permissão para cantar e dançar diante dos senhores, aos poucos alguns elementos de outras culturas foram incorporados ao seu canto e ao ritmo de seus tambores. Entre esses elementos estava principalmente a viola portuguesa e o pandeiro, de origem árabe (Mendes e Júnior, 2008: 17). Nascia aí, então, como observado em Sabino e Lody no livro *Danças de matriz africana*, um conjunto de linguagens unindo canto, dança e gestos funcionalmente organizados, estabelecendo comunicação e transmitindo, sutilmente, sinais que tanto podem traduzir simples divertimento quanto poder, sexualidade e força criativa, principalmente quando dançado em roda. Assim foi que, no Rio de Janeiro, o samba de roda da Bahia reforçou a africanidade já presente na nascente música popular, herdeira do lundu, levando ao auge as iniciativas individuais das danças de umbigada; e no âmbito da dança social, de salão, lhe deu o nome, samba, e "os dois tempos, para um e para o outro lado", que o caracterizam (cf. Carneiro, 1961: 46-7). Tendo, então, a umbigada como seu principal elemento definidor, as danças folclóricas do amplo espectro do samba foram assim elencadas: **O samba da Bahia e o samba rural paulista** – O samba praticado a partir do Recôncavo Baiano, sendo o protótipo do samba rural e, especialmente, do samba "da Bahia", merece nesta obra verbete próprio, como verificado adiante, na entrada *samba de roda*. Já com relação ao samba rural do estado de São Paulo, vamos ver que, fazendo a costumeira separação entre o "samba de bumbo" e o "batuque de umbigada", o escritor Mário de Andrade caracterizou os participantes do núcleo que pesquisou, na década de 1930, em uma coletividade majoritariamente negra. Eles, segundo o autor de *Macunaíma*, formavam um grupo organizado sob o comando de um chefe, que era o "dono do samba". Os instrumentos eram apenas de percussão, num conjunto em que o bombo ou bumbo, no centro da fila dos instrumentistas, dominava, sendo o responsável pela pancada que avisava o início de cada dança. As mulheres nunca tocavam, enquanto os homens executavam, indiferentemente, qualquer um dos instrumentos. Para começar a função, todos se reuniam em torno do bumbo e um cantor solista "puxava" uma cantiga, geralmente uma quadra ou um dístico (estrofe de dois versos), que o coro respondia. Dada a resposta, o solista cantava outro solo e, dessa maneira, ia se estabelecendo o diálogo musical. Ao tocador do bumbo cabia prestar atenção. Quando percebia que os participantes tinham "pegado" bem a cantiga, dava uma batida forte e entrava no ritmo. Imediatamente, então, os outros instrumentos o acompanhavam e a dança começava, com os dançantes em duas filas, uma diante da outra, indo para a frente e para trás. Essa coreografia "muito precária", com "incerto rebolar de ancas" e "nenhuma virtuosidade com os pés" – segundo Mário de Andrade – em nenhum momento comportava a umbigada. No evento que ele presenciou, apenas o tocador do bumbo, do alto de sua autoridade, dançava "com despudorada eloquência" e em certo momento encostou o bumbo "com afago bruto" em uma jovem participante. Entretanto, em Dias (2003: 57) registra-se como ocorrência atual o batuque dançado "em duas filas confrontantes, uma de homens, outra de mulheres", no qual, "após diversos galanteios, batuqueiros e batuqueiras trocam umbigadas entre si". Segundo esse autor, a expressão coreográfica popular de nome "samba" ou "batuque", é corrente em São Paulo pelo menos desde o início do século XX. Chamada de "samba rural" ou "samba de bumbo" pelos folcloristas, ela se desenvolveu principalmente nas cidades situadas ao longo do Tietê, a partir da capital do estado, até o curso médio do rio. Atualmente, concentra-se nas cidades de Pirapora, Santana do Parnaíba e Mauá. Pirapora do Bom Jesus, ou simplesmente Pirapora, por ser cidade-santuário e local de romaria, assim como a igreja da Penha carioca, foi o grande ponto de convergência dos sambadores paulistas, do interior e da capital. Durante a festa do padroeiro, entre os dias 3 e 6 de agosto, os romeiros negros que lá chegavam, principalmente oriundos das cidades de Tietê, Piracicaba, Sorocaba, Capivari e Rio Claro, depois de cumprir seus compromissos devotos, confraternizavam com muita música e dança. A partir daí, nos barracões onde se acomodavam, o samba, "com bumbo ou zabumba, caixa e chocalho" (*ibid.*), fazia a alegria da festa. Certamente por influência do ambiente campesino ou de pessoas dele oriundas, o samba rural chegou a redutos negros urbanos da capital paulista, como o bairro do Bixiga, o Largo da Banana, na Barra Funda, e os bairros do Jabaquara e do Glicério. Como também lembrado em Dias (*ibid.*), algumas das principais personalidades ligadas ao nascimento do samba carnavalesco na capital paulista frequentavam os barracões de Pirapora e promoviam, regularmente, sambas em suas casas. Vale também destacar que, nas cidades de onde saía a maioria dos romeiros, outra das manifestações africanas difundidas era o já mencionado batuque de umbigada, também conhecido como "tambu" ou "caiumba". No ambiente de Pirapora, essa modalidade certamente foi reprimida. Na atualidade, todavia, é expressão apreciada pelos cultores da tradição, aí incluídos alguns órgãos governamentais que promovem apresentações em festejos como o Sábado de Aleluia, o Treze de Maio, as festas de São Benedito e em algumas datas cívicas. **O samba da tradição carioca –** Na região metropolitana do Rio de Janeiro, a modalidade mais tradicional do samba cantado, até a atualidade, é o partido-alto, forma constante de uma parte coral e outra solada, geralmente de improviso. O partido-alto, segundo algumas observações, seria um amálgama do samba de roda baiano com a cantoria do calango, bem como uma forma de transição entre o samba rural e o que se desenvolveu no ambiente urbano carioca a partir dos primeiros anos do século XX. Sua denominação veio como distinção de superioridade: a expressão "partido-alto" tem o sentido de "alta estirpe", de "grupamento superior", de "elite"; tanto que acabou por gerar o neologismo "partideiro". No universo do samba tradicional carioca, é oportuno também destacar o jogo atlético da batucada ou "pernada". **Dos terreiros para as ruas –** No Brasil colonial, assim como em outras regiões das Américas, o momento inicial utilizado pelos negros para saírem às ruas com seus cânticos e danças foi o das celebrações católicas, inclusive as procissões. Nesses momentos, eles reivindicavam sua inserção na sociedade pelo ato simbólico da participação nas festas populares. Daí ver-se, outrora, em toda a América católica, o ciclo do Natal e especialmente o Dia de Reis, 6 de janeiro, como o tempo principal das festas públicas do povo negro, as quais, entretanto, aos poucos foram sendo deslocadas, certamente por influência direta da própria Igreja Católica, para o período do carnaval. Aproveitando-se do gosto africano pelas celebrações espetaculares, as autoridades coloniais incentivaram a carnavalização das festas negras para, aos poucos, as desvincularem daquelas do calendário católico. Foi assim no Rio de Janeiro, com os folguedos de coroação dos reis congos, deslocados das cerimônias festivas em honra de Nossa Senhora do Rosário e transformados em cucumbis (folguedo banto); e com os ranchos de reis, originários da Bahia, transformados em ranchos carnavalescos. Nas origens do carnaval carioca, a primeira manifestação negra digna de nota dá-se através dos mencionados cucumbis, espécie de dança teatralizada de origem banta, a cuja presença no Rio de Janeiro imperial Mello Moraes Filho, no livro *Festas e tradições populares do Brasil*, dedica todo um capítulo. Segundo Moraes, o nome "cucumbis" era a denominação dada na Bahia às "hordas de negros de várias tribos" que se organizavam em "ranchos" de canto e dança, principalmente por ocasião do entrudo e do Natal; e que nas demais províncias recebiam o nome de "congos". Desses cucumbis nasceram os "cordões", grupamentos já menos presos às tradições africanas e apresentando componentes de brasilidade, como a presença de negros fantasiados de índios. Na capital baiana, já no século XIX, o povo negro, com expressivos contingentes nagôs e jejes, organizava cortejos festivos durante o carnaval. Isso acontecia, certamente, por influência dos festivais periódicos da África Ocidental, como o *damurixá* iorubano e o *odwira* dos axantes da atual Gana, celebrações que antecedem períodos de recolhimento espiritual, e por isso associadas, nas Américas, ao carnaval e à quaresma. Ambos, pela presença de cortejos reais, pálios, estandartes etc., parecem ter também contribuído, de alguma forma, para a posterior formatação de diversas expressões carnavalescas da Diáspora africana. Foi possivelmente assim que, no final do século XIX, por influência principalmente de um pernambucano criado na Bahia, Hilário Jovino, surgiram, no Rio de Janeiro, os ranchos de reis, mais tarde transformados em "ranchos carnavalescos", e que sobreviveram no carnaval carioca em gradativo processo de decadência até a década de 1970, tendo se extinguido finalmente em 1990.

Uma forma evoluída dos ranchos carnavalescos, o Ameno Resedá destacou-se, já na década de 1920, como uma das mais importantes agremiações do carnaval carioca. Intitulando-se rancho-escola, forneceu o modelo no qual se inspiraram as escolas de samba que então surgiam em alguns morros e subúrbios cariocas. As condições técnicas de apresentação dessas primeiras escolas eram as mais precárias. Elas se destacavam, todavia, pelo caráter familiar e comunitário, com os enredos elaborados por artistas da região. Eram membros do próprio grupo que também produziam e executavam alegorias, adereços, figurinos, canções e instrumentos, sem falar na interpretação do samba, com canto e dança característicos. **O samba industrial ou "de mercado"** – O samba do ambiente urbano, das cidades, descendente direto do samba rural, floresceu ao ar livre, nos terreiros das comunidades negras e nas ruas. Nesses ambientes, foi absorvido e transformado pela indústria, para se tornar objeto de exploração econômica e chegar às casas de espetáculo e às residências, por intermédio do rádio e do disco. Os primeiros exemplares a receberem a designação, nos rótulos das gravações, teriam sido "Em casa de baiana", de Alfredo Carlos Bricio, declarado à Biblioteca Nacional em 1913; e "A viola está magoada", de Catulo da Paixão Cearense (*Enciclopédia da música brasileira*, 1977: 63), gravado por Baiano e Júlia no ano seguinte (Vasconcelos, 1977: 25). Em Severiano e Melo (1977: 41) consigna-se a gravação do samba "Moleque vagabundo", de Lourival de Carvalho, em 1914. E em 1916 surgiu o célebre "Pelo telefone", de grande sucesso no carnaval do ano seguinte. Ressaltemos que, ao se apropriar do samba como matéria-prima, a indústria tomou para si apenas o aspecto de composição musical para ser cantada ou tocada (e consequentemente vendida), ficando a dança, ao longo do tempo, restrita à maior ou menor espontaneidade das avenidas dos desfiles, das quadras das escolas e dos salões de baile. **Transformações** – No período histórico que vai de 1930 a 1945, os governos da República utilizam esse novo e importante veículo em sua ação política. Observe-se também que, nesse período, a educação se "militariza", com a História sendo ensinada principalmente pela via dos feitos guerreiros, numa potencialização do que já ocorria desde o fim da Guerra do Paraguai. É assim, então, que as escolas de samba trocam seus conjuntos musicais tradicionais (com cavaquinhos, violões, pandeiros, cuícas e tamborins) por grupamentos de percussão acentuadamente marciais. Isso se dá, possivelmente, por conta da popularidade da banda de música do batalhão naval. Por imitação, certamente, os bombos, taróis e caixas-surdas de sua percussão começaram a ser incorporados pelas baterias das escolas de samba. Nas décadas seguintes, o surgimento de novas escolas e a reorganização de outras, inclusive com a polêmica contratação de cenógrafos e figurinistas profissionais – a exemplo dos antigos ranchos carnavalescos –, viriam dar nova dinâmica e despertar maior interesse sobre os desfiles, os quais, nos anos de 1960, se constituiriam no principal evento do carnaval carioca. Também por essa época as transformações do samba no ambiente do rádio, do disco, das casas noturnas e entre a juventude universitária acabaram por gerar a bossa nova, fenômeno altamente significativo. Inestimável, nesse momento, é também o lançamento do LP *Samba esquema novo*, do estreante Jorge Ben, depois Ben Jor, artista que, meio século depois, permanece influenciando novas gerações de criadores e intérpretes do samba, em vertentes ainda carentes de classificação. Veja-se finalmente que, neste dicionário, o processo de industrialização do samba está detalhado no verbete *indústria fonográfica*. *Ver* CRONOLOGIA; CRISES; DANÇAS DO SAMBA; ESCOLA DE SAMBA; SUBGÊNEROS E ESTILOS.

SAMBA AMARRADO. *Ver* SAMBA DE RODA.

SAMBA AUTÊNTICO. *Ver* AUTENTICIDADE.

SAMBA BATIDO. Antiga denominação usada na Bahia para o batuque, referido no ambiente carioca como batucada.

SAMBA BATUCADO. Expressão consignada em Franceschi (2010: 196) para designar a nova linguagem musical criada no bairro do Estácio, a partir de 1926, a qual deu origem ao samba urbano, corrente principal da música popular brasileira.

SAMBA CHULADO. Espécie de samba baiano de melodia mais complexa e extensa que o samba de roda comum, no qual se entremeiam versos ("chulas") da tradição popular.

SAMBA CORRIDO. *Ver* SAMBA DE PRIMEIRA.

SAMBA DA LAPA. *Ver* LAPA.

SAMBA DE ALMOCREVE. Modalidade de samba descrita, sem maiores explicações, em algumas fontes, a partir do jornal *O Carapuceiro*, publicado em 1838, na cidade de Recife, pelo padre Miguel do Sacramento Lopes Gama, e editado em livro pela Companhia das Letras em 1996, na coleção Retratos do Brasil. Observe-se que o substantivo almocreve designou, outrora, o condutor de mulas de carga e tem origem no árabe *al-mukarawi*, "aquele que conduz ou aluga animais de carga" (cf. Vargens, 2007: 121). Entretanto, a denominação parece não apontar para uma forma ou modalidade específica de canto ou dança: teria provavelmente surgido da observação de um grupo de almocreves, provavelmente negros ou ciganos, que se divertiam com um batuque, num intervalo de seu trabalho.

SAMBA DE BREQUE. Importante subgênero do samba, de caráter humorístico, sincopado, com paradas repentinas, nas quais o cantor introduz comentários falados. O primeiro grande sucesso nesse estilo foi "Acertei no milhar", assinado por Wilson Batista e Geraldo Pereira e lançado pelo cantor Moreira da Silva, em 1940. Mas, segundo a versão difundida pelo próprio cantor, a criação dos breques (do inglês *break*, interrupção, pausa) data de 1937, quando o samba "Jogo proibido" (de Tancredo Silva, Davi Silva e Ribeiro Cunha) foi cantado em um espetáculo popular, com grande efeito histriônico. Moreira da Silva celebrizou-se, então, como o grande nome dessa vertente, na qual também se destacou o cantor Jorge Veiga.

SAMBA DE CABOCLO. Cântico e dança rituais dos candomblés de caboclo – "Caboclo" é o nome genérico com que, no Brasil, se designa cada uma das entidades, masculinas e femininas (caboclas), cultuadas como espíritos de antigos chefes e dignitários indígenas na umbanda e em outras vertentes religiosas. Algumas delas recebem culto exclusivamente nos terreiros do chamado "candomblé de caboclo", também mencionado na forma abreviada "caboclo". *Ver* SAMBANGOLA.

SAMBA DE CHAVE. Variante coreográfica do samba de roda baiano, no qual os dançarinos solistas simulam procurar uma chave perdida.

SAMBA DE CHULA. *Ver* SAMBA CHULADO.

SAMBA DE EMBOLADA. Samba cantado de improviso, na forma de embolada.

SAMBA DE ENREDO. Modalidade de samba que consiste em letra e melodia criadas a partir do resumo do tema escolhido como enredo de uma escola de samba. Os primeiros sambas cantados pelas escolas em suas apresentações carnavalescas eram de livre criação: falavam do meio ambiente, do próprio samba, da realidade dos sambistas. Com a instituição das disputas entre as escolas, por meio de concursos, na década de 1930, eles, comprometidos com os temas apresentados, passaram a narrar episódios e exaltar personagens da história nacional, do ponto de vista da historiografia dominante. Nascia, aí, o subgênero consagrado sob a denominação samba de enredo, que se fixava e difundia sob forte influência do estilo samba-exaltação, surgido em 1939. **Difusão e evolução** – O primeiro a se tornar conhecido fora do âmbito das escolas foi "Exaltação a Tiradentes", de Mano Décio da Viola, Estanislau Silva e Penteado, com que o Império Serrano conquistou o 1º lugar na avenida Presidente Vargas, no desfile organizado pela Federação das Escolas de Samba (Mangueira e Portela, filiadas à UES, desfilaram na Praça Onze), em 1949. Gravado pelo cantor Roberto Silva, o samba fez sucesso; o que ocorreu tanto pela beleza de sua melodia quanto pela simplicidade de sua estrutura: uma estrofe de cinco versos na primeira parte e outra de seis, na segunda. A comparação com o samba imperiano do carnaval de 1951 é inevitável. Neste, por força do enredo "61 anos de República", efeméride comemorada em novembro do ano anterior, o compositor Silas de Oliveira mencionou em ordem cronológica os nomes de oito presidentes, de Deodoro a Hermes da Fonseca, para culminar em Getúlio Vargas. O resultado foi um samba de enredo com dezenove versos na primeira parte e dezesseis na segunda. Dessa destacamos os seguintes trechos: "Depois da sua vitória proclamada/ A constituinte votada/ Foi a mesma promulgada/ Apesar de existente forte zum--zum-zum/ Em 1891, sem causa perca/ Era eleito Deodoro da Fonseca/ Cujo governo foi bem audaz/ Entregou a Floriano Peixoto/ E este a Prudente de Morais/ Que apesar de tudo/ Terminou com a Guerra de Canudos/ Estabelecendo enfim a paz." Segunda parte: "Terminado enfim todos os males/ Em seguida veio Campos Sales/ Rodrigues Alves, Afonso Pena, Nilo Peçanha/ Hermes da Fonseca e outros mais" (cf. Valença, 1981: 43-44). Exemplo típico do que a gíria do samba batizou ironicamente como "lençol", pela extensão e ampla cobertura dada ao tema, esse samba de certa forma estabeleceu um padrão, seguido, por exemplo, em "Quatro estações do ano" e "O grande presidente", apresentados pela Mangueira respectivamente em 1955 e 1956; e "Brasil, fonte das artes", do Salgueiro de 1956, gravado pela cantora Emilinha Borba no mesmo ano do desfile. **Industrialização** – O período que vai de meados dos anos 1950 até o final da década seguinte marca o apogeu do samba de enredo através, principalmente, da figura até certo ponto mitificada do compositor Silas de Oliveira. Nascido em 1916 e falecido aos 56 anos de idade, Silas compôs, para o Império Serrano, só ou com parceiros, dezesseis sambas de enredo (em 1950, 1951, 1953, 1954, 1955, 1956, 1957, 1958, 1959, 1960, 1964, 1965, 1966, 1967, 1968 e 1969, entre os quais os antológicos "Cinco bailes da história do Rio" e "Heróis da liberdade". Apesar das obras de Candeia, Walter Rosa, Noel Rosa de Oliveira e Anescarzinho, Hélio Turco, Jurandir da Mangueira e outros, Silas é considerado o autor que mais contribuiu para a consolidação e estruturação desse gênero de samba. Entretanto, em 1969, na contramão do samba "lençol", o G.R.E.S. Acadêmicos do Salgueiro, apostando na leveza, vence o carnaval com "Bahia de todos os deuses". Consagrava-se, então, outro modelo: o do samba de enredo ágil, de refrão fácil, repetido pelos salgueirenses no ano seguinte, com "Praça Onze, carioca da gema", e radicalizado, no outro, com "Festa para um rei negro", popularizado como "Pega no ganzê". Em 1971, esse samba se tornava o maior sucesso do carnaval dos salões, performance que repetiu anos seguidos. Segundo Moura (1986: 34), o formato de samba de enredo condensado por Martinho da Vila em 1968 e 1969 ("Quatro séculos de modas e costumes" e "Iaiá do cais dourado") encontrava aí sua variável mais comercial. Com ele, o samba de enredo invadiu definitivamente os salões de baile, convertendo-se em importante fonte de renda, em termos de direitos autorais. Nesse momento, já absolutamente popularizados os desfiles do samba, a circunstância de aprenderem os versos na arquibancada e exibirem, em seus grupos, intimidade com as coisas das escolas (por essa época havia uma distinção nítida entre sambas de escola e sambas "de rádio") passou a conferir aos novos espectadores uma espécie de status. Descobrindo o filão, a indústria fonográfica teve a ideia de produzir um LP com as gravações. Assim, logo após o carnaval de 1968, era lançado um disco, gravado ao vivo nos ensaios e tratado em estúdio (*Festival do samba*, selo Discnews), sucedido por outro, com o mesmo repertório, lançado pelo Museu da Imagem e do Som do Rio de Janeiro. Ambos continham não só os sambas de enredo como também pequenas faixas com o ritmo característico de cada escola. Percebendo, entretanto, que era mais rentável lançar os discos antes do carnaval, numa campanha promocional que abrangesse o período de festas de fim de ano e culminasse com o desfile, ou mesmo ultrapassasse, a indústria pôs mãos à obra. Esse foi o fator determinante das grandes modificações subsequentes: a disputa interna pelo samba de enredo passou a ganhar dimensões bem maiores e diferentes (à glória de ser campeão, que se restringia ao âmbito das escolas, somavam-se agora as possibilidades de sucesso comercial); a corrupção e as "armações" começaram a se tornar quesitos importantes na escolha do samba. Nesse momento, um aspecto bastante importante nas disputas passou a ser a opção da bateria em apoiar sambas de moradores da base territorial da escola. Com as baterias muitas vezes dominadas por delinquentes, esse apoio se verificava, principalmente, em função da proximidade física do compositor campeão, a qual facilitava a obtenção de vantagens pecuniárias até mesmo por meio de extorsão. O assunto foi aprofundado pelo jornalista Walcyr Araújo, na matéria "Como tomar sopa com garfo", publicada em sua coluna "Samba" na edição de 29/10/1976 do jornal carioca *Última Hora*. Num momento posterior, a gravadora Top Tape e suas editoras de músicas (mais tarde, a Liga das Escolas entrou no negócio) passaram a influir na decisão e a manter compositores e escolas atrelados a contratos leoninos. E tudo isso porque os sambas de enredo já eram cantados também nos salões, durante o carnaval, reduzindo ao mínimo a execução das marchinhas e dos sambas de compositores no meio radiofônico. **Diluição** – A partir da decisiva década de 1970, o samba de enredo sofreu um impiedoso processo de diluição. Exemplarmente, em maio de 1972, Silas de Oliveira, considerado um dos maiores compositores dessa modalidade, foi derrotado por seis votos a zero, apesar de apresentar uma bela obra, na disputa pelo samba do enredo "Alô, alô, taí Carmen Miranda". Silas entrou em profunda depressão, e morreu três meses depois. No ano seguinte, a dupla de compositores profissionais Jair Amorim e Evaldo Gouveia, destacada pelo repertório de canções românticas, tornava-se vencedora na disputa de samba de enredo no G.R.E.S. Portela, que tematizava "O mundo melhor de Pixinguinha". Um ano depois, na Lins Imperial, menos famosa, a dupla Antônio Carlos e Jocafi, vivendo momento de grande sucesso comercial, perdia na disputa pelo samba de enredo "Dona Flor e seus dois maridos". Mas, subvertendo uma regra costumeira, gravou o samba derrotado, passando a trabalhar sua execução pública, o que, segundo opinião geral, prejudicava a divulgação do samba oficial (Waldinar Ranulpho, "Uma baianada em cima da Escola de Samba Lins Imperial", *Última Hora*, 6/7/1974). Em 1975, com a gravação, pelo cantor Roberto Ribeiro, de "Estrela de Madureira" (título que renomeou o samba de Acir Pimentel concorrente no Império Serrano), num fato inédito, um samba perdedor fez mais sucesso que o vitorioso. Observe-se que, entre 1975 e 1979, as poderosas Rede Globo, gravadora Som Livre e editoras musicais do grupo tentaram frear a hegemonia dos sambas de enredo com o concurso de músicas carnavalescas denominado Convocação Geral. O objetivo, segundo Roberto M. Moura (1986: 54-55) seria a manipulação do gosto popular para apontar as músicas mais executadas e divulgadas no carnaval. Mas, segundo a obra citada, a tentativa de conter o crescimento dos sambas das escolas não obteve êxito: no carnaval de 1980, o samba de enredo da União da Ilha do Governador foi a obra mais executada nos 254 bailes fiscalizados pelo Ecad no Rio (Moura, 1988: 68). Na nova década, o carnaval de 1986 é marcado por dois fatos dignos de nota: um é o samba cantado pela Vila Isabel, que leva para o ambiente conservador das escolas expressões de baixo calão e sentido dúbio, como "sacanear" e "vá pra pura do barril"; o outro é, no samba de enredo do Salgueiro, a assinatura de um dos autores, a qual, segundo a imprensa, seria um codinome usado pelo chefe do narcotráfico na comunidade da escola. **Esgotamento e declínio** – Até o início da década de 1990, o disco anual dos sambas de enredo era sucesso de vendas. A partir daí, entretanto, perdeu a preferência popular, caindo de 272 mil cópias vendidas, em 1998, para 151 mil em 2001. Tentando reverter o quadro, em 2002 a Liesa lançou um CD bônus, com os sambas mais populares dos últimos dezesseis carnavais (Aydano André Motta: "O samba contra-ataca", *Jornal do Brasil*, 27/11/2001). Mas a modalidade continuava despertando interesse dos pesquisadores, muitos deles buscando explicações para a aceleração do andamento, por exemplo. Segundo alguns juízos, o rigoroso limite de tempo imposto às escolas, que apresentavam maior número de desfilantes e carros alegóricos maiores a cada ano, teria sido a causa. O certo é que efetivamente os sambas de enredo perderam em cadência, tendo seu andamento aproximado ao da marcha. Para esse processo, parece ter contribuído também a transformação gradativa dos ensaios das escolas, em espécies de bailes pré-carnavalecos. **Estudos em livros** – Em 1998, foi lançado o livro *O Brasil do samba-enredo*, de Monique Augras, estudo pioneiro na abordagem do tema. Em 2009, saiu *O samba-enredo visita a História do Brasil: o samba de enredo e os movimentos sociais*, de Rubim Aquino e Luiz Sergio Dias. E no ano seguinte, foi publicado no Rio, pela Editora Civilização Brasileira, o livro *Samba de enredo: história e arte*, de autoria dos escritores, professores e aficionados Alberto Mussa e Luiz Antonio Simas. Nele, os autores esquadrinham a modalidade em vários aspectos, analisando-os no contexto dos períodos históricos em que ela se desenvolveu, de 1933 a 2009. Segundo sua abalizada opinião, o samba de enredo é o único gênero musical épico, não lírico, genuinamente brasileiro, nascido e desenvolvido sem influência de qualquer outra modalidade épica, literária ou musical. Às vésperas do carnaval de 2013, Mussa escreveu: "Forjado por versos sofisticados e melodias criadas para emocionar, o tom épico do gênero foi substituído pelo estilo previsível e engessado das composições do carnaval de hoje" (Alberto Mussa, em *O Globo*, Prosa & Verso, 9/2/2013, p. 8: "A poesia perdida dos sambas de enredo".) *Ver* BATERIA; INDÚSTRIA FONOGRÁFICA.

SAMBA DE GAFIEIRA. *Ver* GAFIEIRA.

SAMBA DE MATUTO. Modalidade de samba folclórico, originada do maracatu, dançada e cantada nos sertões nordestinos.

SAMBA DE MORRO. Denominação outrora usada para o samba criado no universo das escolas de samba, em oposição àquele composto no ambiente do rádio e do disco. Observe-se que, até pelo menos a década de 1960, a execução de sambas "de rádio" era rejeitada nas rodas de sambistas, até mesmo nas mais informais. *Ver* MORRO.

SAMBA DE PARADA. *Ver* SAMBA DE RODA.

SAMBA DE PARTIDO-ALTO. Antiga qualificação do samba instrumental, tido como de alta qualidade, de gente categorizada. O elemento "partido", no caso, tem o sentido de "grupo, facção, grei, grêmio". A expressão designa também a espécie de samba cantada em forma de desafio por dois ou mais solistas e que se compõe de um refrão e de partes soladas. *Ver* PARTIDO-ALTO; SAMBA DE RODA.

SAMBA DE PRIMEIRA. Antigo estilo de samba, composto sem segunda parte, cronologicamente intermediário entre o primitivo samba rural e o moderno samba urbano; samba de roda, protótipo do samba rural e, especialmente, do samba baiano.

SAMBA DE RAIZ. Expressão difundida a partir do fim dos anos 1990, designativa do tipo de composição, do gênero samba, tido como mais próximo das origens, em relação ao pagode e às formas diluídas que lhe sucederam. O repertório é basicamente constituído de exemplares do que outrora se conheceu como "samba de morro", além de outros do universo radiofônico, em geral surgidos até meados do século XX. Um dos marcos do fenômeno foi o espetáculo *O samba é minha nobreza*, de 2002, produzido por Hermínio Bello de Carvalho. Assumida como movimento, a descoberta do samba "de raiz" parece ser uma faceta da busca da identidade cultural através da música popular experimentada por boa parte da juventude escolarizada nas grandes cidades brasileiras. Geralmente, ao chegar à universidade, o jovem, adquirindo conhecimentos que o levam a questionar determinadas situações estabelecidas, e convenientemente estimulado, rejeita o consumo dirigido e massificado. Essa parece ser a força impulsionadora do samba de raiz, a qual, entretanto, mitificou esse tipo de repertório, transformando-o no que modernamente se categoriza como cult, ou seja, algo ou alguém admirado com espírito de seita, de um grupo de "iniciados". Não obstante, a mitificação foi também absorvida pela sociedade de consumo; o que correu, como habitualmente, dando margem a rotulações confusas ou duvidosas. *Ver* LAPA; SAMBA AUTÊNTICO.

SAMBA DE RODA. Forma ancestral da dança do samba, da qual a forma posterior, urbanizada, guardou os passos fundamentais, distintivos da coreografia. Caracteriza-se por ser dançada preferentemente ao ar livre, numa coreografia na qual o dançante requebra e saracoteia sozinho, enquanto os demais se incumbem do canto (alternando frases de solo e coro) e da execução dos instrumentos (prato e faca, pandeiro, ganzá etc.). Consoante a melhor tradição, na roda dançam, separados, um homem e uma mulher, os quais passam a vez, cada um, a pessoas do mesmo sexo. O convite para entrar na roda evoca a umbigada característica das danças de roda de matriz africana; mas é apenas uma espécie de reverência diante da pessoa escolhida, seguida de um toque de perna contra perna (Carneiro, 1982: 89-90). **Denominações** – O samba de roda é o protótipo do samba rural e especialmente do samba baiano. Chamado "samba de viola", "samba de chula", "samba de parada", "samba de partido-alto", "samba santo-amarense", "samba amarrado" etc., conforme o aspecto que apresente, ele é a pedra fundamental do grande edifício do samba brasileiro. São diversas as denominações do samba de roda da Bahia, que muitos autores veem como modalidades diferentes. As mais comuns são "samba corrido" e "samba de chula". Segundo Mendes e W. Júnior, o samba corrido (ou samba duro) tem *normas* mais liberais, pois nele os homens podem participar da roda de dança e as mulheres podem cantar, o que não é da tradição do samba de chula. Mas a distinção vem mais do fato de que, no samba corrido, o canto e as execuções instrumentais, de violas e pandeiros, acontecem simultaneamente, o que enseja a dança coletiva. Já na outra modalidade, o importante é ouvir a chula, que é a letra, o texto das cantigas, por isso não se dança enquanto os cantadores estão "tirando a chula", ou seja, solando os fragmentos de canções que improvisam ou "tiram" da memória. Entretanto, as diferenças são, de certa forma, sutis; daí persistir a confusão entre o que é "samba corrido" e o que é "chula". **Extensão da cozinha** – Algumas das mais interessantes observações que já se fizeram sobre a importância do samba baiano estão consignadas no livro *Danças de origem africana*, de Jorge Sabino e Raul Lody. Segundo os autores, esse samba primordial nasceu como "uma extensão corporal das atividades da cozinha" (mexer panelas, ralar coco, bater a massa do bolo etc.), que envolvem uma série de posturas e traduzem um conjunto de atitudes e maneiras de "viver o corpo". Além disso – acrescentam –, o samba, em seu ambiente popular, baiano ou carioca, é sempre a culminância de um momento social, de reunião de família ou do grupo religioso, no qual se compartilham experiências e histórias comuns. É aí, nesse momento, que diferentes materiais e objetos (panelas, garrafas, copos, colheres) entram na batida do samba e até adquirem importância simbólica, como é o caso do prato de louça percutido com a faca de cozinha, "instrumento" que se tornou uma espécie de ícone da tradição do samba. Coroando toda essa importante teorização, o mencionado livro doutrina, em sua página 59: "Unir comida à dança é uma experiência perfeitamente integrada e fundamental aos encontros, às formas de reativar memórias de matriz africana". **Coreografia** – Sobre a coreografia, vamos ver, ainda com Sabino e Lody, que, no samba de roda, a dança é executada "da cintura para baixo", expressando-se em um sutil deslizamento dos pés, para a frente e para trás, com os quadris bamboleando. Daí vieram expressões como "miudinho" e "bolimbolacho", presentes em algumas chulas e incorporadas ao cancioneiro do samba tradicional para caracterizar esses graciosos movimentos que, segundo a melhor tradição, são privilégio exclusivo das mulheres, pois o homem, quando dança, deve fazê-lo sem maiores expansões. **Reconhecimento** – Em 2004 e 2005, o samba de roda do Recôncavo teve sua importância cultural e artística atestada respectivamente pelo Iphan e pela Unesco. *Ver* DANÇAS DO SAMBA; PATRIMÔNIO CULTURAL.

SAMBA DE RUA. *Ver* DANÇAS DO SAMBA.

SAMBA DE SALÃO. *Ver* DANÇA DE SALÃO; DANÇAS DO SAMBA.

SAMBA DE TERREIRO. *Ver* TERREIRO.

SAMBA DE VELHO. Modalidade de samba folclórico, típica de Juazeiro (BA), mencionada em algumas fontes como de origem indígena.

SAMBA DE VIOLA. *Ver* SAMBA DE RODA.

SAMBA DO CRIOULO DOIDO. Expressão derrogatória usada para qualificar situação ou relato confuso, sem nexo, absurdo; bagunça. Sua origem está na composição cômica de mesmo nome, de autoria do humorista Sérgio

Porto (1923-1968), o Stanislaw Ponte Preta, lançada com grande sucesso em 1968, ano crucial do regime militar implantado no Brasil quatro anos antes (Severiano e Melo, 1998 II: 131). O samba satiriza as dificuldades de um autor de samba de enredo diante da exigência de temas nacionais, então contida nos regulamentos, a qual era, de início, confundida com obrigatoriedade de "temas patrióticos". Na gravação original, depois de um prólogo em que o autor explica o problema, a letra mistura fatos históricos e absurdos delirantes. O sucesso desse samba gerou disco e show; o qual teve uma réplica, o espetáculo e posterior disco *Nem todo crioulo é doido*, que, talvez numa espécie de reação antirracista, reuniu Martinho da Vila, Zuzuca, Cabana e Darcy da Mangueira. A marca, todavia, ficou; a expressão "samba do crioulo doido" é usada até a atualidade. *Ver* HISTRIONISMO.

SAMBA DURO. Uma das denominações da batucada ou pernada carioca.

SAMBA ESQUEMA NOVO. Título do LP do cantor, compositor e violonista Jorge Ben (depois "Ben Jor") lançado em 1963 em selo Philips. Contemplando um repertório de sambas como "Por causa de você, menina", "Chove, chuva" e "Mas, que nada!", de grande sucesso, o lançamento trazia uma proposta inovadora, com um aprofundamento afro ainda não observado no universo do samba-jazz. A interpretação apoiava-se no violão percussivo de Ben, que antecipava, de certa forma, o que viria, seis anos mais tarde, bem longe do samba, no Festival de Woodstock, com o afro-americano Richie Havens. No momento da finalização deste dicionário, mais de meio século depois, o som do *Samba esquema novo* ecoa ainda nas criações de autores, intérpretes e arranjadores como Seu Jorge, Pretinho da Serrinha e outros.

SAMBA MODERNO. Expressão usada pela crítica musical e por pesquisadores para tipificar o estilo de samba surgido na década de 1960, produzido por compositores principalmente de formação universitária, considerados então "a nova geração do samba". Entre esses, estavam Caetano Veloso, Carlos Lyra, Chico Buarque, Edu Lobo. Sobre Chico Buarque, observe-se que, ao longo de uma carreira que o consagra como um dos maiores e mais prestigiados compositores brasileiros em todos os tempos, o cantor criou e registrou fonograficamente muitos sambas tornados clássicos, entre os quais os seguintes: "A Rita"; "A volta do malandro"; "Acorda amor"; "Apesar de você"; "Atrás da porta"; "Bom tempo"; "Carolina"; "Chão de esmeraldas"; "Com açúcar, com afeto"; "Construção"; "Cotidiano"; "Essa moça tá diferente"; "Feijoada completa"; "Gota d'água"; "Homenagem ao malandro"; "Juca"; "Madalena foi pro mar"; "Meu caro amigo"; "Morena de Angola"; "Morena dos olhos d'água"; "Olê, olá"; "Partido-alto"; "Pedro pedreiro"; "Quem te viu, quem te vê"; "Roda viva"; "Samba de Orly"; "Samba do grande amor"; "Samba e amor"; "Sonho de um carnaval"; "Tem mais samba"; "Vai passar"; "Vai trabalhar, vagabundo". *Ver* CRISES.

SAMBA SANTO-AMARENSE. *Ver* SAMBA DE RODA.

SAMBA SINCOPADO. *Ver* SÍNCOPA.

SAMBA-CANÇÃO. Espécie de samba de andamento lento, de melodia romântica e letra sentimental. Segundo Severiano e Melo (1997: 146), o primeiro exemplar da espécie teria sido "No rancho fundo", de Ary Barroso, lançado em 1930, na voz de Aracy Cortes (1906-1985), com letra de J. Carlos, depois substituída pela de Lamartine Babo, com a qual se popularizou. J. R. Tinhorão, entretanto, atribui a gênese desse subgênero ao célebre "Linda flor" ou "Ai, ioiô", de 1928, com melodia de Henrique Vogeler e três letras diferentes, sendo a de Luís Peixoto ("Ai, ioiô") a mais expressiva e conhecida. Mais tarde, pelo menos um compositor do mundo do samba, Cartola, notabilizou-se como autor de belos sambas-canção, como os clássicos "Acontece" (1972) e "As rosas não falam" (1976).

SAMBA-CHORO. Estilo de samba de andamento médio, que se caracteriza como um choro com letra, para ser cantado. Segundo Tinhorão (1991: 159), a expressão definiria o gênero híbrido, antes chamado choro-canção, ou choro cantado, assim formatado a partir de 1934, tendo como protótipo a composição "Amor de parceria", de Noel Rosa.

SAMBA-EXALTAÇÃO. Estilo de samba de caráter grandioso, com letra patriótico-ufanista e arranjo orquestral pomposo, difundido no contexto promocional do Estado Novo. O primeiro grande exemplar desse subgênero é "Aquarela do Brasil", de Ary Barroso, lançado em 1939. Mas o mesmo Ary já o havia antecipado dois anos antes, com "No tabuleiro da baiana". Outros exemplares eloquentes do estilo, enumerados no verbete *orquestras*, foram bastante explorados em encenações do teatro de revista. *Ver* BAHIA.

SAMBA-HOUSE. *Ver* FUSÕES.

SAMBA-JAZZ. Vertente eminentemente instrumental do samba, consolidada no ambiente da bossa nova. Baseado na tríade piano-baixo-bateria e aos poucos acolhendo outras formações instrumentais, o samba-jazz consolidou a aproximação do samba com o bebop, que já era experimentado no ambiente das gafieiras, revelando ou consolidando o prestígio de inúmeros instrumentistas brasileiros e atraindo para nossa música grandes instrumentistas estrangeiros. Segundo o jornalista e crítico Ruy Castro, o fundador desse "novo idioma" teria sido o saxofonista Juarez Araújo, com o disco *Bossa nova nos "States"*, de 1962 (*O Globo*, coluna "Gente Boa", 16/7/2012, Segundo Caderno, p. 5). **Os Ipanemas** – Em 1964 era lançado pela gravadora CBS o LP *Os Ipanemas*. Nele, cinco músicos tarimbados no ambiente das boates e dos estúdios de gravação (o baterista Wilson das Neves, o percussionista Rubens Bassini, o trombonista e arranjador Astor Silva, o violonista e guitarrista Neco e o contrabaixista Luis Marinho) produziam um som inovador. Dando tratamento jazzístico a algumas peças do repertório afrossamba de Baden Powell e Vinicius de Moraes, além de apresentar temas inéditos de inspiração afro, lançavam um produto anunciado pela gravadora como "um novo som em samba" (Essinger, 2013: 1). À época deste texto, Wilson das Neves revivia o grupo, com nova formação, em CDs dirigidos para o mercado internacional.

SAMBALADA. Designação pejorativa do samba-canção de andamento mais lento, influenciado pelo estilo das baladas estrangeiras difundidas no Brasil na década de 1950.

SAMBALANÇO. Estilo de samba surgido no Rio de Janeiro, a partir do ambiente de bailes e boates, pela ação de grupos musicais como os de Djalma Ferreira, Ed Lincoln e outros. Eminentemente feito para dançar, surgiu como uma espécie de contraponto ao "samba de concerto" – apenas para ouvir, sentado e em silêncio, proposto pela bossa nova; e caracterizou-se principalmente pela incorporação do órgão Hammond ao conjunto dos instrumentos.

SAMBA-LENÇO. Modalidade de samba folclórico, dançado em filas, no qual homens e mulheres, de lenço na mão, acenam para os pares com quem desejam sambar.

SAMBA-REGGAE. Denominação arbitrária de um estilo de samba baiano surgido na década de 1980. Sua origem está ligada ao movimento de reafricanização do carnaval baiano e se insere no campo ideológico da consciência negra. Seu ritmo parece resultar da fusão da "levada" cadenciada das antigas escolas de samba soteropolitanas com o toque ijexá dos afoxés, realizada sob forte influência do reggae jamaicano. Observe-se que, na década de 1970, no bojo da luta contra a exclusão racista, as agremiações carnavalescas da capital baiana reorganizaram-se na direção de uma nova estética, inclusive musical. Surgem aí os blocos Ilê Aiyê, em 1974; Olodum, em 1979; e Muzenza, em 1981. Segundo o músico Moa do Catendê, antigo integrante da Escola de Samba Diplomatas de Amaralina e fundador do afoxé Badauê em 1978, o ritmo surgido nesse momento, "em vez de ficar preso àquele tá-kum-kum, tem sempre uma variação, um contratempo" (Risério, 1981: 66). Essas variações e contratempos, feitos sobre a base do ijexá, conduzem à rítmica do reggae, mas acabam por ecoar a antiga cadência ralentada das escolas, a qual na Bahia não sofrera a aceleração carioca. A paternidade da nova "levada" é, entretanto, geralmente atribuída a Neguinho do Samba (Antonio Luís Alves de Souza, 1955-2009), diretor de bateria do Olodum, o qual teria criado o samba-reggae, popularizado a partir de gravações das cantoras Margareth Menezes e Daniela Mercury. O que parece mais claro é que a organização percussiva popularizada principalmente pelo bloco Olodum dá margem a inúmeras possibilidades, como mostrado no CD *Liberdade*, lançado em 1997 pela Warner Music do Brasil, no qual pode-se ouvir um inequívoco reggae ("I Miss Her", faixa 8) e um legítimo samba de roda ("Samba do Recôncavo", faixa 10), num conjunto mercadologicamente classificado como samba-reggae. Sobre a denominação, acrescente-se que, segundo alguns teóricos, a fusão dos dois gêneros é ritmicamente implausível, já que o samba se caracteriza pelo compasso binário simples (2/4) e o reggae, pelo quaternário (4/4). *Ver* BAHIA; DESAFRICANIZAÇÃO; SUINGUEIRA.

SAMBA-ROCK. Denominação atribuída, a partir da cidade de São Paulo (SP), ao "estilo de dança que misturava passos oriundos do rock, do samba e de ritmos caribenhos, como a rumba e a salsa", surgido da década de 1960 (cf. Macedo, 2007: 18). Mais tarde, a denominação foi estendida ao estilo de composição e interpretação desenvolvido, com influência de Jorge Ben Jor e Wilson Simonal, notadamente, pelos músicos paulistanos do Clube do Balanço, grupo e movimento musical surgido em 1999, liderado pelo músico Marco Mattoli. Enquanto o sambalanço se caracterizava principalmente pelo som do órgão Hammond, o samba-rock privilegiava as sonoridades da guitarra elétrica. Registre-se que, no final da década de 1950, o guitarrista Bola Sete (Djalma Andrade, 1923-1987), que logo se radicaria nos Estados Unidos, onde faleceu, acrescentava, espontaneamente, aos sambas mais batucados, sem descaracterizá-los em sua natureza de sambas, impecáveis solos jazzísticos de guitarra, como já se fazia nos *dancings* e gafieiras. O resultado, segundo algumas interpretações, estaria bastante próximo do que se poderia entender como samba-rock.

SAMBA-RODA. Denominação de uma das modalidades do fandango, espécie de dança folclórica.

SAMBA-SOUL. Denominação do estilo interpretativo de samba, irradiado a partir dos bailes pagos de clubes da zona suburbana carioca e do Grande Rio, como Vera Cruz, da Abolição; Pavunense; Ideal, de Olinda; Mauá, de São Gonçalo etc., na década de 1970. Seu repertório compreende músicas e criações de cantores, compositores e grupos como Jorge Ben Jor, Bebeto, Tim Maia e Banda Black Rio, executadas por conjuntos orquestrais como Brasil Show, Charme, Chanel, Copa Sete, Devaneios etc. É comumente referido também como suingue e guarda informações do samba e da soul music afro-americana, além de semelhanças com o samba-rock.

SAMBANGOLA. Nos candomblés de caboclo e na umbanda, ritmo e dança da entidade Caboclo Boiadeiro. O termo é aglutinação da expressão "samba de Angola". *Ver* BANTO; SAMBA; SAMBA DE CABOCLO.

SAMBÃO JOIA. Denominação depreciativa de um estilo de samba nascido na década de 1970, tido então como uma diluição do samba tradicional. Tratava-se de um samba com estrutura rítmica simplificada, presente principalmente no repertório de intérpretes românticos como Benito di Paula, Gilson de Souza, Luiz Ayrão, Luiz Américo e Agepê, este transformado em um grande campeão de vendas a partir da gravação de "Deixa eu te amar", na década seguinte. Mais tarde, o estilo parece ter ecoado no "pagode romântico" da década de 1990.

SAMBA TRANÇADO. Antiga forma de samba, dançada em Pernambuco.

SAMBISTA. Cantor, compositor, percussionista ou dançarino cuja atuação e/ou notoriedade se dão a partir ou por força de uma agremiação ou núcleo difusor de samba. Uma outra categoria, que não engloba necessariamente artistas, é a dos chamados "sambistas dirigentes" (cf. Lopes, 2011: 618). A condição de sambista pressupõe pertencimento ao mundo do samba.

SAMBÓDROMO. Construção com arquibancadas e pista de desfile usada para apresentação de agremiações carnavalescas (cf. Houaiss e Vilar, 2001). É neologismo, de criação atribuída ao antropólogo Darcy Ribeiro, quando foi vice-governador do estado do Rio de Janeiro. Inaugurado em 1984, o Sambódromo teve seu modelo e sua denominação reproduzidos em outras cidades brasileiras. O termo tem origem provavelmente irônica: foi criado por analogia com "autódromo", "hipódromo" etc., vocábulos compostos a partir do elemento greco-latino *dromos*, carreira, corrida. *Ver* MARQUÊS DE SAPUCAÍ; PASSARELA DO SAMBA.

SANTOS. Cidade litorânea e portuária do estado de São Paulo, localizada na ilha de São Vicente e tendo como origem o povoado de Todos os Santos. Importante núcleo do samba, a cidade tem como primeira referência a figura mitológica de Pai Felipe, líder quilombola na encosta do Monte Serrat, "perto da fonte da Vila Mathias" que, ainda no século XIX, segundo a tradição, "todo fim de semana reunia sua gente no 'terreiro' para dançar o samba" (cf. Muniz Jr., 1999: 9). Entre 1940 e 1949, segundo a mesma fonte (p. 12-13), teriam surgido dez escolas de samba na cidade, sendo duas na Vila Mathias, acima mencionada. Delas, resistente e vitoriosa até pelo menos o fim do século XX, permanecia a X-9, fundada em 1944 na localidade conhecida como bacia do Macuco. Registre-se que a parte baixa da cidade, a Baixada Santista, viu também florescerem outras manifestações do universo do samba, como os bailes de gafieira, no modelo carioca.

SÃO PAULO. Estado brasileiro da região Sudeste. Tendo como capital a cidade de mesmo nome, sua história econômica, na época colonial, liga-se principalmente ao ciclo do ouro e ao movimento das bandeiras, eventos que empregaram numerosa mão de obra escrava. Nos anos próximos à abolição, as cidades paulistas de maior população cativa eram Campinas, Bananal, Jundiaí, Constituição, Limeira, Mogi Mirim, Rio Claro, Pindamonhangaba e Amparo. Após a abolição, a cidade de São Paulo atraiu grandes contingentes de população negra, oriundos do interior da província. Proclamada a República, as oportunidades de trabalho continuaram atraindo negros não só do próprio estado como de regiões vizinhas, em ondas migratórias contínuas. Nesse quadro, os três maiores redutos negros na cidade de São Paulo, desde o nascimento da República, foram os bairros da Barra Funda e do Bixiga, e a localidade conhecida como Baixada do Glicério. A Barra Funda e o Bixiga – No início do século XX o bairro da Barra Funda, por constituir uma espécie de entroncamento entre as linhas das estradas de ferro Sorocabana e Paulista, concentrava importante parcela da população negra, em sua maioria deslocada das cidades do interior, em busca de melhores condições de trabalho. Expressivo núcleo de cultura africana, já em 1914 o bairro tinha, no Largo da Banana, onde, à época da produção deste dicionário, situavam-se a estação do metrô e o Memorial da América Latina, um similar da Praça Onze carioca. Já o bairro popularmente conhecido como Bixiga, oficialmente Bela Vista, teve como principal fator de aglutinação a proximidade das ricas mansões da avenida Paulista, onde a mão de obra negra era indispensável. Dessa forma, a região, que já abrigava redutos de população negra desde o século XVIII, tornou-se, após a abolição, um dos territórios negros da capital paulista. Samba – Em 1914, surgiu na Barra Funda o Cordão Camisa Verde, semente da atual Associação Cultural e Social Escola de Samba Mocidade Camisa Verde e Branco. Em 1930, era fundado no Bixiga o cordão Vai-Vai, hoje escola de samba. Na década de 1949 nascia a Lavapés, na Baixada do Glicério. **Sambistas** – Nos diversos estilos, modalidades e cenários do samba, ao longo dos tempos destacaram-se, em São Paulo, entre outros, os seguintes criadores: Adoniran Barbosa; Carlinhos Vergueiro; Eduardo Gudin; Geraldo Filme; Germano Mathias; Oswaldinho da Cuíca; Paulo Vanzolini; Talismã; Toniquinho Batuqueiro e Zeca da Casa Verde. *Ver* SAMBA – O samba da Bahia e o samba rural paulista.

SEGUNDA GUERRA MUNDIAL. *Ver* GUERRA MUNDIAL, Segunda.

SEMBA. Em Angola, movimento de dança caracterizado pelo embate frontal entre dois dançarinos; umbigada (Houaiss e Villar, 2001). *Ver* SAMBA.

SEPARA-O-VISGO. Figuração coreográfica do samba de roda, incorporada pelo samba tradicional carioca. Complementar ao passo corta-jaca, nela o dançarino levanta e abaixa um dos pés, fazendo em seguida, com ele, um movimento lateral como que afastando algo, no caso, o visgo da jaca.

SERRINHA, morro da. Localidade na vertente oeste da serra da Misericórdia, entre Vaz Lobo e Madureira, na zona norte carioca, núcleo de fundação do G.R.E.S. Império Serrano. Sua ocupação data provavelmente dos anos subsequentes à abolição da escravatura, por trabalhadores negros oriundos das antigas fazendas locais, aos quais vieram se somar, no início do século XX, migrantes originários das antigas regiões cafeeiras fluminenses e paulistas do Vale do Paraíba, bem como da Zona da Mata mineira, o que atestam as biografias de diversos fundadores das escolas de samba locais. **Império Serrano** – Fundada na comunidade em 23 de março de 1947, a escola de samba surgiu de uma dissidência da extinta Independentes da Serra, ex-Prazer da Serrinha, de onde saíram Mano Décio da Viola, Silas de Oliveira, Sebastião de Oliveira (Molequinho), Mano Elói e Antônio dos Santos, o Mestre Fuleiro, para fundarem a nova agremiação, após fusão com a Unidos da Tamarineira, da vizinhança. Também da região, o morro da Congonha sediava a Unidos da Congonha, extinta após 1956. De 1954 até a primeira metade da década de 1970, a escola dividiu, com o Salgueiro, a Mangueira e a Portela a hegemonia no desfile principal das escolas cariocas. **Resistência** – O núcleo fundador do Império Serrano teve forte presença de trabalhadores portuários, muitos deles ligados à legendária "Resistência", nome pelo qual é conhecida a Sociedade de Resistência dos Trabalhadores em Trapiche e Café, entidade sindical fundada em 15 de abril de 1905. **Modernidade** – Provavelmente pelo contato com as novidades que chegavam pelo porto, o Império logo se destacou como uma escola inovadora. Tal foi o caso do *zoot suit*, indumentária característica dos negros do Harlem novaiorquino nas décadas de 1920 a 1940. Constava de paletós compridos e de ombros largos (jaquetão tipo "saco"), calças folgadas com bocas bem estreitas ("boquinhas"), chapéus de copa alta e aba larga etc. Apresentada, segundo a tradição, por componentes da Ala dos Amigos da Onça, o traje foi adotado por grande parte dos sambistas e dançarinos das gafieiras, tornando-se quase típico.

Também a introdução do agogô na bateria parece ter sido uma contribuição imperiana ao samba das escolas, como foram os címbalos (pratos de banda). *Ver* DESTAQUE; PARTIDO-ALTO; CAIS DO PORTO.

SEXUALIZAÇÃO. *Ver* EROTIZAÇÃO.

SHOW BUSINESS. Expressão anglo-americana que designa o negócio que abrange especialmente "teatro, cinema, televisão, rádio, feiras de amostras e circos". Forma reduzida: showbiz (cf. Houaiss e Villar, 2001). A incorporação do samba por essa vertente parece ter se dado à época do Estado Novo. O marco seria o espetáculo *Joujoux e balangandans*, estreado em 1939 no Theatro Municipal do Rio de Janeiro. Tratava-se de uma revista musical composta de vários quadros, entre os quais os intitulados "Música brasileira", "Negros", "Samba" e "Carnaval" (*Nosso Século*, 1980 III: 188). Em 1940, auge da era dos cassinos, o sambista Cartola e a "turma da Mangueira" se apresentam em temporada no Cassino Atlântico. Na sequência, o cinema, especialmente no ambiente das chanchadas, e as boates fecham o círculo. **O desfile das escolas –** Na década de 1970, o desfile das escolas de samba principais começa a se estruturar verdadeiramente como espetáculo; as regras mais rígidas que vigoram a partir da criação do Sambódromo e da Liesa consolidam o evento como um produto do show business. Esse fato correspondeu, em certa medida, aos anseios de aceitação do samba pela sociedade abrangente, manifestados, pelos sambistas, desde os primeiros tempos. Essa inclusão apenas pelo viés carnavalesco, entretanto, teria levado o samba das escolas, segundo algumas críticas, a se distanciar dos fundamentos que nortearam a criação das primeiras agremiações. *Ver* ESCOLA DE SAMBA.

SÍMBOLO NACIONAL. Assim como o tango simboliza musicalmente a Argentina; o fado simboliza Portugal; o reggae, a Jamaica; o jazz e o blues, os Estados Unidos; o samba é, sem dúvida, o gênero musical que representa simbolicamente o Brasil. Ressalte-se que todos os gêneros citados, antes de alcançarem a meritória condição que hoje ostentam, foram menosprezados em seus locais de origem, principalmente por terem nascido no seio de grupos economicamente carentes e marginalizados. Com relação ao tango, veja-se que ele só ganhou respeito em sua pátria depois que, na década de 1910, se tornou popular na Europa. Quanto ao samba, embora tendo alcançado a dimensão de símbolo musical da nacionalidade brasileira, ainda lhe falta a confirmação desse estatuto, o que é dificultado, inclusive, pelo não reconhecimento de sua paternidade nos diversos estilos que originou, como é o caso da bossa nova.

SÍNCOPA. Na linguagem musical, deslocamento da acentuação de um tempo rítmico para antes ou depois da parte que naturalmente deveria ser acentuada; articulação de um som "na parte fraca de um tempo ou compasso, prolongando-se pela parte forte do seguinte" (Houaiss e Villar, 2001). Característica mais notória das músicas de origem africana nas Américas, é a síncopa que produz o balanço rítmico típico do samba. **Samba sincopado** – Estilo em que a sincopação é levada às últimas consequências, às vezes até dando a impressão momentânea de que a "divisão" rítmica está errada. Grandes cultores da sincopação foram os cantores Luís Barbosa (1910-1938), Sílvio Caldas (1908-1998), Vassourinha (Mário Ramos, 1923-1942), Dilermando Pinheiro (1917-1975), Cyro Monteiro (1913-1973) e Caco Velho (Mateus Nunes, 1920-1971). Mais recentemente, os cantores Miltinho (Milton Santos de Almeida, 1928-2014), João Gilberto, ídolo da bossa nova, e João Nogueira (1941-2000) destacaram-se na interpretação do estilo, facilitada na execução de obras de autores como, por exemplo, Geraldo Pereira (1918-1955) e Wilson Batista (1913-1968).

SOCIALIZAÇÃO. Ação ou efeito de desenvolver, nos indivíduos de uma comunidade, o espírito de solidariedade social e de cooperação (Houaiss e Villar, 2001). Nascido a partir de famílias ou de grupos comunitários, com a organização das primeiras escolas, o mundo do samba, até meados da década de 1960, mantinha hábitos de lazer e socialização peculiares. Sua alegre e exuberante sociabilidade era expressa em visitas, congraçamentos de toda espécie e, sobretudo, muita festa. Os locais dessas festas eram gafieiras e clubes sociais de classe média que funcionavam como salões de festas do samba (samba "de salão", com par enlaçado). O formato das festividades se estendia do baile até os piqueniques praianos, diversificando-se em carreatas, "passeios marítimos" na Baía de Guanabara, festas juninas à caipira, torneios de partido-alto, batismos de alas; e até ecléticas programações que mesclavam futebol, brincadeiras infantis, concursos de beleza e farta comezaina. O núcleo irradiador dessa efervescência cultural eram as escolas de samba, que hoje, salvo raras exceções, vivem exclusivamente para a competição carnavalesca. *Ver* CULINÁRIA E GASTRONOMIA.

SOCIEDADE DE CONSUMO. Expressão que define a etapa de desenvolvimento da sociedade global caracterizada pelo consumo maciço, excessivo e, em muitos casos, abusivo. Nela, pela pressão dos meios de comunicação de massa, o indivíduo, às vezes sem perceber, é impelido a comprar produtos, ideias e modos de vida. Nesse ambiente, o samba, como produto da indústria cultural, é desfrutável como fonte de lazer, entretenimento e conhecimento; e, como tal, é utilizável como objeto de ganho financeiro. **Incitamento ao consumo** – Na etapa anterior à sociedade de consumo, a publicidade limita-se a "anunciar" o produto, mostrando para que serve, como foi fabricado, quanto custa e onde pode ser adquirido. Na sociedade atual, a publicidade incita o consumo, mitificando o produto, apregoando qualidades que ele nem sempre possui; ou tenta convencer as pessoas de que a não aquisição do produto vai excluí-las do rol daqueles, alegadamente melhores, que o estão consumindo. No seio da indústria fonográfica, essa estratégia de persuasão se expressa nos "milhões de cópias vendidas" com que são comumente anunciados certos lançamentos. E isso parece explicitar um dos pilares da sociedade de consumo: a permanente insatisfação, que gera, incessantemente, novas necessidades. As tentativas recorrentes de atrelamento do samba ao pop anglo-saxônico dominante na música popular global desde a década de 1960, salvo melhor juízo, traduzem essa dialética (Tecglen, 1980: 18-19). **Consumo do samba** – Na sociedade de consumo, o samba é efetivamente um produto, destinado a um mercado constituído por consumidores efetivos e potenciais, e como tal deve ser tratado. Sobre a entrega da produção musical como um todo, no Brasil, à época deste dicionário, informações altamente esclarecedoras constam do artigo "A viagem é outra", do jornalista e crítico Marcos Bragatto, publicado em fins de 2013. No texto, o articulista expõe que, com a expansão da internet, a queda de audiência das rádios FM e a retração da indústria fonográfica, o modo como os criadores de música são inseridos no grande mercado modificou-se claramente. "Agora, a atuação mais decisiva está nas mãos do jornalismo e da direção musical dos programas de televisão", diz ele. A esse setor cabe a escolha ou indicação das músicas que vão constar das grades de programação; e seus integrantes podem, em princípio, colocar músicas ao seu gosto. Entretanto, eles em geral optam por entregar ao consumo produções de sucesso garantido, fácil, embora quase sempre efêmero. Nesse quadro, o samba, fugindo ao padrão dominante, fica de fora. Registre-se, entretanto, que o nome "samba" é largamente usado em várias circunstâncias e objetos de consumo, como marcas, estilos, definições etc. *Ver* JABÁ.

SOLFEJOS. Na técnica musical, solfejar é "ler a música pronunciando o nome das notas"; e solfejo é o ato ou resultado dessa ação. Por extensão, no âmbito da música popular, o canto de um trecho musical no qual se pronuncia, em lugar das notas, sílabas aleatórias, como por exemplo, "la-ra-rá", é também denominado "solfejo". No período de 1940 a 1960, provavelmente a partir do samba de enredo "O guarani" (1954), do Império Serrano, em que a célebre protofonia da ópera homônima fechava a composição, o uso desse tipo de solfejo foi recorrente na estruturação melódica dos sambas de enredo. Com belos efeitos, ele foi artisticamente usado pela Portela em "Brasil, pantheon de glórias", "O tronco do ipê", "O segundo casamento de dom Pedro II" (trecho da "Valsa do imperador") etc. A partir da década de 1970, os estribilhos ou refrões marcantes, feitos para "grudar", ou seja, de fácil e imediata assimilação, ganharam a preferência dos compositores; e as citações de trechos de outras canções receberam a denominação de "alusivos". No carnaval de 2012 quase todos os sambas de enredo obedeciam a um mesmo formato, com dois ou três refrões, entre os quais se intercalavam as estrofes.

SOLOVOX. *Ver* ÓRGÃO HAMMOND.

SUBGÊNEROS E ESTILOS. Gênero é a categoria classificatória que agrupa espécies relacionadas de acordo com sua história evolutiva, distinguíveis umas das outras por diferenças marcantes. O samba é um gênero que agrupa diversas espécies, que constituem subgêneros ou estilos interpretativos. Ao longo do século XX, principalmente a partir do Rio de Janeiro, e pela força dos meios de comunicação, essas vertentes foram surgindo e se diversificando. *Ver* BOSSA NOVA; PAGODE; PARTIDO-ALTO; SAMBA-CANÇÃO; SAMBA-CHORO; SAMBA DE BREQUE; SAMBA DE ENREDO; SAMBA DE MORRO; SAMBA DE RAIZ; SAMBA DE RODA; SAMBA DE TERREIRO; SAMBA DURO; SAMBA-EXALTAÇÃO; SAMBA-FUNK; SAMBA-JAZZ; SAMBALANÇO; SAMBANDIDO; SAMBÃO JOIA; SAMBA-REGGAE; SAMBA-ROCK; SAMBA-SOUL; SUINGUE.

SUBVENÇÃO. Subsídio ou ajuda monetária advinda do poder público. No universo das escolas de samba, o termo se refere à verba anual recebida para a realização do desfile. Esse tipo de apoio remonta ao início da Era Vargas, provavelmente ao carnaval de 1932, quando era referido como "auxílio municipal". Segundo avaliação em Franceschi (2010: 177), sua adoção "foi o meio eficiente que o Estado, então, encontrou para "dominar as sociedades recreativas e, através delas, estabelecer regras e domesticar as massas populares". Além de serem subvencionadas pelo poder público, as agremiações do samba também recorreram a apoio privado por meio da prática do "livro de ouro", registro destinado a colher assinaturas e contribuições financeiras, a qual persistiu pelo menos até a década de 1950. **Irregularidades** – Em novembro de 2013, a imprensa noticiava a abertura de processo, pelo Ministério Público do Estado do Rio de Janeiro (MPRJ), contra o prefeito da cidade, o presidente da Riotur, dois diretores dessa empresa e treze escolas de samba. O procedimento se baseava na alegação de que, durante o tempo que durou a investigação, toda a organização dos desfiles teria sido entregue pela prefeitura à Liesa sem a necessária licitação; e que, dentre as escolas, tendo recebido cada uma cerca de 1 milhão de reais de subvenção a cada carnaval, algumas teriam prestado contas com notas fiscais "inidôneas" (cf. Ancelmo Gois. *O Globo*, 3/11/2013, Primeiro Caderno, p. 26). *Ver* DEIXA FALAR; ENTIDADES DE REPRESENTAÇÃO DAS ESCOLAS DE SAMBA.

SUINGUE. Denominação por vezes usada tanto para o samba-rock quanto para o samba-soul. O termo é abrasileiramento do inglês *swing*, "balanço", que inclusive denominou um estilo de música nascido, nos Estados Unidos, no ambiente do jazz, na década de 1930, e reformulado na década de 1950 (cf. Major, 1987: 113).

SUINGUEIRA. Denominação comercial para um tipo que samba do universo da axé music, que, na década de 1990, difundiu-se nacionalmente a partir da Bahia, pela sensualidade de sua dança e suas letras de duplo sentido. Suas raízes, entretanto, repousam no tradicional samba de roda, sobre cujas letras e coreografias o etnólogo Edison Carneiro já anotava, nos anos de 1950, altos teores de uma sexualização mais brincalhona do que pecaminosa; herdeira, aliás, da tradição africana. *Ver* SUINGUE.

SURDO DE TERCEIRA. Na bateria da escola de samba, o surdo responsável pelo contratempo, pela efetiva sincopação do ritmo marcado pelo "de primeira" e o "de segunda". A ele cabe a execução de "toques de improviso", que preenchem os espaços vazios entre o apoio e o impulso do compasso e garantem o suingue que induz à dança. Segundo depoimento em Spirito Santo (2011: 155), um dos precursores do instrumento teria sido o ritmista Tião Miquimba, da Escola de Samba Mocidade Independente de Padre Miguel.

TAMBORIM. Instrumento típico do samba carioca. Outrora consistente em uma pequena armação retangular, encourada rudimentarmente, evoluiu para a forma industrializada de um aro ou caixa octogonal, ou circular, com tarraxas para esticamento e afinação do couro. É percutido com uma baqueta fina ou um feixe delas. Antigamente de timbre médio, hoje tem som agudo e seco. Nas modernas escolas de samba, os tamborinistas formam alas responsáveis por desenhos e floreados rítmicos, às vezes utilizando convenções de execução bastante complexa. Essas convenções teriam possivelmente surgido a partir das batidas de tamancos características do importante bloco carnavalesco Bafo da Onça, nos carnavais cariocas da década de 1960. Vale observar que, da época em que os tamborins eram tensionados pelo calor do fogo, ficou, no linguajar do mundo dos espetáculos a expressão "esquentar os tamborins", com o significado de se preparar, ensaiar para o carnaval. *Ver* BLOCOS CARNAVALESCOS.

TEATRO DE REVISTA. Espécie de espetáculo teatral que compreende números falados, musicais e coreográficos; também referido simplesmente como "revista". Segundo o cronista Vagalume (cf. Guimarães, 1987: 33), foi o compositor Sinhô (1888-1930) "quem levou o samba para o teatro", numa estratégia em que, durante muito tempo, as revistas teatrais recebiam "o nome de suas produções, facilmente lançadas na [Festa da] Penha, no meio de um sucesso ruidoso". Segundo Ruiz (1984: 112), eram tais o prestígio e a popularidade do compositor e de sua obra "que a simples inclusão de uma produção sua, numa revista, já lhe dava direito à citação de seu nome como um dos 'autores'". A partir da década de 1930, o subgênero samba-exaltação foi muito bem acolhido nos espetáculos, em obras de autores como Alcir Pires Vermelho, Ary Barroso, Chianca de Garcia, Luís Peixoto, Vicente Paiva etc. Números de dança também foram incluídos em muitas revistas. Segundo Ruiz (1984: 97), até o fim da década de 1920, como as estações de rádio ainda eram poucas e de pequeno alcance, o teatro de revista era o maior veículo de divulgação do samba.

TELECOMUNICAÇÕES, avanços nas. Em 1917, quando do lançamento de "Pelo telefone", o tipo de comunicação referido na letra dessa canção pioneira ainda era incipiente. Tanto que, em plena capital da República, a primeira central telefônica automática só foi inaugurada no fim da década seguinte. Entretanto, o samba logo incluiu a novidade em seu repertório. O mesmo se deu com a televisão, efetivamente inaugurada no país em 1950. No ano seguinte, o cantor Blecaute (Otávio Henrique de Oliveira, 1919-1983) lançava o samba "Televisão", em cuja letra, premonitoriamente, o sujeito do discurso assim manifestava um desejo que só se poderia concretizar meio século depois: "Eu hei de ter um aparelho de televisão/ Juro por Deus, é uma vontade minha/ Porque estando em meu humilde barracão/ Eu vejo a minha nega trabalhando na cozinha." Já quanto à telefonia móvel, o tema foi oportunamente focalizado por Noca da Portela, Toninho Nascimento e Tranka no samba "Celular", que saudava a nova tecnologia, lançada no Rio de Janeiro em 1990. Seis anos depois, ampliadas as possibilidades da internet, o tropicalista Gilberto Gil glosava, exatamente num samba, as vantagens da nova comunicação, fazendo referência ao primeiro samba gravado: "Criar meu website/ Fazer minha home page/ Com quantos gigabytes/ Se faz uma jangada/ [...] Eu quero entrar na rede/ Pra contactar/ Os lares do Nepal/ Os bares do Gabão/ Que o chefe da polícia/ Carioca, avisa/ Pelo celular/ Que lá na Praça Onze/ Tem um videopôquer/ Para se jogar.", diz a letra de "Pela internet".

TELECOTECO. Batucada; ritmo de samba; samba. O termo é onomatopeia do som do tamborim.

TELEVISÃO. A televisão comercial brasileira, surgida em 1950, é certamente o meio de comunicação mais influenciado pela sociedade de consumo. Assim, suas transmissões são sempre pautadas pela audiência, que atrai os importantes patrocínios e influi nas grades de programação. Ou seja, o samba, por todas as razões expostas no corpo desta obra, não merece grande destaque, a não ser nas transmissões carnavalescas. Tomamos por modelo a Rede Globo de Televisão, a qual, transmitindo seus programas em rede nacional desde 1973, assumiu, com o ocaso da pioneira TV Tupi, a hegemonia na formação de hábitos e costumes dos consumidores e na modelação da opinião pública em todo o Brasil e até mesmo no exterior. **Programas musicais** – Entre as resenhas de cerca de 220 programas musicais reunidas no *Dicionário da TV Globo*, publicado em 2003, em quase quatro décadas, apenas treze foram exclusivamente dedicados ao samba. *Mini-Kelly* foi o programa em que o compositor e pianista João Roberto Kelly apresentava e comentava sambas de sua autoria no estilo sambalanço (setembro/dezembro, 1966). *Samba, Ano 60*, um especial comemorativo dos sessenta anos do gênero. Participaram Mano Décio da Viola, Cartola, Martinho da Vila, Herivelto Martins e outros (23/4/1976). Em *Levanta a Poeira*, uma série de programas foram apresentados por Oswaldo Sargentelli, Adelzon Alves e Grande Otelo, entre outros. O primeiro teve como ambiente a quadra da Estação Primeira de Mangueira (julho-dezembro de 1977). *Alerta Geral* foi o nome de uma série apresentada pela cantora Alcione (março-maio de 1979). *Festa do Samba*, Especial conduzido pelo apresentador Oswaldo Sargentelli (1/1/1980). Na série *Grandes Nomes*, um programa – o único da série a homenagear um artista do samba – focalizou o músico Paulinho da Viola: *Paulo César Batista de Faria* (6/6/1980). *Quem Samba Fica – Semba* foi programa sobre a história do samba e outros ritmos afro, gravado no morro da Serrinha, com apresentação de Alcione e Martinho da Vila (1/10/1982). *Adoniran Barbosa, o Poeta do Povo* homenageou o compositor, ícone do samba paulistano (28/11/1982).

Em *Clara Nunes Especial*, foi exibido um programa sobre a vida da cantora Clara Nunes no primeiro aniversário de seu falecimento (1/4/1984). *Tem Criança no Samba* foi um musical infantojuvenil que contou a história de uma menina rica que vai à festa de aniversario de sua lavadeira, numa favela. Havia números musicais com os cantores Beth Carvalho, Bezerra da Silva, Dona Ivone Lara e Martinho da Vila (8/6/1984). Em *Pagode*, havia a reprodução do ambiente dos pagodes "de fundo de quintal", em uma grande roda de samba. Teve criação e roteiro de Nei Lopes e Maria Carmem Barbosa, e foi apresentado pelo primeiro. Teve no elenco Beth Carvalho, Dona Ivone Lara e Zeca Pagodinho, entre outros (5/9/1987). Com material gravado para duas edições, o programa foi ao ar em apenas uma, sendo suspenso "em virtude da transmissão da Copa União de futebol daquele ano, não voltando a ser exibido" (*Dicionário da TV Globo*, 2003: 855). O *Pagode Globeleza* foi gravado na extinta casa de show Metropolitan, em várias edições. As últimas mesclavam pagode romântico com axé music (1994/1997). Já *Samba, Pagode & Cia.* foi um programa de pagode romântico ou pop (maio-junho de 1999). **Desfiles das escolas** – A transmissão integral, pela televisão, dos desfiles das escolas de samba só ocorreu a partir de 1970. Até então, só eram mostrados flashes jornalísticos. Com o sucesso crescente do espetáculo e o interesse das TVs pela audiência, surgiram as discussões sobre a contrapartida às agremiações e a cobrança do que hoje se conhece como direito de imagem. Em 1972, ano seguinte ao sucesso do salgueirense "Pega no ganzê", a tevê a cores chegava ao Brasil, pronta para transmitir com todos os seus matizes visuais o espetáculo das escolas. Nesse momento, o G.R.E.S. Imperatriz Leopoldinense era altamente beneficiado pela divulgação de seu samba de enredo na telenovela *Bandeira 2*, no ar, pela Rede Globo, no horário das 22h, desde outubro de 1971. Em janeiro de 1972, a Aeseg, representando 38 escolas de samba afiliadas (com exceção da Mangueira e da União da Ilha, que não aderiram) notificou judicialmente o estado da Guanabara no sentido de que só deveria "permitir o acesso de cinegrafistas e do pessoal das emissoras de tevê nacionais ou estrangeiras ao recinto fechado da av. Pres. Vargas (local do desfile) quando devidamente credenciados" pela instituição, sob pena de responder, solidariamente, pelo ato ilícito de "filmagem e televisionamento dos desfiles das escolas de samba sem prévio e expresso consentimento" (revista *Manchete*, 1972). Na década de 1980, principalmente graças à televisão, as escolas de samba já eram a maior atração do carnaval em várias capitais, suplantando em interesse as manifestações regionais. Tanto que, no carnaval de 1985, a TV Globo teria faturado 20 bilhões de cruzeiros com a cessão para o exterior de cotas de seu direito à cobertura jornalística dos desfiles (Auler, 1986: 53). Nesse quadro, supostamente em função do espetáculo televisivo, a importância de quesitos tradicionais, como a comissão de frente e a exibição do casal mestre-sala e porta-bandeira, começou a ser questionada e menosprezada. Em meio a essas discussões, ocorreu a ascensão da Beija-Flor, da Imperatriz Leopoldinense e da Mocidade Independente ao escalão das escolas "superespeciais". Na década de 2010, segundo algumas avaliações, a tevê transmitia o desfile das escolas com linguagem de video-clipe, utilizando cortes e inserções que prejudicavam o entendimento dos enredos. Em 2012, aventava-se a hipótese de a televisão, além de transmitir, também organizar o desfile, no lugar da Liesa: "A prefeitura voltou a estudar a abertura de licitação para escolher quem organizará os desfiles. As tentativas anteriores falharam, mas há sinais de interesse de empresas como a Geo Eventos, que pertence à Rede Globo e ao Grupo RBS" (*O Dia*, 23/2/2012. "Informe do dia", Fernando Molica, p. 14). Acrescente-se que até o carnaval de 2014 a televisão brasileira parece não ter ainda encontrado técnica ou tecnologia que facilite aos espectadores o claro entendimento dos desfiles das escolas. Os cortes, closes, inserções e outros efeitos usados quebram a linearidade da narrativa, fazendo com que o começo, o meio e o fim da história contada ou da trama tecida passem despercebidos. Segundo se percebe, a tevê tem dado ao espetáculo das escolas tratamento de videoclipe, forma narrativa que, segundo Barbosa e Rabaça (2001: 755), utiliza técnicas mais cinematográficas do que televisivas; e isso dificulta a compreensão do espetáculo. **Teledramaturgia** – Observe-se que até o momento da produção deste dicionário, as telenovelas pouco frequentaram esse universo ficcional, sendo a única incursão conhecida a da novela *Bandeira 2*, veiculada pela Rede

Globo no início dos anos de 1970. De junho de 2004 a março de 2005, a Rede Globo transmitiu a novela *Senhora do Destino*, de cujo enredo fazia parte uma fictícia escola de samba localizada no município de Duque de Caxias, na Baixada Fluminense, como o G.R.E.S. Acadêmicos do Grande Rio, escola da preferência de muitas estrelas da emissora. Fora do âmbito da Globo, destacou-se a série *Herdeiros do Samba*, lançada pela rede de canais por assinatura HBO, em 2006. Contava a história de Anésio Gebara, banqueiro do jogo do bicho e patrono de uma escola de samba. Ao seu redor, os quatro filhos: Anesinho, seu homem de confiança; Claudinho, jovem empresário; Brown, diretor de bateria; e Nilo, seu fiel capanga. Desses filhos, Brown e Nilo foram personificados por atores negros, o que sugere relações de Anésio com mulheres da comunidade da escola. As cenas de samba tiveram como locação a quadra do G.R.E.S. Mocidade Independente de Padre Miguel e intensa participação de componentes e moradores locais. **MTV** – Em 1991 começou a operar no Brasil o sistema de televisão paga, por assinatura. A oferta de canais estrangeiros acelerou o consumo de música pop. Desde o ano anterior, entretanto, já estava no ar a MTV Brasil, uma rede de televisão dirigida ao público jovem, e logicamente com programação de orientação eminentemente pop, sem foco na cultura do samba. *Ver* INDÚSTRIA FONOGRÁFICA; PAGODE.

TENDINHA. Pequeno estabelecimento comercial característico dos morros e favelas cariocas; espécie de birosca. Ponto de encontro e de socialização, muitas vezes serve como palco de rodas de samba improvisadas. Em 1978, o compositor e cantor Martinho da Vila, a propósito do lançamento de seu LP *Tendinha*, recriou no palco esse ambiente. Nele, entremeando a interpretação dos números musicais constantes do disco, encenaram-se cenas características, entregues principalmente à verve humorística do grande sambista Neoci Dias, o Neoci do Cacique (1937-c.1988), fundador e integrante da primeira formação do Grupo Fundo de Quintal. *Ver* BOTEQUIM; PAGODE; RODA DE SAMBA.

TERREIRO. Denominação usual do espaço, geralmente de terra batida e que fica à porta das habitações, onde se realizam festejos, folguedos, bailados etc. Igualmente, local onde se celebram ritos dos cultos afro-brasileiros (Houaiss e Villar, 2001). Nas escolas de samba cariocas, até pelo menos a década de 1960, o local onde se realizavam os ensaios e preparativos do carnaval recebia a denominação "terreiro", e isso certamente em referência às casas onde o samba se plasmou. A casa da célebre Tia Ciata, por exemplo, segundo seus contemporâneos, tinha seis cômodos, um corredor e um terreiro. Nos dias de festa, a sala de visitas era usada como salão de baile; e no terreiro acontecia o batuque, ou seja, "a batucada festiva ou então o culto" (cf. Sodré, 1988: 136). Assim, nas escolas, os sambas cantados nos terreiros, que depois passaram a ser chamados de "quadras", são tradicionalmente referidos como sambas "de terreiro". Observemos que até a década de 1960, o comportamento dos componentes da escola no terreiro do samba obedecia a regras semelhantes àquelas vigentes nos terreiros religiosos, tais como a da dança exclusivamente feminina e a do giro da roda de pastoras sempre no sentido anti-horário. **Samba de terreiro** – Essencialmente diferente do samba de enredo, o samba de terreiro tradicional é aquele curto, de andamento médio, com a segunda parte mais contida e que prepara a virada da bateria para o retorno, animado, ao início. É o estilo de samba que, no âmbito do rádio, foi chamado "samba de carnaval" – no sentido estrito da palavra e no sentido lato também. E que se consolidou quando, a partir do final dos anos 1930, o gênero foi-se estruturando, com a inclusão de segundas partes em composições que, naquele momento, prescindiam delas. Até então, o samba "nas regras da arte" – como disse Noel Rosa em "Quem dá mais?", de 1930 – era "sem introdução e sem segunda parte", pois "só tem [tinha] estribilho", ou seja, constava de uma parte coral fixa e solos complementares, que aconteciam *ad libitum*, ao sabor da inspiração momentânea dos mestres de canto, versadores, improvisadores etc. Lá pelo final dos anos 1930, então, começou-se a abandonar esses improvisos e a se criar segundas partes fixas. Frisamos que a denominação é tradicional, anterior ao momento em que o terreiro, espaço físico e simbólico, deixa de ser assim chamado para se tornar "quadra" ("área retangular destinada à prática de determinados desportos", cf. Houaiss e Villar, 2001). A distinção é sintomática, pois "quadra" é termo oriundo do vocabulário da classe média escolarizada, ligado à prática do basquete e do vôlei, atividades desportivas que, até a metade do século XX, no Rio de Janeiro, só ocorriam no mundo do samba como exceção (a Portela chegou a ter um time de basquete que, todavia, não vingou). O simbolismo do "terreiro" como patrimônio do samba resiste hoje na denominação "chão", usada para caracterizar a força comunitária da escola de samba. Entretanto, as normas de utilização desse espaço ritualístico, nos quais o estar e principalmente o dançar eram privilégio de pessoas determinadas, se perdeu. E isso começou a acontecer no momento em que, nas escolas, as fronteiras entre artista e espectador começaram a ser rompidas e até mesmo outros espaços de excelência foram perdidos, como o dos compositores. Os sambas de terreiro foram, durante muito tempo, o principal veículo de promoção e mobilidade dos compositores das escolas de samba. Nesse tempo, nos meses iniciais de preparativos para o carnaval, o samba de enredo (depois de escolhido o melhor) só era cantado umas três vezes durante toda a noite de ensaio. Todo o restante da programação era composto com sambas de terreiro. O natural objetivo do compositor, com essa forma de samba, era, além de preencher a noite, ver sua composição gravada, e por meio dessa gravação chegar ao rádio, fazer jus a direitos autorais e conquistar melhor padrão de vida. Ressalte-se que, da década de 1930 à de 1960, boa parte dos sucessos carnavalescos nasceu em terreiros de escolas ou blocos (Exemplos: "Rosa Maria", 1948; "Falam de mim", 1949; "Eu agora sou feliz", 1963; "Água na boca", 1965; "Tristeza" e "Sereno da Madrugada", 1966; "Palmas no portão", 1967). Em 1967, nos preparativos para o carnaval do ano seguinte, era lançado o primeiro LP anual contendo os sambas de enredo das escolas. Antes disso, não havia nenhuma outra divulgação, a não ser a do próprio terreiro: para se ouvir e aprender um samba, era preciso ir à "fonte" ou então captar sua beleza durante o próprio desfile – a parada era tão longa que havia, realmente, tempo para se memorizar até mesmo composições extensas, como foi usual em determinado momento. Na década de 1970, com a prévia divulgação pelo rádio, os sambas de enredo desbancaram os sambas de terreiro, como detalhado em outras partes deste dicionário, notadamente no verbete sobre a indústria fonográfica. Quatro décadas depois, ocorreram algumas tentativas de recuperação da importância dos sambas de terreiro, através de festivais principalmente. As escolas de samba, porém, voltadas unicamente para o desfile do Sambódromo, parecem não se ter sensibilizado; e esse é o quadro à época da elaboração desta obra. **No folclore** – A denominação "samba de terreiro" é também usada para designar certa manifestação rural ocorrente em Itu, no interior paulista, e analisada pelo sociólogo Octavio Ianni em 1955 (cf. Ulloa, 1998: 147).

TESES ACADÊMICAS. Com a visibilidade ganha pelas escolas de samba a partir principalmente da década de 1960, o mundo do samba passou a ser objeto de pesquisas acadêmicas, que resultaram em monografias e teses de graduação, mormente da área de Ciências Humanas e Sociais. Um dos primeiros estudos conhecidos foi o da antropóloga Maria Julia Goldwasser, apresentado como tese de mestrado ao Programa de Pós-Graduação em Antropologia Social do Museu Nacional do Rio de Janeiro, em julho de 1975. Sob o título *O palácio do samba: estudo antropológico da escola de samba Estação Primeira de Mangueira*, foi publicado em livro no mesmo ano. A partir de pesquisa de campo desenvolvida de abril de 1973 a maio de 1974, a autora procurou mostrar, em seu estudo, como se construía e em que significados e bases sociais se sustentava o sistema de relações internas na escola de samba. Comparando o processo de criação e consolidação da escola com o de um Estado, ela analisava sua política interna, articulando-a com a ideologia da agremiação e seu embasamento social. Por fim, expunha como a escola se revelava uma instituição altamente estruturada, dentro de uma conjuntura – o carnaval carioca de rua – em que a desestruturação era a principal característica. O segundo estudo do gênero a ganhar notoriedade foi *O mistério do samba*, do também antropólogo Hermano Vianna, publicado em livro em 1995, ano seguinte ao de sua apresentação como tese de doutoramento ao mesmo Programa de Pós-Graduação acima mencionado. Nele, o autor procura mostrar que a "invenção do samba como música nacional foi um processo que envolveu muitos grupos sociais diferentes". Esses grupos teriam, segundo o estudo, participado, em grau maior ou menor, tanto do processo de invenção quanto daquele de consolidação do samba como gênero musical de expressão nacional. Vianna acredita que "nunca existiu um samba pronto, 'autêntico', depois transformado em música nacional". No seu entendimento, "o samba foi sendo criado, como estilo musical, concomitantemente à nacionalização" (Vianna, 1995: 151). Em outra direção, a da musicologia, caminhou a tese de doutorado de Carlos Sandroni, defendida em 1997 na Université François-Rabelais de Tours, na França. Em 2001, foi publicada no Brasil, sob o título *Feitiço decente: transformações do samba no Rio de Janeiro (1917-1933)* pelos mesmos editores do livro de Hermano Vianna. O trabalho avalia a mudança de estilo do samba nos anos 1930 mais que como um ponto de inflexão. Na verdade, segundo ele, essa transformação marcaria o fim de uma etapa iniciada não com a gravação de "Pelo telefone", em 1917, mas ainda no século XIX. Além desses estudos, cresce ano a ano, às centenas, nos bancos de teses das principais universidades fluminenses e paulistas, o número de estudos sobre o samba.

TIAS BAIANAS. Expressão historicamente usada para mencionar as senhoras que vieram da Bahia para o Rio de Janeiro e constituiram a comunidade da Pequena África, berço indiscutível do samba carioca. Entre elas são mencionadas Tia Ciata (1854-1924); Tia Sadata (?-?); Tia Amélia do Aragão (?-?), mãe do violonista e compositor Donga; Tia Perciliana de Santo Amaro (?-?), mãe do músico João da Baiana; e Tia Fé (c.1850-c.1930). Em meados do século XX, algumas "tias" destacaram-se como baianas nas escolas e, também, como responsáveis pelas tradições culinárias em cada uma das agremiações. *Ver* BAIANA; CULINÁRIA e GASTRONOMIA.

TOMBAMENTO. *Ver* PATRIMÔNIO CULTURAL.

TRAJE TÍPICO. Indumentária característica de uma região ou de um país, às vezes adotada como traje nacional. O Brasil, por sua ampla diversidade regional, tem diversas indumentárias e acessórios identificadores de unidades da federação e regiões. Entretanto, desde a década de 1930, o traje característico do antigo malandro carioca (chapéu palheta, camisa listrada, calça e sapatos brancos para os homens) e as vestes de baiana (para as mulheres), criados a partir do mundo do samba, são identificados como trajes típicos brasileiros.

TRANSCULTURALISMO. Conceito introduzido no campo da antropologia pelo etnólogo cubano Fernando Ortiz, no livro *Contrapunteo cubano del tabaco y el azúcar*, publicado em 1940. Nessa perspectiva, fenômenos culturais não devem ser vistos de forma pura ou isolada; são antes resultados de trocas constantes entre grupos sociais diferentes, ensejando o surgimento de expressões culturais novas que, muitas vezes, representam as tensões e contradições de determinadas sociedades. Tal conceito vem sendo utilizado em estudos recentes sobre o samba para tentar demonstrar que o gênero se insere, como elemento influenciador e influenciado, no constante fluxo de informações culturais, diluições e reapropriações que caracteriza sociedades complexas (Vianna, 1995: 171-173).

TREM DO SAMBA. Na década de 1920, muitos trabalhadores de Oswaldo Cruz e Madureira, membros do Conjunto Carnavalesco de Oswaldo Cruz – agremiação que deu origem à Portela –, voltavam do Centro da cidade no trem parador que partia em direção ao subúrbio às 18h04min. Por iniciativa de Paulo da Portela, os sambistas que trabalhavam na cidade aproveitavam o parador para ensaiar os sambas e as batucadas e discutir os rumos da agremiação. Havia mesmo quem saísse de Oswaldo Cruz apenas para voltar no parador e participar, assim, dos batuques e conversas sobre o samba que embalavam a longa viagem de volta ao subúrbio. A polícia, por sua vez, não tinha como argumentar que aqueles sambistas não eram trabalhadores – estavam, afinal, voltando do trabalho e não poderiam ser enquadrados na Lei de Vadiagem, geralmente evocada para reprimir o samba. Atualmente, nos festejos do Dia Nacional do Samba (2 de dezembro), uma das maiores atrações da festa é o "Trem do samba". Idealizado em 1991 pelo compositor Marquinhos de Oswaldo Cruz, o evento busca reproduzir as viagens que

Paulo da Portela comandava entre o Centro da cidade e o subúrbio, com música nos vagões e a participação de intérpretes e compositores que representam as principais rodas de samba dos bairros cariocas. A comemoração se encerra com o encontro dos sambistas em Oswaldo Cruz e costumava reunir, na época de criação deste dicionário, mais de 50 mil pessoas por festa, que conta inclusive com shows e debates.

TURISMO. Desde pelo menos a década de 1950, o samba é item obrigatório no cardápio de atrações turísticas da cidade do Rio de Janeiro. Assim, as empresas do ramo costumam incluir em suas programações o circuito de espaços diversificados onde o turista pode ver, ouvir e mesmo participar de eventos sambísticos. Mais recentemente, no âmbito universitário, vem surgindo uma corrente que procura evidenciar, além dos desfiles carnavalescos, por exemplo, a importância da cultura do samba, abordada no âmbito do que se denomina "turismo educativo". Historicamente interessante, nesse aspecto, é registrar o fato de que, em 1921, o *Jornal do Brasil* incluía no roteiro turístico de um grupo de cientistas franceses em visita ao Brasil uma ida ao samba no subúrbio carioca de Oswaldo Cruz (Araújo e Jório, 1969: 145). *Ver* RIOTUR.

UCES. *Ver* ENTIDADES DE REPRESENTAÇÃO DAS ECOLAS DE SAMBA.

UFOLOGIA. Conjunto de conhecimentos e especulações sobre os chamados "objetos não identificados", em inglês referidos como *unidentified flying objects* (UFOs). Nas décadas de 1960 a 1980, o compositor Carlos Artur da Rocha, da Imperatriz Leopoldinense e do bloco de enredo Canários das Laranjeiras, apropriadamente cognominado Carlinhos Sideral, notabilizou-se por sua consciente militância ufológica. Autor (com parceiros) dos sambas de enredo de 1969, 1970 e 1985 em sua escola e do antológico "Ganga Zumba", tema dos Canários em 1970, nos prospectos de divulgação de suas composições incluía referências ao assunto, inclusive com instruções de comportamento em caso de contatos com seres extraterrestres.

UGES (UGESB). *Ver* ENTIDADES DE REPRESENTAÇÃO DAS ECOLAS DE SAMBA.

UMBANDA. Religião brasileira de base africana. É resultado da assimilação de diversos elementos, a partir do culto banto aos ancestrais e do culto aos orixás jeje-iorubanos. A relação da umbanda com o samba dá-se primeiro na origem banta, comum aos dois. Depois, pela habitual participação de donos de terreiro e fiéis nas escolas. E, finalmente, pela proteção buscada por quase todas as escolas junto a entidades umbandistas ou de candomblé identificadas com suas cores e entronizadas em suas sedes. O primeiro enredo monotemático sobre a umbanda foi o da Grande Rio, no carnaval de 1994, "Os santos que a África não viu". *Ver* BATERIA; EVANGÉLICOS.

UMBIGADA. Figuração coreográfica distintiva de várias danças tradicionais afro-brasileiras, como simples passo ou como gesto de escolha do solista substituto. Edison Carneiro (1961: 46-47) aponta como ambiente inicial dessas danças os atuais estados de Maranhão, Bahia e São Paulo, estendido ao Rio de Janeiro somente no fim do século XIX. A umbigada, chamada no idioma quimbundo *sèmba* (cf. Matta, 1893: 142) ou *disemba* (cf. Maia, 1964: 633), é uma constante nas danças dos povos bantos ocidentais, de Angola e arredores.

URBANO. Qualificação daquilo ou daquele que pertence à cidade ou que lhe é próprio (Houaiss e Villar, 2001), por oposição ao que é rural, campestre, do campo. O samba carioca, nascido no Estácio na década de 1920, é o protótipo do samba urbano, em comparação aos vários sambas do ambiente rural brasileiro. Modernamente, esse adjetivo tem sido usado na acepção de moderno, novo, cosmopolita, globalizado. *Ver* GLOBALIZAÇÃO.

V

VADIAGEM, Lei de. Aprovada no Código Penal da República sancionado em 1890, a lei, em seu artigo 399, definia a vadiagem como uma contravenção e previa a condenação de todo aquele que "deixar de exercitar profissão, ofício ou qualquer mister em que ganhe a vida, não possuindo meio de subsistência e domicílio certo em que habite; prover a subsistência por meio de ocupação proibida por lei e manifestamente ofensiva da moral e dos bons costumes". A lei, especialmente durante a Primeira República (1889-1930), foi abundantemente utilizada para coibir as manifestações culturais da população afrodescendente nos anos do pós-abolição, servindo inclusive para justificar, do ponto de vista legal, a repressão às rodas de samba e festas de candomblé – consideradas ofensivas aos bons costumes pela elite do período, adepta de projetos sistemáticos de branqueamento racial que apagassem as referências do passado escravocrata brasileiro. *Ver* DESQUALIFICAÇÃO; MALANDRO; ORGIA; REPRESSÃO.

VELHA GUARDA. No mundo do samba, expressão que define o conjunto dos sambistas veteranos, mais antigos e respeitados. Nas escolas, grupamento ou ala outrora responsável pela apresentação do desfile, no desempenho do papel de comissão de frente. À época deste dicionário, os integrantes das velhas guardas em geral encerram os desfiles ou se apresentam acomodados em carros alegóricos. Na expressão, o substantivo "guarda" é usado na acepção de "tropa de vigilância, de sentinela", o que traduz a ideia de guardiões, defensores da tradição, como se imagina que sejam os veteranos. **Velha guarda**

da Portela – Grupo vocal-instrumental organizado em 1970 e integrado inicialmente pelos sambistas Manaceia (1921-1995), Chico Santana (1911-1975), Ventura (1908-1974), Alvaiade (1913-1981), Alcides Lopes (1909-1987), Aniceto de Andrade (1912-1982), Alberto Lonato (1909-1999), Monarco (1933-), Mijinha (1918-1980), Lincoln (1915-1987), Tia Vicentina (1914-1987), Iara (1916-1991), Armando Santos (1915-c.2000), Antônio Caetano e João da Gente. Mais tarde, o grupo incorporou o talento das pastoras Doca, Eunice e Surica, e de compositores e instrumentistas como Casquinha (1922), Osmar do Cavaco (1935-1999), Argemiro Patrocínio (1922-2003) e Jair do Cavaquinho (1922-2006), entre outros. Criado a partir da intenção do compositor Paulinho da Viola de reunir em disco o belíssimo repertório da escola de Oswaldo Cruz, o grupo conheceu o sucesso, gravando dois LPs e atuando em shows, inclusive fora do país, mantendo-se ativo, embora reduzido e modificado pelo falecimento de vários de seus componentes, ainda à época da edição desta obra. O sucesso e a respeitabilidade conseguidos pelo talento e a dignidade do grupo motivaram o surgimento de similares em diversas outras escolas.

VILA ISABEL. Bairro da zona norte carioca, entre o Maracanã, a Mangueira e o Engenho Novo. Na serra do Engenho Novo, principal elevação no bairro, localiza-se o morro dos Macacos (cujo nome evoca a imperial Fazenda do Macaco, propriedade da princesa Isabel), dividido em várias sublocalidades, como Pau da Bandeira e Pantanal. A comunidade dos Macacos é o principal núcleo constitutivo do G.R.E.S. Unidos de Vila Isabel, fundado em abril de 1946. Antes da escola, o bairro conheceu cordões e blocos carnavalescos legendários como o Faz Vergonha e o Africanos de Vila Isabel. **Bairro de Noel** – Grande parte da aura musical que envolve o bairro vem da mitológica figura do compositor Noel Rosa (1910-1937), tanto que o bairro é reiteradamente referido como o Bairro de Noel. Mas, além do Poeta da Vila, epíteto do artista, outros grandes nomes da música popular residiram ou foram conhecidos por sua ligação com o bairro. Sobre Noel, acrescente-se que sua reverência e admiração pelos núcleos formadores do samba foi decisiva para a melhor compreensão do gênero e sua cultura por parte das classes dominantes. Suas parcerias com sambistas como Cartola e Gradim (da Mangueira); Ismael Silva e Bide (Estácio); Paulo da Portela e Manuel Ferreira (da Serrinha); Canuto e Antenor Gargalhada (do Salgueiro); Ernani Silva (da Recreio de Ramos) garantiram-lhe lugar entre os bambas e possibilitaram a esses uma mobilidade social talvez não imaginada.

VILA OLÍMPICA DA MANGUEIRA. Denominação do complexo esportivo criado, nos anos de 1980, na comunidade da Mangueira. Resultou de um bem-sucedido projeto de educação pelo esporte, patrocinado por empresas estrangeiras, foi inclusive visitado em 1997 pelo presidente Bill Clinton, dos Estados Unidos da América.

VIOLA, samba de. *Ver* SAMBA DE RODA.

VIOLÊNCIA. O meio em que floresceu e se desenvolveu o samba urbano, em favelas, nos morros e nas áreas planas da cidade do Rio de Janeiro, foi naturalmente propício à expansão da criminalidade e da delinquência. E isso se deu por ser constituído de um contingente humano histórica e geograficamente marginalizado pela sociedade abrangente, com pouco ou nenhum acesso aos necessários equipamentos garantidores da cidadania. Assim, as comunidades entre as quais, nas décadas de 1920-1930, o fenômeno samba ocorreu acabaram por criar, em termos gerais, seus próprios códigos de relacionamento e conduta, intra e extramuros. Então, as ocorrências policiais que, mais acentuadamente depois da década de 1980, pontuam a crônica das escolas não significam necessariamente que o mundo do samba seja intrinsecamente violento. Elas mostram que, potencializada, a violência urbana expande seus tentáculos também ao universo do samba. **Bambas e bambambãs** – No livro *Na roda do samba*, de 1933, o jornalista Francisco Guimarães, cognominado Vagalume, dedica um capítulo, "A vida dos morros", à crônica de costumes dos principais núcleos do samba carioca em seu tempo. Sobre o morro do Querosene, antigo reduto de samba, no atual complexo de favelas do Catumbi, diz ele ser "o mais imundo, o mais infecto, o mais perigoso e o mais explorado" (cf. Guimarães, 1978: 155). Não obstante, seus sambistas mostravam autoestima elevada, a ponto de criarem versos como este: "O Querosene na batucada/ Só respeita a Chácara do Céu." (*id.*, p. 145.) A propósito do samba nesse morro, no mesmo livro consigna-se uma quadra que atesta ou pelo menos insinua sua importância: "O Querosene é adjunto/ E Mangueira é professor/ Mas diante do conjunto/ O Salgueiro é 'seu' Doutor." (*ibid.*, p. 206) Sobre o legendário morro da Mangueira, Vagalume escreveu: "No morro de Mangueira é como em Minas – é considerado covarde, tipo nojento e asqueroso o que agride ou mata o outro pelas costas!" (p. 158.) Sobre o morro de São Carlos, berço ou reduto mais próximo daquela que é celebrada como a primeira escola de samba, o cronista pintou um quadro já amenizado: "Aqueles vultos facinorosos foram desertando, porque os que se encarregaram do saneamento do morro tomaram a si a incumbência de um policiamento severo, rigorosíssimo, entregando à Justiça os que se excediam ou não queriam seguir o bom caminho." (*ibid.*, p. 178.) Sobre o mítico morro do Salgueiro, o mesmo Vagalume assinalou: "No Salgueiro não há *leader* [líder], e, na hora da onça beber água, cada um cuida de si, sabendo perfeitamente que há, no Código Penal [o antigo], a dirimente da legítima defesa, para contrapor ao Artigo 294 e seus parágrafos." Nos textos citados, então, aparece clara a origem das figuras do bambambã e do malandro, recorrentes nas letras dos sambas gravados na década de 1930. Vem daí também a figura e a representação da mulher não como musa lírica, e sim como exemplo de submissão resignada. **Marginalidade exógena** – Segundo Muniz Sodré, existem duas grandes modalidades de violência, uma invisível e outra visível. A invisível e frequentemente ignorada é a violência institucional ou estado de violência, derivada de ações ou omissões do poder instituído, do Estado mesmo. A outra, a visível, é a violência entendida como ruptura pela força desordenada, que dá lugar à delinquência e à marginalidade (cf. Sodré, 2006: 35-6). No mundo do samba, essas formas e modalidades – de dentro, endógena, e de fora, exógena – em um determinado momento histórico acabaram por convergir. Os laços exteriores da marginalidade vivida por grande parte do universo do samba estabeleceram-se primeiro com alguns políticos, por intermédio dos quais malandros e valentões, numa prática já corrente à época das maltas de capoeiras, foram empregados como capangas e cabos eleitorais. Esses "maus elementos", como eram referidos, facilitaram a penetração dos políticos nos redutos do samba. E, nesse rastro, vieram as intercambiações (proteção em troca de votos; suporte financeiro em troca de prestígio) que acabaram por tecer a malha que caracteriza, até o tempo presente, o tecido social do mundo do samba em praticamente todos os seus territórios, das escolas à radiodifusão e à cultura de mercado. Assim, desde a década de 1980, o noticiário jornalístico aponta suspeitas de influências do crime organizado em algumas escolas de samba. Historicamente, na escola de samba, a presença da delinquência se faz, em geral, mais presente, no grupamento dos ritmistas. E isso pelo fato de a bateria concentrar, quase sempre, uma expressiva maioria de moradores da base territorial da escola. **Crime organizado** – Observemos, com apoio em Gonçalves (2013: 315-16), que no fim da década de 1970, altamente definidora da história das escolas de samba, era criada, na região metropolitana do Rio, a primeira facção do crime organizado. Então, o poder das quadrilhas foi se impondo tanto pela força das armas quanto pelo assistencialismo. A partir da década de 1990, entretanto, com o surgimento de dissidências da facção original, o perfil do narcotráfico mudou: a figura do traficante invasor, sem qualquer vínculo comunitário, foi tomando o lugar daquele criado na própria favela, geralmente integrado à escola de samba local. Então, exercendo sua atividade sem qualquer traço de "poder paralelo" e tendo de fazer altos investimentos em armamento e munição para conter investidas inimigas, o tráfico passou a buscar outras fontes de lucro. Assim, estendeu seu domínio ao mercado imobiliário informal das favelas, ao controle de itens de subsistência, como comércio de gás em botijões e garrafões de água, além dos serviços de transporte alternativo. Tudo isso impondo controle também sobre as relações pessoais, bloqueando o contato de moradores com gente de fora, o que repercutiu fortemente na sociabilidade característica do mundo do samba. Observe-se, finalmente, que a partir da década de 1970, fora do âmbito de ação das chamadas "facções", a violência vitimou inúmeros integrantes das cúpulas dirigentes das escolas. *Ver* ENTIDADES DE REPRESENTAÇÃO DAS ECOLAS DE SAMBA; JOGO DO BICHO; POLÍTICA.

VISITAS ("Embaixadas"). Uma das importantes tradições da vida social das escolas de samba eram as visitas a coirmãs, também referidas em algumas fontes como "embaixadas". O compositor Martinho da Vila, tomando como exemplo ou hipótese a Portela e o Salgueiro, narra assim a ritualística dessas visitas: "A Portela marcava a sua concentração na Praça Sáenz Peña e de lá caminhava cantando seu 'samba cartão de vistas' em direção ao Salgueiro." Em seu terreiro, o pessoal do Salgueiro esperava a visita também cantando, animadamente, ao som da bateria. Seu casal de mestre-sala e porta-bandeira recebia na entrada o casal principal dos visitantes. "Trocavam-se as baterias e depois as porta-bandeiras"; os visitantes chegavam sambando e os grupos e seus respectivos sons se confundiam, "numa zoada linda". Então, "os ritmistas da casa iam diminuindo o seu ritmo até ficar só o som dos visitantes". Na sequência, os compositores cantavam os seus "sambas de autoexaltação" enquanto os balizas (mestres-salas) e as porta-bandeiras dançavam ao mesmo tempo com suas contrapartes da outra escola. Cumprido esse ritual, a festa prosseguia normalmente. E, ao seu término, os visitantes saíam também tocando e cantando, enquanto os anfitriões entoavam sambas de agradecimento, completando um ritual emocionante (cf. Martinho da Vila, 1992: 206-207).

ZÉ CARIOCA. Personagem de desenho animado criado nos Estados Unidos pelos estúdios de Walt Disney, após a visita do artista ao Brasil, em 1941. É representado como um papagaio sempre de chapéu palheta, peça fundamental no traje típico do malandro na antiga capital federal, e teria sido inspirado na figura do líder sambista Paulo da Portela. *Ver* ESTADO NOVO; OSWALDO CRUZ; POLÍTICA DA BOA VIZINHANÇA.

ZÉ PELINTRA. Entidade espiritual da umbanda, também chamada de Seu Zé. Segundo algumas versões, é originário do catimbó nordestino; segundo outras, é divinização romantizada de um personagem da malandragem carioca dos anos de 1930 ou 1940, sambista assassinado por uma de suas amásias. A indumentária com que é representado em seus ícones é típica: terno branco, chapéu-panamá caído sobre a testa, gravata e lenço vermelhos, sapatos bicolores.

ZICARTOLA. Legendária casa de samba localizada no segundo piso de um sobrado, no número 53 da rua da Carioca, no Centro velho do Rio. Funcionou de setembro de 1963 a maio de 1965, de início apenas como um restaurante de refeições caseiras. Era administrado pela mangueirense Dona Zica, mulher de Cartola, integrante de uma sociedade constituída com Eugênio Agostini, empresário do ramo financeiro, e dois familiares dele. Tornando-se ponto de encontro de sambistas, passou, por iniciativa do compositor Zé Kéti, a sediar noitadas de samba, com grande sucesso. Organizadas por Hermínio Bello de Carvalho, as récitas ganharam ainda mais expressividade, com homenagens prestadas a grandes nomes da música brasileira, como Elizeth Cardoso (1920-1990), Cyro Monteiro (1913-1973), Dorival Caymmi (1914-2008) e Tom Jobim. (1927-1994) As noitadas revelaram Paulinho da Viola, anônimo até então; e lançaram novas luzes às carreiras de Cartola e outros sambistas então no ostracismo. Com o advento da ditadura militar, a casa, muito frequentada por estudantes e intelectuais opositores ao novo regime, teve seu fim abreviado. No seu rastro luminoso, entretanto, surgiram outras iniciativas atestadoras da força do samba, como os espetáculos *Rosa de Ouro*, *Opinião* etc. Ressalte-se que no âmbito do Zicartola foi que ocorreu a aproximação entre os compositores Zé Kéti e Carlos Lyra. Essa circunstância ensejou o projeto do LP *Opinião*, em que a cantora Nara Leão revelou ao grande público parte da obra dos então esquecidos Cartola e Nelson Cavaquinho, alavancando a carreira de ambos, notadamente a do primeiro.

ZIRIGUIDUM. Batucada; festa de samba. O termo é onomatopeia do som da batucada do samba.

BIBLIOGRAFIA

Livros

AS VOZES desassombradas do museu (nº 1). Rio de Janeiro: MIS, 1970.

ALENCAR, Edigar de. *Nosso Sinhô do samba*. 2. ed. revista e ampliada. Rio de Janeiro: Funarte, 1981. p. 166 il. (MPB reedições, 5).

ALENCAR, Edigar de. *O carnaval carioca através da música*, vol. II. Rio de Janeiro: Francisco Alves, 1985.

ALVARENGA, Oneyda. *Música popular brasileira*. Porto Alegre: Globo, 1960.

ANDRADE, Mário de. *Dicionário musical brasileiro*. Belo Horizonte: Itatiaia; Brasília: MinC; São Paulo: Edusp, 1989.

ANDRADE, Mário de. "O samba rural paulista". *In*: Carneiro, Edison. *Antologia do negro brasileiro*. Rio de Janeiro: Agir, 2005, p. 326-329.

AQUINO, Rubim; DIAS, Luiz Sergio. *O samba-enredo visita a História do Brasil: o samba de enredo e os movimentos sociais*. Rio de Janeiro: Ciência Moderna, 2009.

ARAÚJO, ARI. *As escolas de samba: um episódio antropofágico;* HERD, Érika Franzizka. *O amigo da madrugada: o fenômeno Adelzon Alves*. Petrópolis: Vozes; Rio de Janeiro: Instituto Estadual do Livro, 1978.

ARAÚJO, Hiram; JÓRIO, Amaury. *Escolas de samba em desfile: vida, paixão e sorte*. Rio de Janeiro: [s.n.], 1969.

ARAÚJO, Hiram; JÓRIO, Amaury. *Natal: o homem de um braço só*. Rio de Janeiro: Guavira Editores, 1975.

ARAÚJO, Hiram. *Carnaval, seis milênios de história*. Rio de Janeiro: Griphus, 2000.

ARMAS RIGAL, Nieves. *Los bailes de las sociedades de tumba francesa*. Havana: Pueblo y Educacion, 1991.

AUGUSTO, Sérgio. *Esse mundo é um pandeiro*. São Paulo: Companhia das Letras, 1989.

PBC Propaganda. Bar, boteco e botequins, imagens de um sentimento. Rio de Janeiro: Preto e Branco a Cores, 1987 (sem autor).

BARBOSA, Adriano. *Dicionário cokwe-português*. Coimbra: Universidade de Coimbra, Instituto de Antropologia, 1989.

BARBOSA, Gustavo; RABAÇA, Carlos Alberto. *Dicionário de comunicação*. Rio de Janeiro: Campus, 2001.

BARBOSA, Orestes. *Samba: sua história, seus poetas, seus músicos e seus cantores*. Rio de Janeiro: Funarte, 1978.

BASTOS, Dani. *Coco de umbigada: cultura popular como ferramenta de transformação social*. Recife: Daniela Bastos dos Santos, 2011.

BASTOS, João. *Acadêmicos, unidos e tantas mais: entendendo os desfiles e como tudo começou*. Rio de Janeiro: Folha Seca, 2010.

BAUREPAIRE-ROHAN, Visconde de. *Dicionário de vocábulos brasileiros*. 2. ed. Salvador: Progresso, 1956.

BEVILÁQUA, Adriana Magalhães *et al*. *Clementina, cadê você?*. Rio de Janeiro: LBA/FUNARTE, 1988.

BLANC, Aldir; SUKMAN, Hugo; VIANNA, Luiz Fernando. *Heranças do samba*. Rio de Janeiro: Casa da Palavra, 2004.

BOCSKAY, Stephen A. *Voices of Samba: Music and The Brazilian Racial Imaginary, 1955-1988*. Tese de doutorado. Providence: Brown University, 2012.

BOLÃO, Oscar. *Batuque é um privilégio: a percussão na música do Rio de Janeiro, para músicos, arranjadores e compositores*. Rio de Janeiro: Lumiar, 2010.

CABRAL, Sérgio. *As escolas de samba do Rio de Janeiro*. Rio de Janeiro: Lumiar, 1996.

CABRAL, Sérgio. *Ataulfo Alves: vida e obra*. São Paulo: Lazuli/Companhia Editora Nacional, 2009.

CABRAL, Sérgio. *Pixinguinha: vida e obra*. Rio de Janeiro: Funarte, 1978.

CAMPOS, Alice Duarte Silva de *et al. Um certo Geraldo Pereira*. Rio de Janeiro: Funarte, 1983.

CAMPOS, Augusto de. *Balanço da bossa: antologia crítica da moderna música popular brasileira*. São Paulo: Perspectiva, 1968.

CANDEIA; ISNARD. *Escola de samba, árvore que esqueceu a raiz*. Rio de Janeiro: Lidador/Seec, 1978.

CAPONE, Stefania. *Os yoruba do Novo Mundo: religião, etnicidade e nacionalismo negro nos Estados Unidos*. Rio de Janeiro: Pallas, 2011.

CARNEIRO, Edison. *A sabedoria popular*. Rio de Janeiro: INL/MEC, 1957.

CARNEIRO, Edison. *Antologia do negro brasileiro*. Rio de Janeiro: Agir, 2005.

CARNEIRO, Edison. *Folguedos tradicionais*. Rio de Janeiro: Funarte/INF, 1982.

CARNEIRO, Edison. *Religiões negras, negros bantos*. Rio de Janeiro: Civilização Brasileira, 1981.

CARNEIRO, Edison. *Samba de umbigada*. Rio de Janeiro: MEC/Funarte, 1961.

CARVALHO, José Murilo de. *Os bestializados: o Rio de Janeiro e a república que não foi*. São Paulo: Companhia das Letras, 1987.

CARVALHO, Hermínio Bello de. *Mudando de conversa*. São Paulo: Martins Fontes, 1986.

CASCUDO, Luís da Câmara. *Made in Africa*. Rio de Janeiro: Civilização Brasileira, 1965.

CASCUDO, Luís da Câmara. *Dicionário do folclore brasileiro*. 5. ed. São Paulo: Melhoramentos, 1980.

CASTRO, Maurício Barros de. *Zicartola: política e samba na casa de Cartola e Dona Zica*, 2. ed. Rio de Janeiro: Azougue Editoral, 2013.

CASTRO, Ruy. *Milton Banana Trio (Coleção Folha 50 anos de bossa nova)*. Rio de Janeiro: Media Fashion, 2008.

COSTA, Haroldo. *Salgueiro, academia de samba*. Rio de Janeiro: Record, 1984.

COUTINHO, Eduardo Granja. *Os cronistas de momo: imprensa e carnaval na Primeira República*. Rio de Janeiro: UFRJ, 2006.

CRUZ, H. Dias da. *Os morros cariocas no novo regime: notas de reportagem*. Rio de Janeiro: Gráfica Olímpica, 1941.

CUNHA, A. G. *Dicionário etimológico da língua portuguesa*. Rio de Janeiro: Nova Fronteira, 1982.

DIAS, Paulo Anderson Fernandes. *São Paulo corpo e alma*. São Paulo: Associação Cultural Cachuera!, 2003.

DICIONÁRIO da TV Globo, vol. I: Programas de dramaturgia & entretenimento. Projeto Memórias das Organizações Globo. Rio de Janeiro: Jorge Zahar Editor, 2003.

DICIONÁRIO de ciências sociais, vol. II. Rio de Janeiro: Fundação Getulio Vargas, 1986.

DIDIER, Carlos. *Nássara passado a limpo*. Rio de Janeiro: José Olympio, 2010.

DINIZ, André. *Almanaque do samba*. Rio de Janeiro: Zahar, 2006.

DRAMA e fetiche: vodum, bumba meu boi e samba no Benim. Rio de Janeiro: Funarte, Centro Nacional de Cultura Popular, 1998. Encarte de CD.

EDMUNDO, Luís. *O Rio de Janeiro do meu tempo*. Brasília: Edições do Senado Federal, 2003.

ENCICLOPÉDIA da música brasileira: popular, erudita e folclórica, vol. II. São Paulo: Art Editora, 1977.

ENCICLOPÉDIA da música brasileira. São Paulo: Art Editora/Publifolha, 1998.

ENCICLOPÉDIA Delta-Larousse. Rio de Janeiro: Delta, 1970, 12 vols.

ENCICLOPÉDIA do mundo contemporâneo. São Paulo: Publifolha; Rio de Janeiro: Terceiro Milênio, 2000.

FAOUR, Rodrigo. *Dolores Duran: a noite e as canções de uma mulher fascinante*. Rio de Janeiro: Record, 2012.

FARIAS, Julio César. *O enredo de escola de samba*. Rio de Janeiro: Litteris, 2007.

FERNANDES, Vagner. *Clara Nunes: guerreira da utopia*. Rio de Janeiro: Ediouro, 2007.

FIGUEIREDO, Cândido de. *Novo dicionário da língua portuguesa*, vol. II. 4 ed. Lisboa: Arthur Brandão & Cia., 1925.

FRANCESCHI, Humberto M. *Samba de sambar do Estácio: 1928 a 1931*. São Paulo: Instituto Moreira Salles, 2010.

GALEANO, Eduardo. *As veias abertas da América Latina*. Porto Alegre: L&PM, 2010.

GALEANO, Eduardo. *De pernas pro ar: a escola do mundo ao avesso*. Porto Alegre: L&PM, 2013.

GAMA, Padre Lopes (org. de Evaldo Cabral de Mello). *O Carapuceiro*, coleção Retratos do Brasil. São Paulo: Companhia das Letras, 1996.

GARRIDO DE BOGGS, Edna. *Reseña del Folklore Dominicano*. Santo Domingo: Secretaria de Estado de Cultura/Dirección Nacional de Folklore, 2006.

GOLDWASSER, Maria Julia. *O palácio do samba*. Rio de Janeiro: Zahar, 1975.

GOMES, Bruno Ferreira. *Wilson Batista e sua época*. Rio de Janeiro: Funarte, 1985.

GONÇALVES, Rafael Soares. *Favelas do Rio de Janeiro: história e direito*. Rio de Janeiro: Pallas/PUC-Rio, 2013.

GRIGULEVITCH, I (org.). *Brasil: desenvolvimento atual e perspectiva*, série América Latina: investigações dos cientistas soviéticos, vol. III. Moscou: Academia de Ciências da URSS, 1986.

GUIA do Samba. Linx Consultoria: Prata Design, [s/d].

GUIMARÃES, Francisco (Vagalume). *Na roda do samba*. 2. ed. Rio de Janeiro: Funarte, 1978.

HISTÓRIA da música popular brasileira, fascículo 46: Elton Medeiros e o samba de morro. São Paulo: Abril, 1972.

HOLANDA, Nestor de. *Memórias do Café Nice: subterrâneos da música popular e da vida boêmia do Rio de Janeiro*. Rio de Janeiro: Conquista, 1969.

HOUAISS, Antonio; VILLAR, Mauro de Salles. *Dicionário Houaiss da língua portuguesa*. Rio de Janeiro: Objetiva, 2001.

ITIBERÊ, Brasílio. *Mangueira, Montmartre e outras favelas*. Rio de Janeiro: São José, 1970.

JÓRIO, Amaury; ARAÚJO, Hiram. *Escola de samba em desfile: vida, paixão e sorte*. Rio de Janeiro: [s/n], 1969.

JOTA EFEGÊ. *Ameno Resedá, o rancho que foi escola*. Rio de Janeiro: Letras e Artes, 1965.

LAMAN, K.E. *Dictionnaire Kikongo-Français*. New Jersey: Gregg Press, 1964.

LANDES, Ruth. *A cidade das mulheres*. Rio de Janeiro: Civilização Brasileira, 1967.

LIVRO de registro das formas de expressão. Iphan, registro de 5/10/2004.

LIVRO de registro das formas de expressão. Iphan, registro de 9/10/2007.

LOPES, Nei. *O samba na realidade: a utopia da ascensão social do sambista*. Rio de Janeiro: Codecri, 1981.

LOPES, Nei. *Zé Kéti: o samba sem senhor*. Rio de Janeiro: Relume Dumará, 2000.

LOPES, Nei. *Sambeabá: o samba que não se aprende na escola*. Rio de Janeiro: Folha Seca/Casa da Palavra, 2003.

LOPES, Nei. *Partido-alto, samba de bamba*. Rio de Janeiro: Pallas, 2005.

LOPES, Nei. *O racismo explicado aos meus filhos*. Rio de Janeiro: Agir, 2007.

LOPES, Nei. *Enciclopédia brasileira da diáspora africana*. 4. ed. São Paulo: Selo Negro, 2011

LOPES, Nei. *Novo dicionário banto do Brasil*. 2. ed. Rio de Janeiro: Pallas, 2012a.

LOPES, Nei. *Dicionário da hinterlândia carioca: subúrbios e antigas zonas rurais*. Rio de Janeiro: Pallas, 2012b.

LUSTOSA, Isabel. *A História do Brasil explicada aos meus filhos*. Rio de Janeiro: Agir, 2007.

MACEDO, Márcio. "Anotações para uma história dos bailes negros em São Paulo" In: BARBOSA Marcio; RIBEIRO Esmeralda (org.). *Bailes: soul, samba-rock, hip-hop e identidade em São Paulo*. São Paulo: Quilombhoje, 2007, p. 15-32.

MAIA, Pe. Antonio da Silva. *Dicionário complementar português-kimbundu--kikongo*. Cucujães: Missões, 1964.

MAJOR, Clarence. *Black Slang: A Dictionary of Afro-American Talk*. London; Nova York: Routledge & Kegan Paul, 1987.

MARTINHO DA VILA. *Kizombas, andanças e festanças*. Rio de Janeiro: Léo Christiano Editorial, 1992.

MATTA, J. Cordeiro da (org.). *Ensaio de diccionario kimbúndu-português*. Lisboa: Typographia e Stereotipia Moderna, 1893.

MÁXIMO, João; DIDIER, Carlos. *Noel Rosa: uma biografia*. Brasília: UnB/ Linha Gráfica Editora, 1990.

MELLO, Zuza Homem de. *A era dos festivais: uma parábola*. São Paulo: Editora 34, 2003.

MEMÓRIA do carnaval. Rio de Janeiro: Riotur, 1991.

MENDES, Roberto; JÚNIOR, Waldomiro. *Chula: comportamento traduzido em canção*. Salvador: Fundação ADM, 2008.

MENEZES, Raimundo de. *Dicionário literário brasileiro*. Rio de Janeiro: LTC, 1978.

MIELE, Luiz Carlos. *Poeira de estrelas: histórias de boemia, humor e música*. Rio de Janeiro: Ediouro, 2004.

MORAES FILHO, Mello. *Festas e tradições populares do Brasil*. Belo Horizonte: Itatiaia; São Paulo: USP, 1979.

MORAES, Wilson Rodrigues de Moraes. *Escola de samba e cordões na cidade de São Paulo*. São Paulo: Revista do Arquivo Municipal, nº 1.831.972, p. 167-227.

MORELLI, Rita de Cássia Lahoz. *Arrogantes, anônimos, subversivos: interpretando o acordo e a discórdia na tradição autoral brasileira*. São Paulo: Mercado de Letras, 2000.

MOTTA, Nelson. *Noites tropicais*. Rio de Janeiro: Objetiva, 2000.

MOURA, Roberto M. *Carnaval: da redentora à praça do Apocalipse*. Rio de Janeiro: Zahar, 1996.

MOURA, Roberto M. *No princípio era a roda: um estudo sobre samba, partido-alto e outros pagodes*. Rio de Janeiro: Rocco, 2004.

MOURA, Roberto. *Tia Ciata e a Pequena África no Rio de Janeiro*. Rio de Janeiro: Funarte, 1983.

MOURA, Roberto. *Cartola: todo tempo que eu viver*. Rio de Janeiro: Corisco, 1988.

MOUTINHO, Marcelo. *Somos todos iguais nesta noite*. Rio de Janeiro: Rocco, 2006.

MÜLLER, Maria Lúcia Rodrigues. *A cor da escola: imagens da primeira república*. Cuiabá: Entrelinhas/UFMT, 2008.

MUNIZ JR., J. *Do batuque à escola de samba*. São Paulo: Símbolo, 1976.

MUNIZ JR., J. *Sambistas imortais*. Santos: [s.n.], 1977.

MUNIZ JR., J. *O samba santista em desfile*. Santos: [s.n.], 1999.

MUSSA, Alberto; SIMAS, Luiz Antonio. *Samba de enredo: história e arte*. Rio de Janeiro: Civilização Brasileira, 2010.

NASCIMENTO, J. Pereira do. *Diccionário Português-Kimbundu*. Huíla: Typographia da Missão, 1903.

NOSSO século. vol. I – V. São Paulo: Abril Cultural, 1980.

O SAMBA saúda o povo e pede passagem. Diretório Acadêmico Benjamin Baptista/Escola de Medicina e Cirurgia da Fefieg, 1974 (mimeo), folheto, 38 p.

ORTIZ, Fernando. *Las Tumbas*. Havana: Letras Cubanas, 1995.

PAIXÃO, Marcelo *et al*. *Relatório anual das desigualdades raciais no Brasil* (2009-2010). Rio de Janeiro: Garamond/Laeser – Instituto de Economia da UFRJ, 2010.

PAULINO, Franco. *Padeirinho da Mangueira: retrato sincopado de um artista*. São Paulo: Hedra, 2005.

PEREIRA, João Baptista Borges. *Cor, profissão e mobilidade: o negro e o rádio em São Paulo*. São Paulo: Pioneira/Edusp, 1967.

PERNA, Marco Antonio. *Samba de gafieira: a história da dança popular brasileira*. Rio de Janeiro: [s.n.], 2002.

PILAGALLO, Oscar. *A história do Brasil no século 20: (1980-2000)*. São Paulo: Publifolha, 2009.

POUGASTEL, Yann (org.). *La Chanson Mondiale Depuis 1945*. Paris: Larousse, 1996.

PUGIALLI, Ricardo. *Almanaque da Jovem Guarda*. São Paulo: Ediouro, 2006.

QUERINO, Manuel. *A Bahia de outrora*. Salvador: Livraria Progresso, 1955.

RAMOS, Caio Silveira. *Samba explícito: as vidas desvairadas de Germano Mathias*. São Paulo: A Girafa, 2008.

REBELO, Marques. *Contos reunidos*. Rio de Janeiro: Nova Fronteira, 2002b.

REBELO, Marques. *Marafa*. Rio de Janeiro: José Olympio, 2012a.

REBELO, Marques. *A guerra está em nós*. Rio de Janeiro: Nova Fronteira, 2002a.

REBELO, Marques. *A mudança*. Rio de Janeiro: Nova Fronteira, 2012b.

REBELO, Marques. *Oscarina*. Rio de Janeiro: Ediouro, [s.n.].

REGO, José Carlos. *Dança do samba, exercício de prazer*. Rio de Janeiro: Aldeia/Imprensa Oficial RJ, 1996.

RELATÓRIO anual das desigualdades raciais no Brasil (2009-2010). Rio de Janeiro: Garamond, 2010.

RIBEIRO, Darcy. *Aos trancos e barrancos – como o Brasil deu no que deu*. 2. ed. Rio de Janeiro: Guanabara Dois, 1985.

RICARDO, Sérgio. *Quem quebrou meu violão*. Rio de Janeiro: Record, 1991.

RISÉRIO, Antonio. *Carnaval Ijexá: notas sobre afoxés e blocos do novo carnaval afrobaiano*. Salvador: Corrupio, 1981.

RODRIGUES, João Carlos. *O negro brasileiro e o cinema*. 3. ed. Rio de Janeiro: Pallas, 2011.

RUIZ, Roberto. *Araci Cortes: linda flor*. Rio de Janeiro: Funarte, 1984.

SABINO, Jorge; LODY, Raul. *Danças de matriz africana*. Rio de Janeiro: Pallas, 2011.

SAMPAIO, Teodoro. *O tupi na geografia nacional*. São Paulo: Companhia Editora Nacional/INL, 1987.

SÁNCHEZ C., Walter (org.). *El Tambor Mayor: Musica y Cantos de las Comunidades Negras de Bolívia*. La Paz: Fundacion Simon I. Patiño, 1998.

SANDRONI, Carlos. *Feitiço decente: transformações do samba no Rio de Janeiro (1917-1933)*. Rio de Janeiro: Zahar/UFRJ, 2001.

SANTOS, Milton. *Por uma outra globalização: do pensamento único à consciência universal*. São Paulo: Record, 2000.

SANTOS, Fernanda; FRANÇA, Teones. *Sou memória, sou Cubango*. Rio de Janeiro: iVentura, 2012.

SANTOS, Gevanilda. *Relações raciais e desigualdade no Brasil*. São Paulo: Selo Negro, 2009.

SEVERIANO, Jairo; MELLO, Zuza Homem de. *A canção no tempo*. 2 vols. São Paulo: Editora 34, 1997; 1998.

SILVA NETO, Antônio Leão da Silva. *Dicionário de filmes brasileiros: longa--metragem*. São Bernardo do Campo: [s.n.], 2009.

SILVA, Marília T. Barboza da *et al*. *Fala, Mangueira*. Rio de Janeiro: José Olympio, 1980.

SILVA, Marília T. Barboza da; MACIEL, Lygia dos Santos. *Paulo da Portela: traço de união entre duas culturas*. 2. ed. Rio de Janeiro: Funarte, 1989.

SILVA, Marília T. Barboza da; OLIVEIRA Filho, Arthur L. de. *Silas de Oliveira: do jongo ao samba-enredo*. Rio de Janeiro: Funarte, 1981.

SILVA, Marília T. Barboza da; OLIVEIRA FILHO, Arthur L. de. *Cartola, os tempos idos*. Rio de Janeiro: Funarte/INM/DMP, 1989.

SILVA, Ornato José da. *Culto omolokô*. Rio de Janeiro: Rabaço, [s.d.].

SIQUEIRA, Baptista. *Origem do termo samba*. Brasília: Ibrasa/INL, 1978.

SOARES, Antonio Joaquim de Macedo. *Dicionário brasileiro da língua portuguesa*. 2 vols. Rio: MEC/Instituto Nacional do Livro, 1954.

SOARES, Maria Thereza Melo. *São Ismael do Estácio*. Rio de Janeiro: Funarte, 1985.

SODRÉ, Muniz. *Samba, o dono do corpo*. Rio de Janeiro: Codecri, 1979.

SODRÉ, Muniz. *O terreiro e a cidade: a forma social negro-brasileira*. Petrópolis: Vozes, 1988.

SODRÉ, Muniz. "Violência, mídia e política". *In*: FEGHALI, Jandira *et. al* (org.). *Reflexões sobre a violência urbana: (in)segurança e (des)esperanças*. Rio de Janeiro: Mauad X, 2006, p. 33-41.

SOIHET, Rachel. *Um ensaio sobre resistência e circularidade cultural: a festa da Penha (1890-1920)*. Cadernos do ICHF, nº 31. Rio de Janeiro: UFF, agosto de 1990.

SOUZA, Oswaldo de. *Musica folclórica do Médio São Francisco*. vol II. Rio de Janeiro: Conselho Federal de Cultura, 1980.

SOUZA, Tárik de *et al*. *Brasil musical*. Rio de Janeiro: Art Bureau, 1988.

SOUZA, Tárik de. *Tem mais samba: das raízes à eletrônica*. São Paulo: Editora 34, 2003.

SPIRITO SANTO. *Do samba ao funk do Jorjão: ritmos, mitos e ledos enganos no enredo de um samba chamado Brasil*. Petrópolis: KBR, 2011.

TECGLEN, Eduardo Haro. *A sociedade de consumo*. Rio de Janeiro: Salvat Editora do Brasil, 1980.

TINHORÃO, J. R. *O samba agora vai: a farsa da música popular brasileira no exterior*. São Paulo: JCM, 1969.

TINHORÃO, José Ramos. *A música popular no romance brasileiro*. São Paulo: Editora 34, 2000b; 2002c.

TINHORÃO, José Ramos. *História social da música brasileira*. 2. ed. São Paulo: Editora 34, 2010.

TINHORÃO, José Ramos. *Música popular: o ensaio é na escola*. Rio de Janeiro: MIS, 2001; Saga, 1966.

TINHORÃO, José Ramos. *Os sons negros do Brasil: cantos, danças, folguedos: origens*. São Paulo: Art Editora, 1988.

TINHORÃO, José Ramos. *Os sons que vêm da rua*. São Paulo: Editora 34, 2005.

TINHORÃO, José Ramos. *Pequena história da música popular: da modinha à lambada*. São Paulo: Art Editora, 1991.

TUPY, Dulce. *Carnavais de guerra: o nacionalismo no samba*. Rio de Janeiro: ASB, 1985.

ULLOA, Alejandro. *Pagode: a festa do samba no Rio de Janeiro e nas Américas*. Rio de Janeiro: MultiMais, 1998.

VALENÇA, Rachel; VALENÇA, Suetônio. *Serra, Serrinha, Serrano: o império do samba*. Rio de Janeiro: José Olympio, 1981.

VANSINA, Jan. "Prefácio". *In*: *Diáspora negra no Brasil*. Linda M. Heywood (org.). São Paulo: Contexto, 2009, p. 7-9.

VARGENS, João Baptista M. (org.). *Notas musicais cariocas*. Petrópolis: Vozes, 1986.

VARGENS, João Baptista M. *Candeia, luz da inspiração*. Rio de Janeiro: Martins Fontes/Funarte, 1987.

VARGENS, João Baptista M. *Léxico português de origem árabe*. Rio Bonito: Almádena, 2007.

VARGENS, João Baptista M.; MONTE, Carlos. *A velha guarda da Portela*. Rio de Janeiro: Manati, 2001.

VASCONCELOS, Ary. *A nova música da República Velha*. [s.l.]: [s.n.], 1985.

VASCONCELOS, Ary. *Panorama da música popular brasileira na belle époque*. Rio de Janeiro: Livraria Sant'Anna, 1977.

VASCONCELOS, Ary. *Panorama da música popular brasileira*. 2 vols. São Paulo: Martins, 1964.

VASCONCELOS, Francisco de. *Império Serrano: primeiro decênio*. Rio de Janeiro: [s.n.], 1991.

VELLOSO, Mônica Pimenta. *As tradições populares na belle époque carioca*. Rio de Janeiro: Funarte/Instituto Nacional do Folclore, 1988.

VIANNA, Hermano. *O mistério do samba*. Rio de Janeiro: Zahar, 1995.

VIANNA, Luiz Fernando. *Paulinho da Viola*. Rio de Janeiro: Relume Dumará, 2002.

VIANNA, Luiz Fernando. *Zeca Pagodinho*. Rio de Janeiro: Relume Dumará, 2003. [VIANNA, Luiz Fernando. *Geografia carioca do samba*. Rio de Janeiro: Casa da Palavra, 2004.

VIANNA, Luiz Fernando. *João Nogueira: discobiografia*. Rio de Janeiro: Casa da Palavra, 2012.

Periódicos

ALVITO, Marcos. "Professor Samba" 79-82 *Revista de História da Biblioteca Nacional*, out. 2013.

AMORIM, Cláudia. "A Zona Norte abre-alas". *Revista O Globo*, 5/1/2014, p. 12-15.

ARAÚJO, Walcyr. "Como tomar sopa com garfo". *Última Hora,* coluna "Samba", 29/10/1976.

ASSUNÇÃO, Matthias Röhrig. "Resgatando o carnaval de rua: a fuzarca maranhense contra a homogeneização nacional-global". *Revista USP*, São Paulo: nº 48, p. 159-178, dez. 2000/fev. 2001.

AULER, Marcelo. "O samba faz as contas: A arte de equilibrar despesas e receitas", *Revista AdM, Administração & Marketing*. São Paulo, fev. 1986, p. 48-55.

BARROSO, Antônio. "Samba pede passagem", boletim *Samba e Cultura*. Rio de Janeiro: Aeseg, ano 1, nº 3, 1969, p.10.

BERTA, Rubem. "Perfil: Moacyr Luz". *O Globo*, 26/1/2014, p. 40.

BOTTARI, Elenice. "Salgueiro fatura 110 milhões com multas". *O Globo*, 5/3/1993.

BRAGATTO, Marcos. "A viagem é outra". *O Globo*, Segundo Caderno, 16/2/2013, p. 8.

CABALLERO, Mara. "Seitas ameaçam o samba". *Jornal do Brasil*, Caderno B, capa, 13/3/1986.

CASTRO, Ruy. "Túmulo do samba". *Folha de S.Paulo*, 23/6/2012.

DUARTE, Francisco. "Vida e morte do Deixa Falar, o bloco que virou escola". *Jornal do Brasil*, Caderno B, 12/2/1979.

DUARTE, Francisco. "Como se ganhava o desfile nos anos 30". *Jornal do Brasil*, Caderno B, 25/2/1979.

DUARTE, Francisco. "Eu sou o Samba". *Guanabara em Revista*, MIS-RJ, nº 18. Rio de Janeiro: 1969.

DUARTE, Francisco. Reportagem sobre o bairro da Cidade Nova. *O Globo*, Segundo Caderno, 19/2/1978.

DUARTE, Francisco. "Unidos da Tijuca – Gênese e lutas da escola obstinada que vai abrir o desfile". *Jornal do Brasil*, Caderno B, 9/2/1981.

DUARTE, Francisco. "Reportagem sobre a Praça Onze". *Jornal do Brasil*, Caderno B, 1968.

ESSINGER, Silvio. "Sertanejo ostentação". *O Globo*, Segundo Caderno, 1/12/2013, p. 1.

ESSINGER, Silvio. "A lenda dos Ipanemas revive no palco". *O Globo*, Segundo Caderno, 26/11/2013, p.1.

FERES JUNIOR, João. "A pobreza no Rio de Janeiro tem cor: igualdade racial na política do Rio". *O Globo*, 27/7/2012.

FERNANDES, Vagner. "Carnaval fabricado sob encomenda". *Jornal do Brasil*, Cidade, 1/7/2001, p. 26.

GOIS, Ancelmo. *O Globo*, Primeiro Caderno, 3/11/2013, p. 26.

LAMAS, Dulce Martins. "O samba de escola (carnaval)", *Revista Brasileira de Música*, vol. XI, Escola de Música da UFRJ. Rio de Janeiro: 1981, p. 31-50.

LICHOTE, Leonardo. "Pagode quente". *O Globo*, Segundo Caderno, 28/2/2013, p.1.

LICHOTE, Leonardo. "Enredos de Martinho". *O Globo*, Segundo Caderno, 15/2/2014, p. 1.

LICHOTE, Leonardo. "Em vez de inferno, o paraíso". *O Globo*, Segundo Caderno, 28/3/2014, p. 3.

LICHOTE, Leonardo. "Discípulo e mestre". *O Globo*, Segundo Caderno, 29/3/2014, p. 1.

LICHOTE, Leonardo. "Um samba particular". *O Globo*, Segundo Caderno, 9/1/2015, p. 1.

LIMA, Romão de. *Boletim Samba e Cultura*. Rio de Janeiro: Aeseg, ano 1, nº3, 1969, p. 1.

LUSTOSA, Isabel. "Pedro Ernesto, prefeito do Rio". *Jornal do Brasil*, Primeiro Caderno, 18/11/1992.

MAUAD, Ana Maria. "A embaixatriz dos balangandãs". *Revista Nossa História*. São Paulo: Editora Vera Cruz, Ano 1, nº 6, abr. 2004, p. 56-61.

MÁXIMO, João. "O inventor da MPB". *Revista da Biblioteca Nacional*. Rio de Janeiro: Fundação Bilioteca Nacional, nº 14, dez. 2004, p. 32-38.

MÁXIMO, Luiz Carlos; NASCIMENTO, Toninho. "Samba de Escritório". *O Globo*, 11/12/2011.

MEDEIROS, Elton. "Festival!... Festival!... Festival?..." *Boletim Samba e Cultura*. Rio de Janeiro: Aeseg, Ano 1, nº 3, 1969, p. 6.

MENEZES, Maiá. "Baianas na dispersão". *Revista O Globo*, 10/2/2013, p. 16-17.

MOLICA, Fernando. *O Dia*. "Informe do dia", 23/2/2012, p. 14.

MOREIRA, Sonia Virgínia. "Respeitáveis ouvintes", *Revista Nossa História*. São Paulo: Editora Vera Cruz, ano 3, nº 36, out. 2006, p. 64-66.

MOTTA, Aydano André. "O samba contra-ataca". *Jornal do Brasil*, Caderno Cidade, 27/11/2001. p. 19.

MOURA, Roberto M. "A invasão estrangeira". *Artefato*, ano 1, nº 3, julho 1978.

MUSSA, Alberto. "A poesia perdida dos sambas de enredo". *O Globo*, Prosa & Verso, 9/2/2013, p. 8.

OLIVEIRA, Flávia. "No patrocínio às escolas, empresas escondem as marcas para exibir." *O Globo*, coluna "Negócios & Cia", 9/2/2013, p. 24.

OLIVEIRA, Flávia. "O negócio é o samba". *O Globo*, Negócios & Cia, 1/3/2014, p. 32.

OTÁVIO, Chico; JUPIARA, Aloy. "Nos porões da contravenção". *O Globo*, 6-7/10/2013.

PAULINHO DA VIOLA. *Boletim Samba e Cultura*. Rio de Janeiro: Aeseg, nº 3, 1969, p. 13.

PEREIRA, Carlos Alberto Messeder. "Santuário da Penha e o bloco Cacique de Ramos". *Revista do Patrimônio Histórico e Artístico Nacional*, nº 25 (especial "Negro brasileiro negro"), 1997, p. 279-285.

RANULPHO, Waldinar. "Quando samba cai no abismo da exploração". *Última Hora*, 10/5/1974.

SILVA, Álvares da Silva. "Escolas de samba". *Revista O Cruzeiro*. Rio de Janeiro: Editora O Cruzeiro, Ano XXVII, nº 22, 12/3/1955, p. 7-16.

SIMAS, Luiz Antonio. "As velhas baianas somem da passarela". *O Globo*, 3/2/2013, p. 17.

SOARES, Flávio Eduardo de Macedo. "A nova geração do samba". *Revista Civilização Brasileira*. Rio de Janeiro: Civilização Brasileira, nº 8, 1966.

SOIHET, Rachel. "Um ensaio sobre resistência e circularidade cultural: a festa da Penha (1890-1920)". *Cadernos do ICHF*. Universidade Federal Fluminense, Instituto de Ciências Humanas e Filosofia. Rio de Janeiro: nº 31, ago. 1990. (mimeo)

SOUZA, Leonardo; CORREA, Hudson. "As notas falsas do carnaval". *Revista Época*. São Paulo: Editora Globo, nº 756, 12/11/2012.

TINHORÃO, J. R. "Por que artista crioulo tem que sempre ser engraçado?". *Jornal do Brasil*, Caderno B, 29/8/1974, p. 3.

VASCONCELLOS, Fábio; MAGALHÃES, Luiz Ernesto; GALDO, Rafael. "Escolas não querem bicheiros longe da festa". *O Globo*, Opinião, 23/2/2012, p. 12.

XEXÉO, Artur. *Revista O Globo*, 10/2/2013, p. 66.

Textos de periódicos não assinados ou sem autoria identificada

"As supermulatas das escolas de samba". *Playboy. São Paulo: Abril,* nº 55, fev. 1980, p.39-51.

"Samba de uma nota só", box "Quem não gosta de samba, bom bicheiro não é". *Veja. São Paulo: Abril,* 27/2/1980, p. 56-62.

"Sérgio Cabral cobra gestão profissional do samba: modelo atual depende de patrocínio de empresas e governos". *O Globo*, 12/2/2013.

O Globo, "Há 50 anos", nota sobre o 1º Torneio de Baterias do Estado da Guanabara, 11/2/2013.

O Globo, Rio, Editorial, 16/2/2013.

O Globo, coluna "Gente Boa", Segundo Caderno, 16/7/2012, p. 5.

"Samba de salão". *O Malho*, coluna "Broadcasting". Rio de Janeiro: O Malho, 31/10/1935, p. 8.

"Os doutores do rádio". *O Malho*, coluna "Broadcasting". Rio de Janeiro: O Malho, 2/3/1939, p. 9.

Revista Gol. São Paulo: Trip Editora, nº 133/2013, p. 76.

Revista O Globo, 1/12/2013, p. 99.

Obras de ficção citadas

ALMEIDA, Manuel Antônio de. *Memórias de um sargento de milícias*. Porto Alegre: L&PM, 1997.

BARBARÁ, Paulo Henrique. *Mangueira, estação primeira*, Rio de Janeiro: José Olympio, 1972.

CASTRO, Silvio. *Raiz antiga*. Rio de Janeiro: Edições Val, 1965.

CÉSAR, Haroldo. *Toda família sambista*. Rio de Janeiro: Edição do Autor, 2013.

CONY, Carlos Heitor. *O ventre*. Rio de Janeiro: Civilização Brasileira, 1958.

CONY, Carlos Heitor. *Tijolo de segurança*. Rio de Janeiro: Civilização Brasileira, 1960.

CORDEIRO, Cruz. *Uma sombra que desce*. São Paulo: Cultura Moderna, 1939.

FONSECA, Rubem. *Agosto*. Rio de Janeiro: Record, 1990.

FONSECA, Rubem. *José*. Rio de Janeiro: Nova Fronteira, 2011.

FRAGA, Antônio. *Desabrigo*. Rio de Janeiro: Macunaíma, 1945.

LEITE, José Roberto Teixeira. *O morro da paz*. Rio de Janeiro: Borsoi, 1951.

LINS, Paulo. *Desde que o samba é samba*. São Paulo: Planeta, 2012.

LOPES, Nei. *Mandingas da mulata velha na Cidade Nova*. Rio de Janeiro: Língua Geral, 2009.

LOPES, Nei. *Vinte contos e uns trocados*. Rio de Janeiro: Record, 2006.

MACHADO, Aníbal. *João Ternura*. Rio de Janeiro: José Olympio, 1968.

MACHADO, Aníbal. "A morte da porta-estandarte". *In: A morte da porta--estandarte e outras histórias*. 2. ed. Rio de Janeiro: José Olympio, 1969.

MARÇAL, Heitor. *A noite no espelho*. Rio de Janeiro: GRD, 1961.

MIRANDA, Maio. *Amanhã sem madrugada*. São Paulo: Edart, 1967.

OLINTO, Antônio. *Copacabana*. São Paulo: Lisa Livros Irradiantes, 1975.

POMPEU, Renato. *Samba enredo*. São Paulo: Alfa Ômega, 1982.

REBELO, Marques. *Marafa*. São Paulo: Companhia Editora Nacional, 1935.

REBELO, Marques. *Oscarina*. Rio de Janeiro: Ediouro, 1931.

REBELO, Marques. *A estrela sobe*. São Paulo: Martins, 1939.

REBELO, Marques. *A mudança*. São Paulo: Martins, 1962.

REBELO, Marques. *A guerra está em nós*. São Paulo: Martins, 1968.

REBELO, Marques. "Stella me abriu a porta" (conto "Caprichosos da Tijuca"). *In: Contos reunidos*. Rio de Janeiro: Nova Fronteira, 2002.

REGO, José Lins do. *Eurídice*. Rio de Janeiro: José Olympio, 1947.

REZENDE, Rodolfo Motta. *O samba dos vagalumes*. Rio de Janeiro: José Olympio, 1990.

SALLES NETTO. *Barraco*. Rio de Janeiro: Ed. Vecchi, 1957.

VASCONCELOS, José Mauro de. *Meu pé de laranja lima*. 2. ed. São Paulo: Melhoramentos, 1968.

Internet

http://oglobo.globo.com/cultura/martinho-da-vila-vai-alem-regrava-seu--primeiro-lp-5361947 (acesso em 19/12/2014)

http://portal.iphan.gov.br/ (acesso em 19/12/2014)

http://encipecom.metodista.br/mediawiki/images/8/81/GT4_-_007.pdf (acesso em 19/12/2014)

http://www.cartacapital.com.br/destaques_carta_capital/o-exercito-de--felicianos (acesso em 19/12/2014)

http://revistaepoca.globo.com/Brasil/noticia/2012/11/como-o-jogo-do--bicho-usa-escolas-de-samba-cariocas-para-desviar-recursos-publicos--e-lavar-dinheiro.html (acesso em 19/12/2014)

http://www.ecad.org.br/pt/eu-faco-musica/Ranking (acesso em 19/12/2014)

http://www.edulisboapio.blogspot.com.br (acesso em 19/12/2014)

http://www.folha.uol.com.br (acesso em 23/3/2013) http://www.galeria-dosamba.com.br/escolas/estacao-primeira-de-mangueira/2/ (acesso em 26/11/2013)

http://www.gresportela.org.br/ (acesso em 15/12/2014)

CIGANA, Dara. "Chegada dos ciganos ao Brasil." http://leituradebara-lhocigano.blogspot.com.br/2008/09/chegada-dos-ciganos-ao-brasil.html (acesso em 6/12/2013)

HOFF, Tânia Márcia. "Globalização e identidade cultural brasileira na publicidade." http://encipecom.metodista.br/mediawiki/images/8/81/GT4_-_007.pdf (acesso em 30/1/2015)

SILVA, Edson Delmiro. Origem e desenvolvimento da indústria fonográfica brasileira. http://www.intercom.org.br/papers/nacionais/2001/papers/NP6SILVA.pdf (acesso em 16/4/2013)

http://liesa.globo.com/http://www.saraiva.com.br/ (acesso em 13/3/2013)

http://www.musikcity.mus.br/radiosevangelicas.html (acesso em 19/12/2014)

http://www.radio.uol.com.br/#/playlists (acesso em 17/4/2013)

http://www.samba-choro.com.br (acesso em 19/12/2014)
http://www.youtube.com/watch?v=vJRTiJ67Q_I (acesso em 26/1/2015)

Inéditos

MALTA, Pedro Paulo. *História social do samba: uma linha do tempo*. Rio de Janeiro: 2010.

QUARESMA, Ruy. Comunicação por e-mail, em 19/5/2007.

ÍNDICE ONOMÁSTICO

Este livro foi composto na tipografia
Adobe Caslon Pro, em corpo 10,5/15, e impresso em
papel off-white no Sistema Digital Instant Duplex
da Divisão Gráfica da Distribuidora Record.